Cecelia Ahern

Ich hab dich im Gefühl

Roman

Aus dem Englischen von
Christine Strüh

Fischer Taschenbuch Verlag

4. Auflage: November 2009

Veröffentlicht im Fischer Taschenbuch Verlag,
einem Unternehmen der S. Fischer Verlag GmbH,
Frankfurt am Main, Oktober 2009

Die Originalausgabe erschien 2008 unter dem Titel
›Thanks For The Memories‹ im Verlag HarperCollins, London
Die deutsche Erstausgabe erschien 2008
bei Krüger, einem Verlag der S. Fischer Verlag GmbH
© Cecelia Ahern 2008
Für die deutsche Ausgabe:
© S. Fischer Verlag GmbH 2008
Satz: Pinkuin Satz und Datentechnik, Berlin
Druck und Bindung: CPI – Clausen & Bosse, Leck
Printed in Germany
ISBN 978-3-596-17318-1

Joyce überlebt nur knapp einen Unfall – und weiß, dass sie ab jetzt ganz anders leben will. Doch irgendetwas ist seltsam: Sie kann auf einmal fremde Sprachen und erinnert sich an Dinge, die sie gar nicht erlebt hat.

Justin ist als Gastdozent in Dublin. Er ist verdammt einsam, würde das aber nie zugeben. Als er eine junge Frau trifft, die ihm ungewöhnlich bekannt vorkommt, ist er verwirrt – er kommt einfach nicht drauf, woher er sie kennen könnte …

In Liebe gewidmet meinen Großeltern
Olive & Raphael Kelly und Julia & Con Ahern.
Danke für die Erinnerungen.

Prolog

Schließ die Augen und schau in die Dunkelheit.

Das war immer der Rat meines Vaters, wenn ich als kleines Mädchen nicht schlafen konnte. Jetzt würde er das nicht von mir wollen, aber ich tue es trotzdem. Ich starre in die unermessliche Dunkelheit, die sich endlos hinter meinen geschlossenen Augenlidern erstreckt. Obwohl ich nach wie vor auf dem Boden liege, habe ich das Gefühl, dass ich auf dem allerhöchsten Punkt bin, den ich erreichen kann, mich an eine Treppe im Nachthimmel klammere und meine Beine über dem kalten schwarzen Nichts baumeln lasse. Ein letztes Mal blicke ich hinunter auf meine Finger, die das Licht umschließen, dann lasse ich los. Erst falle ich, dann treibe ich, dann falle ich wieder, und ich warte auf das Land meines Lebens.

Genau wie schon als kleines Mädchen, das gegen den Schlaf kämpfte, weiß ich auch heute, dass hinter dem dünnen Vorhang der geschlossenen Lider die Farben wohnen. Sie locken mich, fordern mich heraus, die Augen zu öffnen und den Schlaf abzuschütteln. Rote und bernsteinfarbene, gelbe und weiße Blitze durchflammen meine Dunkelheit. Ich weigere mich, die Augen aufzumachen. Aus reinem Trotz kneife ich die Lider noch fester zusammen, um die Lichtfunken abzuwehren – bloße Ablenkungen, die mich wach halten, aber Zeichen dafür, dass es jenseits davon Leben gibt.

Aber in mir ist kein Leben. Keins, das ich, hier am Fuß der Treppe liegend, fühlen kann. Nun schlägt mein Herz schneller, der letzte Einzelkämpfer, der im Ring zurückgeblieben ist, ein roter Boxhandschuh, der immer weiterpumpt und nicht aufgeben will. Das ist der einzige Teil von mir, dem es nicht egal ist, der einzige, dem es nie egal war. Er bemüht sich, das Blut in Umlauf zu halten, den heilenden Kreislauf, mit dessen Hilfe das ersetzt werden soll, was ich verliere. Aber es fließt genauso schnell aus meinem Körper, wie es herangepumpt wird, und bildet einen tiefen schwarzen Ozean um die Stelle, wo ich gestürzt bin.

Schnell, schnell, schnell. Immer haben wir es eilig. Nie haben wir hier genug Zeit, denn wir sind schon unterwegs nach dort. Weil wir bereits vor fünf Minuten hätten aufbrechen müssen, weil wir jetzt dort sein sollten. Wieder klingelt das Telefon, und ich nehme die Ironie des Schicksals zur Kenntnis. Wenn ich mir vorhin Zeit gelassen hätte, könnte ich jetzt drangehen.

Jetzt, nicht damals.

Ich hätte mir beim Hinuntergehen alle Zeit der Welt nehmen können. Aber wir haben es immer eilig. Alle sind in Hetze, alle, außer meinem Herzen. Das wird langsamer. Das stört mich nicht sonderlich. Ich lege die Hand auf meinen Bauch. Wenn mein Kind nicht mehr da ist, dann will ich auch gehen. Und es dort treffen. Wo auch immer »dort« ist. Dort werde ich es bemuttern und umsorgen, wie ich es hier hätte tun sollen.

Dort, nicht hier.

Es tut mir so leid, Schätzchen, werde ich ihm sagen, es tut mir leid, dass ich deine Chance vermasselt habe, deine und meine Chance – unsere Chance auf ein gemeinsames Leben. Aber schließ jetzt die Augen und schau in die Dunkelheit, wie deine Mummy, dann finden wir unseren Weg.

Plötzlich höre ich ein Geräusch im Zimmer und spüre, dass da jemand ist.

»O Gott, Joyce, o Gott! Kannst du mich hören, Liebes? O Gott. O Gott. O nein, bitte nicht, Gott. Nicht meine Joyce, nimm mir nicht meine Joyce. Halte durch, Liebes, ich bin hier. Dad ist bei dir.«

Ich möchte aber nicht durchhalten, und das möchte ich ihm auch gern sagen. Ich höre mich stöhnen, ein Wimmern, das klingt wie von einem Tier, erschreckend, Angst einflößend. Ich habe einen Plan, möchte ich ihm sagen. Ich möchte gehen, denn nur dann kann ich mit meinem Baby zusammen sein.

Dann, nicht jetzt.

Er hat meinen Sturz aufgehalten, aber ich bin noch nicht gelandet. Stattdessen hilft er mir zu balancieren, zu schwanken, dabei muss ich doch eine Entscheidung treffen. Ich möchte weiterfallen, aber er ruft einen Krankenwagen. Und er packt meine Hand so fest, als wäre er es, dessen Leben am seidenen Faden hängt. Als wäre ich alles, was er hat. Jetzt streicht er mir die Haare aus der Stirn und weint laut. Ich habe ihn noch nie weinen hören. Nicht mal, als Mum gestorben ist. Mit einer Kraft, die ich seinem alten Körper gar nicht zugetraut hätte, umklammert er meine Hand, und ich erinnere mich plötzlich, dass ich tatsächlich alles bin, was er hat, und dass auch er wieder meine Welt geworden ist, genau wie früher. Ununterbrochen rauscht das Blut durch meine Adern. Schnell, schnell, schnell. Immer haben wir es eilig. Vielleicht bin auch ich nur in Hetze, vielleicht ist es noch nicht Zeit für mich zu gehen.

Ich spüre die raue Haut seiner alten Hände, die meine drücken, so dringlich und vertraut, dass ich mich zwinge, die Augen zu öffnen. Licht überflutet sie, und ich sehe sein Gesicht. Nie wieder möchte ich es so sehen müssen. Er klammert sich an sein Baby, ich habe meines verloren. Ich kann nicht zulassen, dass er seines ebenfalls verliert. Noch während ich diese Entscheidung treffe, beginne ich bereits zu trauern. Jetzt bin ich gelandet. Und mein Herz schlägt noch immer.

Unbeirrt pumpt es weiter, obwohl es gebrochen ist.

Einen Monat früher

Eins

»Eine Bluttransfusion«, verkündet Dr. Fields vom Podium des Vorlesungssaals im Geisteswissenschaftlichen Institut des Trinity College, »eine Bluttransfusion ist der Prozess, bei dem Blut oder Blutprodukte eines Menschen in den Kreislauf eines anderen übertragen werden. Mit einer Bluttransfusion kann ein massiver Blutverlust nach einem Unfall, einer Operation oder einem Schock ausgeglichen werden, mit einer Bluttransfusion kann einem Menschen geholfen werden, wenn die Produktion der roten Blutkörperchen zusammenbricht. Hier die Fakten. Jede Woche werden in Irland dreitausend Blutspenden benötigt. Nur drei Prozent der irischen Bevölkerung spenden Blut, das für eine Bevölkerung von fast vier Millionen ausreichen muss. Einer von vier Menschen braucht irgendwann im Leben eine Transfusion. Sehen Sie sich bitte jetzt mal im Raum um.«

Fünfhundert Köpfe drehen sich nach links, nach rechts, nach vorn, nach hinten. Unbehagliches Lachen durchbricht die Stille.

Dr. Fields' Stimme übertönt die Unruhe. »Mindestens hundertfünfzig Leute in diesem Raum brauchen irgendwann in ihrem Leben eine Bluttransfusion.«

Sofort sind alle wieder still. Dann hebt sich eine Hand.

»Ja?«

»Wie viel Blut braucht ein Patient?«

»Wie lang ist ein Stück Schnur, Blödmann?«, spottet jemand von weiter hinten, und eine Papierkugel fliegt dem jungen Fragesteller an den Kopf.

»Eine sehr gute Frage.« Stirnrunzelnd späht Dr. Fields in die Dunkelheit, aber sie kann die Studenten im Gegenlicht des Projektors nicht sehen. »Wer hat sie gestellt?«

»Mr Dover«, meldet sich eine Stimme von der anderen Seite des Saals.

»Ich bin sicher, dass Mr Dover für sich selbst sprechen kann. Wie heißen Sie mit Vornamen?«

»Ben«, antwortet der Fragesteller in niedergeschlagenem Ton. Gelächter brandet auf. Dr. Fields seufzt.

»Danke für die Frage, Ben. Den anderen möchte ich sagen, dass es keine dummen Fragen gibt. Darum geht es in der Blutspendewoche. Es geht darum, alle Fragen zu stellen, die Ihnen einfallen, und alles über die Bluttransfusion zu erfahren, was Sie wissen sollten, ehe Sie sich entscheiden können, heute, morgen oder irgendwann im Lauf dieser Woche auf dem Campus und hoffentlich in Zukunft regelmäßig Blut zu spenden.«

In diesem Moment öffnet sich die Saaltür, Licht strömt in den dunklen Raum: Auftritt Justin Hitchcock, das Gesicht im weißen Licht des Projektors von Konzentration durchfurcht, unter dem linken Arm einen Stapel Aktenordner, die von Sekunde zu Sekunde tiefer rutschen. In der rechten Hand trägt er eine vollgestopfte Mappe und einen Pappbecher mit Kaffee, was ihm einen ziemlich komplizierten Balanceakt abverlangt. Jetzt schießt ein Knie vor, um die Ordner wieder an Ort und Stelle zu bugsieren, danach senkt sich der Fuß des rettenden Beins langsam wieder zu Boden. Es sieht aus wie eine Tai-Chi-Übung, und als das Gleichgewicht einigermaßen wiederhergestellt ist, breitet sich ein erleichtertes Lächeln über das Gesicht. Im Saal wird gekichert, was die Balance erneut in Frage stellt.

Reiß den Blick vom Kaffee los, Justin, und schau dich erst mal um. Verschaff dir einen Überblick: Frau auf dem Podium, fünfhundert junge Leute im Saal. Die dich allesamt anstarren. Sag was. Was Intelligentes.

14

»Ich bin verwirrt«, verkündet er aufs Geratewohl in die Dunkelheit hinein, hinter der er irgendeine Art intelligenten Lebens ahnt. Wieder ein paar Kicherer, und er spürt die Blicke auf sich ruhen, während er sich zur Tür zurückbewegt, um die Raumnummer zu prüfen.

Verschütte jetzt bloß nicht deinen Kaffee. Verschütte jetzt bloß nicht deinen blöden Kaffee!

Es gelingt ihm, unfallfrei die Tür zu öffnen. Wieder strömt das Licht vom Korridor herein, und die Studenten, auf die es fällt, halten sich schützend die Hand über die Augen.

Kicher, kicher. Es gibt doch nichts Komischeres als einen Menschen, der sich verlaufen hat.

Bepackt, wie er ist, schafft er es trotzdem, die Tür mit dem Bein aufzuhalten. Er wirft einen Blick auf die Raumnummer draußen und dann auf seinen Zettel, der, wenn er ihn nicht sofort und entschlossen festhält, auf den Boden segeln wird. Er packt zu. Aber mit der falschen Hand. Der volle Pappbecher platscht auf den Boden. Der Zettel segelt hinterher.

Verdammt! Da geht es schon wieder los, kicher, kicher. Es gibt doch nichts Komischeres als einen Menschen, der sich verlaufen hat, der seinen Kaffee verschüttet und dem sein Stundenplan runterfällt.

»Kann ich Ihnen helfen?« Die Frau steigt vom Podium.

Justin manövriert seinen Gesamtkörper zurück in den Saal, die Tür geht zu, und es wird wieder dunkel.

»Na ja, hier steht …«, mit Blick auf das durchweichte Blatt Papier auf dem Boden zögert er und korrigiert sich: »Na ja, hier *stand*, dass ich jetzt in diesem Raum eine Vorlesung habe.«

»Ausländische Studenten müssen sich in der Aula einschreiben.«

Justin runzelt die Stirn. »Nein, ich …«

»Entschuldigung«, sagt sie und tritt etwas näher, »aber ich dachte, Sie hätten einen amerikanischen Akzent.« Dabei hebt sie den Pappbecher auf und wirft ihn in den Mülleimer, über dem ein Schild mit der Aufschrift »Getränke verboten« angebracht ist.

»Ah … o … tut mir leid.«

»Die höheren Semester treffen sich nebenan.« Flüsternd fügt sie hinzu: »Glauben Sie mir, hier wollen Sie nicht bleiben.«

Justin räuspert sich, stellt sich einigermaßen gerade hin und stopft sich die Ordner enger unter den Arm. »Eigentlich soll ich hier eine Vorlesung über Kunstgeschichte und Architektur halten.«

»Sie halten die Vorlesung?«

»Ja, ich bin der Gastdozent. Ob Sie's glauben oder nicht.« Er versucht, sich die Haarsträhnen, die ihm an der Stirn kleben, aus dem Gesicht zu blasen. *Ich muss mir die Haare schneiden lassen, unbedingt. Da ist es schon wieder, das Gekicher. Der Gastdozent, der gerade seinen Kaffee verschüttet hat und demnächst seine Ordner fallen lassen wird, muss dringend zum Friseur. Also echt, kann man sich was Komischeres vorstellen?*

»Mr Hitchcock?«

»Ja, der bin ich«, antwortet er und merkt, wie ihm die Ordner wegrutschen.

»Oh, tut mir leid«, flüstert die Frau. »Ich wusste ja nicht …« Geistesgegenwärtig fängt sie einen der Ordner für ihn auf. »Ich bin Dr. Sarah Fields vom IBTS. Der Fachbereich hat mir gesagt, ich könnte vor Ihrer Vorlesung eine halbe Stunde mit den Studenten haben, natürlich nur, wenn Sie einverstanden sind.«

»Oh, davon wusste ich gar nichts, aber das ist natürlich null problemo.« *Null problemo?* Er schüttelt den Kopf und strebt zur Tür. *Starbucks, ich komme!*

»Mr Hitchcock?«

Er bleibt an der Tür stehen. »Ja?«

»Haben Sie nicht vielleicht Lust dazubleiben?«

Ganz bestimmt nicht. Auf mich warten ein Cappuccino und ein Muffin, wie für mich gemacht. Nein. Ich muss einfach nur nein sagen.

»Äh … ne-ja.« *Ne-ja?* »Ich meine ja.«

Kicher, kicher, kicher. Dozent hat sich blamiert. Ist von einer attraktiven jungen Frau in einem weißen Kittel, die behauptet, eine Ärztin einer unbekannten Organisation zu sein, dazu gezwungen worden, etwas zu tun, was er eindeutig nicht wollte.

»Großartig. Willkommen.«

Sie schiebt die restlichen Ordner unter seinen Arm und kehrt aufs Podium zurück, um mit ihrem Vortrag weiterzumachen.

»Okay, dann bitte ich jetzt wieder um Aufmerksamkeit, und zwar für unsere Frage zur Blutmenge. Das Opfer eines Autounfalls kann bis zu dreißig Bluteinheiten benötigen, ein blutendes Magengeschwür braucht zwischen drei und dreißig Einheiten, eine Bypassoperation zwischen einer und fünf Einheiten. Die Menge schwankt also, aber Sie sehen an den Beispielen, dass der Bedarf so hoch ist, dass wir *immer* Blutspender brauchen.«

Justin sucht sich einen Platz in der ersten Reihe, während ihm voller Entsetzen klar wird, in was er da hineingeraten ist.

»Sonst noch Fragen?«

Könnten wir vielleicht das Thema wechseln?

»Bekommt man Geld, wenn man Blut spendet?«

Gelächter.

»Nein, hier in Irland leider nicht.«

»Erfährt ein Mensch, der Blut bekommt, wer der Spender ist?«

»Im Normalfall sind Spenden anonym, aber die Produkte in einer Blutbank können durch den Zyklus von Spenden, Testen, Komponententrennung, Lagerung und Vergabe an den Empfänger immer zurückverfolgt werden.«

»Kann jeder Blut spenden?«

»Gute Frage. Ich habe hier eine Liste von Indikationen, die eine Blutspende ausschließen. Bitte lesen Sie diese alle aufmerksam durch und machen Sie sich ruhig auch Notizen, wenn Sie möchten.« Dr. Fields legt ein Blatt Papier unter den Projektor, und auf ihrem weißen Kittel leuchtet ein ziemlich drastisches

Bild auf von jemandem, der dringend eine Blutspende braucht. Dann tritt sie zurück, und jetzt erscheint das Bild des Unfallopfers gehorsam auf der Leinwand.

Die Zuhörer stöhnen auf, und das Wort »krass« macht die Runde wie eine La-Ola-Welle. Zweimal kommt es an Justin vorbei. Ihm wird schwindlig, und er wendet die Augen ab.

»Uuups, falsche Folie«, stellt Dr. Fields ungerührt fest, tauscht sie bedächtig aus, und jetzt taucht die angekündigte Liste auf.

Hoffnungsvoll sucht Justin nach einem Punkt über Spritzen- oder Blutphobie, denn dann käme er als Spender von vornherein nicht in Frage. Nichts dergleichen. Andererseits spielt das eigentlich auch keine Rolle, denn dass er auch nur einen einzigen Tropfen Blut spendet, ist ungefähr so unwahrscheinlich, wie dass er am frühen Morgen einen Geistesblitz hat.

»Schade, Dover.« Wieder saust ein Papierkügelchen von hinten auf Bens Kopf zu. »Schwule dürfen kein Blut spenden.«

Ben streckt gelassen den Mittelfinger in die Luft.

»Das ist Diskriminierung«, ruft ein Mädchen.

»Diese Diskussion können wir hier und heute leider nicht führen«, erwidert Ms Fields und fährt fort: »Denken Sie daran, der Körper ersetzt den Flüssigkeitsanteil einer Blutspende innerhalb weniger Stunden. Eine Einheit ist knapp ein halber Liter, und da ein normaler Erwachsener durchschnittlich vier bis sechs Liter Blut im Körper hat, kann er gut eine Einheit entbehren.«

Hie und da wird wieder pubertär gekichert.

»Also, hören Sie«, fährt Dr. Fields fort und klatscht Aufmerksamkeit heischend die Hände. »Bei der Blutspendewoche geht es ebenso um Information wie ums eigentliche Blutspenden. Es ist gut und schön, dass wir über das Thema lachen können, aber ich finde, man sollte sich gelegentlich auch vor Augen führen, dass ein Leben – sei es das einer Frau, eines Mannes oder eines Kindes – in diesem Moment von Ihnen abhängt.«

Wie schnell das Schweigen sich im Saal ausbreitet. Sogar Justin hört auf, mit sich selbst zu sprechen.

Zwei

»Professor Hitchcock.« Dr. Fields geht auf Justin zu, der seine Papiere am Podium ordnet, während die Studenten fünf Minuten Pause machen.

»Bitte nennen Sie mich Justin.«

»Bitte nennen Sie mich Sarah.« Sie streckt ihm die Hand hin.

»Ich freue mich sehr, Sie kennenzulernen, Sarah.«

»Sehen wir uns nachher noch?«

»Nachher?«

»Ja, nachher. Nach … nach der Vorlesung«, lächelt sie.

Flirtet sie etwa mit mir? Es ist so lange her, dass jemand mit mir geflirtet hat, ich hab völlig vergessen, wie sich das anfühlt. Sag was, Justin, sag endlich was.

»Gern. Eine Verabredung wäre toll.«

Sie verzieht die Lippen, um ein Lächeln zu verbergen. »Okay, dann treffen wir uns um sechs am Haupteingang, und ich bringe Sie hin.«

»Wohin?«

»Dorthin, wo die Blutspendeaktion stattfindet. Direkt neben dem Rugbyplatz. Ich würde Sie gerne hinbegleiten.«

»Die Blutspendeaktion …« Sofort packt ihn wieder das Grauen. »Ach, ich glaube nicht, dass …«

»Und danach gehen wir was trinken?«

»Wissen Sie was? Ich hab grade erst Grippe gehabt, deshalb glaube ich nicht, dass ich fürs Blutspenden infrage komme.« Er breitet die Hände aus und zuckt die Achseln.

»Nehmen Sie Antibiotika?«

»Nein, aber das ist eine gute Idee, Sarah. Vielleicht *sollte* ich welche nehmen …« Er reibt sich über den Hals.

»Ach, ich denke, das wird auch so wieder«, grinst sie.

»Nein, wissen Sie, ich hatte in letzter Zeit ziemlich viel mit ansteckenden Krankheiten zu tun. Malaria, Pocken, das volle Programm. Ich hab mich in einer sehr tropischen Gegend aufgehalten.« Spontan fällt ihm die ganze Liste von Widersprüchen ein, die in seiner Aussage stecken. »Und mein Bruder Al hat Lepra.« *Was für ein ausgewachsener Quatsch.*

»Ach wirklich.« Sie zieht eine Augenbraue in die Höhe, und obwohl er sich mit aller Willenskraft dagegen wehrt, kann er ein Lächeln nicht unterdrücken. »Wie lange ist es her, dass Sie die Staaten verlassen haben?«, fragt sie.

Denk gut nach, das könnte eine Fangfrage sein. »Ich bin vor drei Monaten nach London gezogen«, antwortet er schließlich wahrheitsgemäß.

»Oh, das ist gut. Wenn es zwei Monate gewesen wären, kämen Sie für die Aktion nämlich nicht in Frage.«

»Hmm, Moment mal, lassen Sie mich überlegen …« Er kratzt sich am Kinn, zermartert sich das Hirn und murmelt dabei wahllos Monatsnamen vor sich hin. »Vielleicht waren es auch zwei Monate. Wenn ich von dem Zeitpunkt aus zurückrechne, wo ich angekommen bin …« Er lässt den Satz unvollendet, zählt aber weiter an seinen Fingern und starrt mit konzentriert gefurchter Denkerstirn in die Ferne.

»Haben Sie etwa Angst, Professor Hitchcock?«, lächelt sie.

»Angst? Aber nein!« Er wirft den Kopf zurück und lacht laut. »Aber habe ich erwähnt, dass ich an Malaria leide?«, fragt er und seufzt, weil sie ihn offensichtlich nicht ernst nimmt. »Also, jetzt fällt mir wirklich nichts mehr ein.«

»Dann sehen wir uns um sechs am Haupteingang. Ach, und vergessen Sie nicht, vorher was zu essen.«

»Natürlich, vor meinem Date mit der Mördernadel werde ich

ganz sicher einen Bärenhunger haben«, brummt er, während er ihr nachblickt.

Allmählich kommen die Studenten wieder in den Saal zurückgezuckelt, und Justin versucht, das zufriedene Lächeln auf seinem Gesicht vor ihnen zu verbergen. Obwohl die Angelegenheit ja durchaus zwei Seiten hat. Endlich sind alle drin.

Okay, meine Kicherfreunde. Der Zeitpunkt der Rache ist gekommen.

Zwar sitzen noch nicht alle, aber er fängt trotzdem schon an.

»Kunst«, beginnt er vollmundig und hört, wie Stifte und Notizblöcke aus Taschen gezerrt, Reißverschlüsse und Schnallen bedient und rappelnde Blechmäppchen geöffnet werden – alles brandneu für den ersten Tag des Semesters. Blitzsauber und fleckenlos. Von den Studenten kann man das leider nicht behaupten. »Das Produkt menschlicher Kreativität.« Er hält nicht inne, um seinen Zuhörern Zeit zu geben. Nein, jetzt will er ein bisschen Spaß haben. »Das Erschaffen schöner oder wichtiger Dinge.« Beim Reden wandert er hin und her. Die Geräusche des Rappelns und Reißverschlussreißens wollen kein Ende nehmen.

»Sir, könnten Sie das nochmal sagen, bi…«

»Nein«, unterbricht er. »Technik«, prescht er weiter, »die praktische Anwendung der Wissenschaft auf Industrie oder Handel.« Jetzt herrscht absolute Stille.

»Kreativität und praktisches Denken. Die Frucht ihrer Verbindung ist die Architektur.«

Schneller, Justin, schneller!

»Architektur ist die Transformation von Ideen in physische Realität. Eine komplexe und sorgfältig entworfene Struktur, stets im Kontext ihrer Zeit. Um Architektur zu verstehen, müssen wir die Beziehung zwischen Technologie, Wissenschaft und Gesellschaft verstehen.«

»Sir, könnten Sie …«

»Nein.« Aber wenigstens drosselt er das Tempo ein wenig. »Wir werden untersuchen, wie die Architektur im Lauf der Jahrhunderte von der Gesellschaft geformt wurde, wie sie noch immer von ihr geformt wird, aber auch, wie sie ihrerseits die Gesellschaft formt.«

Er macht eine Pause, blickt in die Gesichter der jungen Menschen, die zu ihm emporstarren, ihr Geist ein leeres Gefäß, das darauf wartet, gefüllt zu werden. So viel zu lernen, so wenig Zeit und so wenig Leidenschaft, die Dinge wirklich zu verstehen. Sein Job ist es, diesen jungen Menschen Leidenschaft einzuflößen. Mit ihnen die Erfahrungen seiner Reisen zu teilen, sein Wissen über all die großen Meisterwerke aus vergangenen Jahrhunderten. Er wird sie aus dem muffigen Vorlesungssaal in die Hallen des Louvre versetzen, das Echo ihrer Schritte hören, wenn er sie durch die Kathedrale von Saint-Denis führt, nach Saint-Germain-des-Prés und zu Saint-Pierre-de-Montmartre. Sie werden nicht nur die Daten und Statistiken, sondern den Geruch von Picassos Farben kennenlernen, das Gefühl von barockem Marmor und den Klang der Glocken von Notre-Dame. All das werden sie erleben, hier in diesem Raum. Er wird all das zu ihnen bringen.

Sie starren dich an, Justin. Sag was.

Er räuspert sich. »In unserem Kurs werden Sie lernen, wie Sie ein Kunstwerk analysieren und seine historische Bedeutung verstehen können. Sie werden ein Bewusstsein für Ihre Umgebung entwickeln und eine tiefere Sensibilität für die Kultur und die Ideale anderer Nationen. Und das auf einer großen Bandbreite: Geschichte der Malerei, Skulptur und Architektur von der griechischen Antike bis zur Gegenwart, frühe irische Kunst, die Maler der italienischen Renaissance, die großen gotischen Kathedralen Europas, die architektonische Pracht der georgianischen Ära und die künstlerischen Leistungen des zwanzigsten Jahrhunderts.«

Er lässt Stille herabsinken. Sind seine Zuhörer nun von Grauen erfüllt angesichts dessen, was sie in den nächsten vier Jahren ihres Lebens erwartet? Oder klopfen ihre Herzen in wilder Erregung wie seines, wenn sie an all das denken, was ihnen bevorsteht?

Auch nach all den Jahren verspürt er immer noch die gleiche Begeisterung für die Bauwerke, Gemälde und Skulpturen der Welt. Manchmal raubt ihm seine Begeisterung in der Vorlesung den Atem, dann muss er sich ermahnen, langsamer zu machen und nicht alles auf einmal erzählen zu wollen. Aber er möchte, dass sie alles wissen, und zwar auf der Stelle!

Wieder blickt er in ihre Gesichter, und plötzlich hat er eine Erleuchtung.

Du hast sie in deinen Bann geschlagen! Sie hängen an deinen Lippen, sie warten nur darauf, mehr zu hören. Du hast es geschafft, sie sind wie Wachs in deinen Händen!

Da furzt jemand, und der Saal explodiert vor Lachen.

Justin seufzt, sein Luftschloss ist in sich zusammengefallen, und in gelangweiltem Ton fährt er fort: »Mein Name ist Justin Hitchcock, und in meinen Gastvorträgen, die im Verlauf des Kurses stattfinden, werden Sie eine Einführung in die europäische Malerei erhalten, beispielsweise in die italienische Renaissance und den französischen Impressionismus. Dies umfasst eine kritische Analyse der Gemälde, die Bedeutung der Ikonographie und die verschiedenen Techniken, die Künstler von der Zeit des Book of Kells bis heute angewandt haben. Außerdem werde ich die Grundlagen der europäischen Architektur erörtern, von den griechischen Tempeln bis zur Gegenwart und so weiter. Und jetzt hätte ich gern zwei Freiwillige, die das hier verteilen.«

Ein neues Semester. Er ist nicht zu Hause in Chicago, er ist seiner Tochter und seiner Exfrau nach London nachgereist und pendelt jetzt von dort zu seinen Dubliner Gastvorlesungen. Ein anderes Land zwar, aber die Studenten sind überall gleich. Nervöse Erstsemester. Unreif und unfähig, seine Leidenschaft nachzuvollziehen, schlagen sie die Chance – nein, die Gewissheit – in den Wind, etwas Wunderbares und Großartiges zu lernen.

Es ist vollkommen egal, was du ihnen heute noch erzählst, Kumpel, denn ab jetzt erinnern sie sich sowieso nur noch an eins, nämlich den Furz.

Drei

»Was ist an Fürzen eigentlich so lustig, Bea?«

»Oh, hi, Dad!«

»Was ist das denn für eine Begrüßung?«

»Oh, du bist es, Dad, wunderbar, ganz toll, von dir zu hören. Es ist ja schon, hmm, na ja, mindestens drei Stunden her, seit du das letzte Mal angerufen hast.«

»Schön, du brauchst ja nicht gleich so zu übertreiben. Ist deine liebe Mutter schon von dem nächsten schönen Tag ihres neuen Lebens zurückgekommen?«

»Ja, sie ist da.«

»Hat sie auch den wundervollen Laurence mitgebracht?« Zwar hasst er sich dafür, aber er kann seinen Sarkasmus einfach nicht zügeln und ist auch nicht in der Lage, sich zu entschuldigen. Deshalb tut er das, was er immer tut, gibt dem Drang nach und macht es nur noch schlimmer. »Laurence«, wiederholt er affektiert, »Laurence von Zu-eng-in-Arabien.«

»Ach, du bist so blöd. Kannst du nicht irgendwann mal aufhören, über seine Hosen zu ätzen?« Sie stöhnt genervt.

Justin schüttelt die kratzige Decke ab, die in seinem billigen Dubliner Hotel zur Ausstattung gehört. »Nein ehrlich, Bea, achte das nächste Mal drauf, wenn er da ist. Diese Hosen sind viel zu eng für das, was bei ihm da unten los ist. Es müsste eigentlich einen Namen dafür geben. Irgendwas-itis.«

Eier-itis.

»Ich kriege bloß vier Fernsehprogramme in diesem Loch hier,

und eins davon in einer Sprache, die ich nicht verstehe. Hört sich an, als würde jemand sich räuspern, weil er grade was von dem grauenhaften Coq au vin deiner Mutter probiert hat. Weißt du, in meinem wunderbaren Haus daheim in Chicago hatte ich über zweihundert Programme.« *Pimmel-itis. Trottel-itis. Ha!*

»Von denen du dir kein einziges angeschaut hast.«

»Aber ich hatte die Wahl, mir die ganzen jämmerlichen Renovier-, Dekorier- und Musikkanäle mit rumtanzenden nackten Frauen nicht anzuschauen.«

»Ich sehe ja ein, dass du in einer Krise steckst, Dad. Muss für einen mehr oder weniger erwachsenen Menschen wie dich wirklich traumatisch sein, während ich mich mit meinen sechzehn Jahren nur mal eben mit der Scheidung meiner Eltern und dem Umzug von Chicago nach London anfreunden musste.«

»Du hast jetzt zwei Heimathäfen und kriegst extra Geschenke, was beklagst du dich?«, grummelt er. »Außerdem war es deine Idee.«

»Es war meine Idee, in London auf die Ballettschule zu gehen, nicht, dass ihr eure Ehe beendet!«

»Ach, ich dachte, du hättest gesagt, du hast die Nase voll von uns! Mein Fehler. Meinst du, wir sollten nach Chicago zurückgehen und wieder zusammenziehen?«

»Nee.« Er hört das Grinsen in ihrer Stimme und weiß, dass alles okay ist.

»Hey, glaubst du denn, ich wäre in Chicago geblieben, während du hier irgendwo auf der anderen Seite der Welt rumschwirrst?«

»Momentan bist du ja nicht mal im gleichen Land«, lacht sie.

»Irland ist bloß mein Arbeitsplatz. In ein paar Tagen bin ich wieder in London. Ehrlich, Bea, ich möchte nirgendwo anders sein«, versichert er ihr.

Obwohl ein besseres Hotel schon ganz nett wäre.

»Ich überlege, ob ich mit Peter zusammenziehen soll«, sagt sie viel zu leichthin.

»Was ist das denn jetzt mit diesem Furzhumor?«, wiederholt er seine Frage von vorhin, ohne auf ihre Bemerkung einzugehen. »Ich meine, was ist denn dran an dem Geräusch des Luftausstoßens, dass es Menschen daran hindern kann, sich für die unglaublichsten Meisterwerke zu interessieren, die je erschaffen wurden?«

»Gehe ich recht in der Annahme, dass du nicht darüber reden möchtest, ob ich mit Peter zusammenziehe?«

»Du bist noch ein Kind. Du und Peter könnt meinetwegen zusammen im Spielhaus einziehen, das bestimmt noch irgendwo auf dem Speicher rumsteht. Ich hole es und stelle es für dich im Wohnzimmer auf. Da ist es dann so richtig gemütlich.«

»Ich bin achtzehn und kein Kind mehr. Inzwischen wohne ich schon seit zwei Jahren nicht mehr zu Hause und alleine.«

»Allein erst seit einem Jahr. Deine Mutter hat mich im zweiten Jahr verlassen, um sich zu dir zu gesellen, weißt du noch?«

»Du und Mum habt euch kennengelernt, als ihr in meinem Alter wart.«

»Und haben danach keineswegs für alle Ewigkeit glücklich und zufrieden zusammengelebt. Hör auf, uns zu imitieren, und schreib dein eigenes Märchen.«

»Würde ich ja, wenn mein überbehütender Vater endlich aufhören würde, sich ständig einzumischen mit der Version der Geschichte, die er für richtig hält.« Bea seufzt und steuert das Gespräch wieder in ungefährlichere Gewässer. »Warum lachen *deine* Studenten denn über Fürze? Ich dachte, dein Seminar wäre ein einmaliges Ereignis für Graduierte, die sich freiwillig dazu entschlossen haben, dein langweiliges Thema noch zu vertiefen. Obwohl es mir schleierhaft ist, wie jemand so was machen kann. Deine Vorträge über Peter sind schon langweilig genug, und ich liebe ihn.«

Liebe! Ignorier es, dann vergisst sie bestimmt, was sie gesagt hat.
»Es wäre wirklich wünschenswert, wenn du mir gelegentlich zuhören würdest. Man hat mich gebeten, neben den Graduierten-

kursen auch noch eine Anfängervorlesung zu halten, eine Vereinbarung, die ich möglicherweise zutiefst bereuen werde, aber egal. Viel wichtiger ist, dass ich in der Galerie eine Ausstellung über niederländische Malerei im siebzehnten Jahrhundert plane. Die solltest du dir unbedingt ansehen.«

»Nein danke.«

»Na, vielleicht wissen meine Graduierten in den nächsten Monaten meine Expertise mehr zu schätzen.«

»Weißt du, deine Studenten haben vielleicht über den Furz gelacht, aber ich wette, dass mindestens ein Viertel von ihnen Blut gespendet hat.«

»Aber nur, weil sie nachher ein KitKat umsonst bekommen«, grummelt Justin und stöbert durch die unzulänglich gefüllte Minibar. »Bist du sauer, weil ich kein Blut gespendet habe?«

»Ich finde es arschig, dass du die Frau versetzt hast.«

»Du sollst keine Worte wie ›arschig‹ benutzen, Bea. Und wer hat dir überhaupt erzählt, dass ich sie versetzt habe?«

»Onkel Al.«

»Onkel Al ist arschig. Und weißt du noch was, Schätzchen? Weißt du, was der Doktor mir heute zum Thema Blutspenden gesagt hat?« Er kämpft mit der Plastikfolie einer Pringles-Packung.

»Was denn?« Bea gähnt ausgiebig.

»Dass die Spende für den Empfänger anonym bleibt. Hat man so was schon gehört? Anonym. Was ist der Sinn davon, jemandem das Leben zu retten, wenn der Betreffende nicht mal weiß, wem er sein Glück zu verdanken hat?«

»Dad!«

»Was? Komm schon, Bea. Du willst doch nicht etwa behaupten, dass du nicht gern wenigstens einen Blumenstrauß dafür bekommen würdest, wenn du jemandem das Leben rettest.«

Bea protestiert, aber ihr Vater fährt unbeirrt fort.

»Oder ein Körbchen mit diesen Muffins, die du so magst, mit Kokos oder was …«

»Mit Zimt«, lacht sie und ist ein bisschen besänftigt.

»Ein kleines Körbchen mit Zimtmuffins vor deiner Tür, mit einer Notiz, auf der steht: ›Danke, Bea, dass du mir das Leben gerettet hast. Wenn du mal irgendwas brauchst, wenn deine Wäsche aus der Reinigung geholt werden muss, wenn deine Zeitung samt Kaffee jeden Morgen vor deiner Tür abgeliefert werden soll, wenn du gern ein Auto mit Chauffeur für den Privatgebrauch hättest oder Plätze in der ersten Reihe für die nächste Opernaufführung …‹ Die Liste lässt sich natürlich endlos verlängern.«

Er gibt das Gezerre an der Packung auf, holt stattdessen einen Korkenzieher und sticht die Folie damit an. »Es könnte so ein Chinesending werden, du weißt schon – wenn jemand dir das Leben rettet, bist du ihm auf ewig verpflichtet. Wäre doch nett, wenn jemand Tag für Tag auf dich aufpasst und aus dem Fenster stürzende Klaviere abfängt, die sonst auf deinem Kopf gelandet wären. Lauter solche Sachen.«

Bea gibt sich Mühe, ruhig zu bleiben. »Du machst Witze, oder?«

»Ja, natürlich.« Justin schneidet eine Grimasse. »Das Klavier würde den Beschützer bestimmt umbringen, und das wäre dann extrem unfair.«

Jetzt schafft er es endlich, die Folie abzuziehen, und schleudert den Korkenzieher quer durchs Zimmer. Er trifft ein Glas auf der Minibar, das klirrend zu Bruch geht.

»Was war das denn?«

»Hausputz«, lügt er. »Du findest mich egoistisch, ja?«

»Dad, du hast dein Leben umgekrempelt, hast einen tollen Job und eine hübsche Wohnung an den Nagel gehängt und bist tausend Meilen in ein anderes Land geflogen, nur um in meiner Nähe zu sein – natürlich finde ich dich nicht egoistisch.«

Justin lächelt und stopft sich ein Pringle in den Mund.

»Aber wenn die Geschichte mit dem Muffinkorb kein Witz ist, dann bist du doch ein Egoist. Und wenn an meinem College

Blutspendewoche wäre, würde ich mitmachen. Aber du hast ja noch eine Chance, es bei dieser Frau wieder gutzumachen.«

»Ich komme mir einfach so überrumpelt vor. Eigentlich wollte ich mir morgen die Haare schneiden lassen. Dass mir jemand stattdessen eine Nadel in die Adern sticht, darauf lege ich überhaupt keinen Wert.«

»Lass das Blutspenden, wenn du es nicht möchtest, das ist mir völlig egal. Aber denk dran, wenn du es doch tust – die winzig kleine Nadel wird dich garantiert nicht umbringen. Vielleicht passiert sogar das Gegenteil, du rettest tatsächlich jemandem das Leben, und wer weiß, vielleicht folgt dieser Mensch dir dann den Rest deines Lebens, stellt Muffins vor deine Tür und fängt Klaviere auf, die dir auf den Kopf fallen würden. Na, wär das nicht schön?«

Vier

Im Blutspendewagen neben dem Rugbyplatz des Trinity College versucht Justin, das Zittern seiner Hände vor Sarah zu verbergen, während er ihr die Einverständniserklärung und den Fragebogen »Gesundheit und Lebensstil« zurückreicht, der mehr über seine Person offenbart, als er für gewöhnlich beim ersten Date zu enthüllen bereit ist. Sarah lächelt ermutigend und redet mit ihm, als wäre Blutspenden das Normalste der Welt.

»So, jetzt muss ich Ihnen noch ein paar Fragen stellen. Haben Sie den Fragebogen gelesen, verstanden und vollständig ausgefüllt?«

Justin nickt. Der Kloß in seinem Hals ist so groß, dass er kein Wort herausbringt.

»Und haben Sie die Fragen nach bestem Wissen und Gewissen ehrlich beantwortet?«

»Warum?«, krächzt er. »Sieht irgendwas davon nicht richtig aus? Falls es so sein sollte, kann ich nämlich jederzeit wieder gehen und es wann anders nochmal versuchen.«

Sie lächelt ihn an, mit dem gleichen Gesichtsausdruck, den seine Mutter immer beim Gutenachtsagen hatte, kurz bevor sie das Licht ausmachte.

»Okay, dann sind wir so weit. Ich werde jetzt erst mal einen Hämoglobintest machen«, erklärt sie.

»Sieht man daran, ob ich krank bin?« Er blickt sich nervös nach den Gerätschaften im Innern des Vans um. *Bitte lass mich keine Geschlechtskrankheiten haben. Das wäre zu peinlich. Ist ja auch eher unwahrscheinlich. Kannst du dich überhaupt noch daran erinnern, wann du das letzte Mal Sex hattest?*

»Nein, damit misst man nur den Eisengehalt des Bluts.« Sie entnimmt ein Tröpfchen Blut aus seiner Fingerkuppe. »Das Blut wird später auf Krankheiten untersucht, auch auf sexuell übertragbare natürlich.«

»Muss ja praktisch sein, wenn man seine Bettgenossen überprüfen möchte«, scherzt er, während er spürt, wie sich Schweißtropfen auf seiner Oberlippe sammeln. Er betrachtet seinen Finger.

Schweigend führt sie den Test durch.

Justin liegt ausgestreckt auf einer gepolsterten Bank und streckt seinen linken Arm aus. Sarah schlingt eine Blutdruckmanschette um seinen Oberarm, um seine Venen besser hervortreten zu lassen, und desinfiziert seine Armbeuge.

Schau nicht auf die Nadel, schau nicht auf die Nadel.

Er schaut auf die Nadel, und schon beginnt der Boden unter ihm zu schwanken. Seine Kehle schnürt sich zu.

»Wird es wehtun?«, stößt er hervor und schluckt schwer. Sein Hemd klebt verschwitzt an seinem Rücken.

»Bloß ein kleiner Piekser«, antwortet sie lächelnd und kommt mit einer Kanüle näher.

Ihr süßes Parfüm steigt ihm in die Nase und lenkt ihn einen Moment ab. Als sie sich über ihn beugt, kann er in den V-Ausschnitt ihres Pullis sehen. Ein schwarzer Spitzen-BH.

»Ich möchte, dass Sie das jetzt in die Hand nehmen und immer wieder draufdrücken.«

»Was?« Er lacht nervös.

»Den Ball.« Sie lächelt.

»Oh.« Gehorsam nimmt er das kleine weiche Bällchen in die Hand. »Was bewirkt das denn?«, erkundigt er sich zittrig.

»Es beschleunigt die Prozedur.«

Sofort fängt Justin an, mit Höchstgeschwindigkeit zu pumpen.

Sarah lacht. »Noch nicht! Und auch nicht ganz so heftig, Justin!«

Der Schweiß läuft ihm über den Rücken. Seine Haare kleben auf seiner verschwitzten Stirn. *Du hättest doch zum Friseur gehen sollen, Justin. Was war das bloß für eine saublöde Idee ...* »Au!«

»War gar nicht schlimm, oder?«, sagt sie sanft, als würde sie mit einem Kind sprechen.

Justins Herz schlägt donnerlaut in seinen Ohren. Er drückt im gleichen Rhythmus auf den Ball und stellt sich vor, wie das Herz sein Blut durch den Körper pumpt, wie das Blut durch die Adern fließt. Er sieht, wie es die Nadel erreicht, durch das Röhrchen rinnt, und wartet darauf, dass er sich flau fühlt. Aber weil das flaue Gefühl ausbleibt, beobachtet er, wie das Blut durch das Röhrchen in den Sammelbehälter fließt.

»Kriege ich nachher ein KitKat?«

Sie lacht. »Aber natürlich!«

»Und gehen wir dann noch was trinken oder wollen Sie mich bloß melken?«

»Was trinken gehen ist wunderbar, aber ich muss Sie warnen, sich heute lieber nicht anzustrengen. Ihr Körper muss sich erholen.«

Wieder erhascht er einen Blick auf ihren Spitzen-BH. *Ja, klar.*

Fünfzehn Minuten später betrachtet Justin stolz seinen halben Liter Blut. Er möchte eigentlich nicht, dass irgendein Fremder es bekommt. Am liebsten möchte er die kostbare Flüssigkeit persönlich ins Krankenhaus bringen, sich auf den Stationen umschauen und sie jemandem schenken, der ihm am Herzen liegt, jemand Besonderem. Denn dieses Blut ist für ihn seit langer Zeit das Erste, was von Herzen gekommen ist.

Heute

Fünf

Ganz langsam öffne ich die Augen.

Weißes Licht blendet mich. Langsam erkenne ich die Gegenstände um mich herum, und das weiße Licht verblasst. Jetzt ist es orangerosa. Ich bin in einem Krankenhaus. Ein Fernseher hängt der Wand, weit oben. Der Bildschirm ist ganz grün. Ich schaue genauer hin. Da sind Pferde. Sie laufen. Bestimmt ist Dad auch hier im Zimmer. Ich senke den Blick, und da ist er auch schon, auf dem Sessel, mit dem Rücken zu mir. Seine Faust klopft auf die Armlehne, er hibbelt auf und ab, und sein Kopf mit der Tweedkappe erscheint im gleichen Rhythmus über der Rückenlehne und verschwindet wieder. Unter ihm knarzen die Sprungfedern.

Die Pferde rennen ohne Ton. Auch mein Vater gibt keinen Ton von sich. Wie einen Stummfilm, der vor meinen Augen läuft, beobachte ich ihn und frage mich, ob es an meinen Ohren liegt, dass ich ihn nicht hören kann. Plötzlich springt er aus dem Sessel hoch, schneller, als ich ihn seit langer Zeit erlebt habe, und schwenkt die Faust vor dem Fernseher, um sein Pferd anzufeuern.

Dann wird der Bildschirm schwarz. Die Fäuste meines Vaters öffnen sich, er streckt die Hände in die Luft, blickt zur Decke und schickt ein Stoßgebet zum Himmel. Hektisch steckt er die Hände in die Taschen seiner braunen Hose, wühlt darin herum und stülpt sie nach außen. Jetzt klopft er auf seine Jacke und tastet dort nach Geld. Untersucht die kleine Tasche seines braunen Pullovers. Grummelt. Also sind es nicht meine Ohren.

Schließlich dreht er sich um, weil er seinen Mantel überprüfen will, der neben mir hängt, und ich schließe rasch die Augen.

Ich bin noch nicht bereit. Mir ist das alles nicht passiert, es wird erst wirklich, wenn jemand es mir sagt. Aber bis dahin bleibt die letzte Nacht in meinen Gedanken nur ein Albtraum. Je länger ich die Augen schließe, desto länger wird alles so bleiben, wie es war. Ich verharre in seliger Unwissenheit.

Jetzt höre ich, wie er in seinem Mantel herumkramt, ich höre Kleingeld klappern, dann das Klirren, als die Münze in den Schlitz am Fernseher fällt. Ich wage es, die Augen zu öffnen, und tatsächlich, da sitzt er wieder im Sessel, die Kappe hüpft, die Fäuste werden geschwenkt.

Zwar ist mein Vorhang zugezogen, aber ich spüre, dass ich den Raum mit anderen Menschen teile. Natürlich weiß ich nicht, mit wie vielen. Es ist ganz still, stickig, ich kann schalen Schweiß riechen. Die großen Fenster, die links von mir die ganze Wand einnehmen, sind geschlossen. Das Licht ist so hell, dass ich nicht hinaussehen kann. Erst nach einer Weile haben sich meine Augen daran gewöhnt, und ich erkenne eine Bushaltestelle auf der anderen Straßenseite. Dort wartet eine Frau, Einkaufstüten zwischen den Füßen, ein Baby auf der Hüfte, das in der Spätsommersonne mit seinen feisten Beinchen baumelt. Schnell sehe ich weg. Dad beobachtet mich. Er beugt sich über die Armlehne nach hinten und verdreht den Kopf, wie ein Kind im Kinderbettchen.

»Hallo, Liebes.«

»Hallo.« Ich habe so lange nichts gesagt, deshalb erwarte ich, dass nur ein Krächzen herauskommt. Aber nichts dergleichen. Meine Stimme ist rein und klar. Als wäre nichts passiert. Aber es ist ja auch nichts passiert. Nicht, bevor sie es mir sagen.

Beide Hände auf die Armlehnen gestützt, erhebt sich mein Vater langsam. Wippend geht er zum Bett. Rauf und runter. Er ist mit verschieden langen Beinen auf die Welt gekommen, sein rechtes Bein ist kürzer als das linke. Obwohl er inzwischen Spe-

36

zialschuhe trägt, schwankt er immer noch, wahrscheinlich weil er die Bewegung intus hat, seit er laufen gelernt hat. Er zieht die Schuhe auch höchst ungern an, und unseren Warnungen und seinen Rückenschmerzen zum Trotz kehrt er immer wieder zu dem zurück, was er kennt. Ich bin so daran gewöhnt, dass sein Körper rauf und runter geht, runter und rauf, und ich weiß noch genau, wie ich als Kind beim Spaziergehen seine Hand gehalten habe, immer die linke. Wie sich mein Arm dann im gleichen Rhythmus bewegt hat wie er. Wenn das rechte Bein aufkam, wurde ich nach oben gezogen, beim linken nach unten gedrückt.

Er war immer so stark, so belastbar. Ständig dabei, irgendwas zu reparieren. Immer hatte er einen Schraubenzieher in der Hand, schraubte Sachen auseinander und montierte sie wieder zusammen – Fernbedienungen, Radios, Wecker, Elektrostecker. Der Handwerker für die ganze Straße. Seine Beine waren ungleich, aber seine Hände fest und absolut zuverlässig.

Als er sich mir nähert, nimmt er die Kappe ab, packt sie mit beiden Händen und dreht sie wie ein Steuerrad, während er mich besorgt mustert. Er tritt mit dem rechten Bein auf. Runter. Beugt das linke. Seine Ruhehaltung.

»Bist du … äh … die haben mir gesagt … äh.« Er räuspert sich. »Die haben mir gesagt, ich soll …« Wieder schluckt er schwer, seine dichten, struppigen Augenbrauen ziehen sich zusammen und verbergen seine Augen. »Du hast … du hast …«

Meine Unterlippe beginnt zu zittern.

Als er weiterspricht, klingt seine Stimme ganz heiser. »Du hast eine Menge Blut verloren, Joyce. Sie …« Er nimmt die eine Hand von der Mütze, bewegt den gekrümmten Finger im Kreis und versucht sich zu erinnern. »Sie haben eine Transfusion mit diesem Blutdings gemacht, und jetzt bist du … äh … jetzt hast du genug.«

Aber meine Unterlippe zittert immer noch, und meine Hände wandern automatisch zu meinem Bauch, der noch nicht einmal so dick ist, dass man es unter der Decke erkennen kann. Hoffnungsvoll sehe ich meinen Vater an, und erst jetzt wird mir klar, wie sehr ich mich noch daran klammere, wie sehr ich mir eingeredet habe, dass der schreckliche Vorfall im Kreißsaal nur ein Albtraum war. Vielleicht habe ich mir nur eingebildet, dass mein Baby so stumm war, dieses Schweigen, das sich in diesem letzten Moment im Raum ausgebreitet hat. Vielleicht hat es geschrien, aber ich habe es nicht gehört. Natürlich ist das möglich – in diesem Stadium war ich schon ziemlich fertig und nur noch halb bei Bewusstsein –, vielleicht habe ich den ersten kleinen Atemzug des Lebens einfach nicht mitbekommen.

Traurig schüttelt Dad den Kopf. Nein, ich war es, die geschrien hat.

Jetzt zittert meine Unterlippe immer mehr, aber ich kann nichts dagegen machen. Mein ganzer Körper bebt, und auch dagegen bin ich machtlos. Tränen steigen mir in die Augen, aber ich halte sie zurück. Wenn ich jetzt damit anfange, kann ich nie mehr aufhören, das weiß ich genau.

Ich mache ein Geräusch. Ein seltsames Geräusch, das ich noch nie gehört habe. Stöhnen. Grunzen. Eine Mischung aus beidem. Dad fasst meine Hand und hält sie ganz fest. Die Berührung holt mich zurück in die letzte Nacht, und ich erinnere mich daran, wie ich am Fuß der Treppe lag. Er sagt nichts. Aber was soll man auch sagen?

Ich verfalle in einen unruhigen Halbschlaf. Einmal wache ich auf und erinnere mich an ein Gespräch mit dem Arzt, und ich frage mich, ob das ein Traum war. Sie haben Ihr Baby verloren, Joyce, aber wir haben alles getan, was wir konnten … Bluttransfusion … Wer muss so etwas im Gedächtnis behalten? Niemand. Ich bestimmt nicht.

Als ich wieder wach werde, ist der Vorhang neben mir offen. Drei kleine Kinder rennen herum, jagen einander ums Bett, während ein Mann, vermutlich ihr Vater, sie in einer Sprache ermahnt, die ich nicht erkenne. Wahrscheinlich ist die Frau im

Bett ihre Mutter. Sie sieht müde aus. Unsere Blicke begegnen sich, und wir lächeln einander zu.

Ich weiß, wie du dich fühlst, sagt ihr trauriges Lächeln, ich weiß genau, wie du dich fühlst.

Was sollen wir tun?, fragt mein Lächeln zurück.

Ich weiß es nicht, antworten ihre Augen. Ich weiß es nicht.

Wird alles wieder gut?

Sie wendet den Kopf ab, und ihr Lächeln ist verschwunden.

Dad ruft zu der Familie hinüber: »Wo kommt ihr denn eigentlich her?«

»Wie bitte?«, fragt der Mann.

»Ich hab gefragt, wo ihr denn eigentlich herkommt«, wiederholt Dad. »Nicht von hier, das sieht man ja.« Dads Stimme klingt nett und fröhlich. Er will keinem auf den Schlips treten. Nie.

»Wir sind aus Nigeria«, erklärt der Mann.

»Nigeria«, sagt Dad nachdenklich. »Wo ist das eigentlich?«

»In Afrika.« Auch er spricht freundlich und entspannt. Offensichtlich ist ihm klar, dass er es nur mit einem alten Mann zu tun hat, der sich gern ein bisschen unterhalten möchte und auf seine Art versucht, Kontakt zu knüpfen.

»Ah, Afrika. War selbst noch nie dort. Ist es heiß? Wahrscheinlich schon, was? Heißer als hier. Kann man bestimmt schön braun werden – nicht dass Sie es brauchen würden«, fügt er lachend hinzu. »Wird es Ihnen hier nicht manchmal zu kalt?«

»Kalt?«, lächelt der Afrikaner.

»Ja, Sie wissen doch«, meint Dad, schlingt die Arme um sich und tut so, als würde er bibbern. »Kalt.«

»Ja«, lacht der Mann. »Manchmal ist mir kalt.«

»Hab ich mir gedacht. Mir nämlich auch, und ich bin hier geboren«, erklärt er. »Die Kälte geht mir bis in die Knochen. Aber ich bin auch nicht so für Hitze. Meine Haut wird knallrot und verbrennt einfach. Meine Tochter, Joyce, die wird braun. Das ist sie übrigens da drüben.« Er zeigt auf mich, und ich schließe schnell wieder die Augen.

»Eine hübsche Tochter haben Sie«, sagt der Mann höflich.

»O ja.« Schweigen kehrt ein, und ich vermute, dass sie mich ansehen. »Sie war vor ein paar Monaten auf einer dieser spanischen Inseln, und als sie zurückkam, war sie richtig schwarz, ehrlich. Na ja, nicht so schwarz wie Sie, aber richtig braun gebrannt eben. Dann hat sie sich geschält. Sie schälen sich wahrscheinlich nicht.«

Der Mann lacht höflich. So ist Dad. Meint nie etwas böse und war in seinem ganzen Leben noch kein einziges Mal im Ausland. Seine Flugangst hindert ihn daran. Zumindest behauptet er das immer.

»Ich hoffe, Ihre hübsche Frau wird sich bald besser fühlen. Ist doch gemein, wenn man in den Ferien krank wird.«

Jetzt schlage ich die Augen auf.

»Ah, da bist du ja wieder, mein Schatz. Ich hab mich gerade mit unseren netten Nachbarn unterhalten.« Wieder wippt er zu mir herüber, die Kappe in den Händen. Ruht auf dem rechten Bein, runter, beugt das linke. »Weißt du, ich glaube, wir sind die einzigen Iren in diesem Krankenhaus. Die Schwester war grade vorhin hier, sie kommt aus Singsang oder so.«

»Singapur, Dad«, korrigiere ich ihn mit einem Lächeln.

»Genau.« Er zieht die Augenbrauen hoch. »Du kennst sie schon, was? Aber alle sprechen Englisch, auch die Ausländer. Klar, das ist auch besser, als wenn man sich in den Ferien immer mit Zeichensprache verständigen muss.« Er legt die Kappe aufs Bett und fingert nervös an ihr herum.

»Dad, du warst in deinem ganzen Leben nie im Ausland«, erinnere ich ihn mit einem Lächeln.

»Aber ich hab meine Kumpels im Monday Club darüber reden hören. Letzte Woche war Frank in, wie hieß es gleich nochmal?« Er schließt die Augen und denkt angestrengt nach. »Das Land, wo die ganze Schokolade herkommt?«

»Schweiz.«

»Nein.«

»Belgien.«

»Nein!«, ruft er frustriert. »Die kleinen runden Dinger mit dem Knusperzeug drin. Man kriegt sie auch in Weiß, aber ich mag die dunklen lieber.«

»Malteser?«, frage ich und muss lachen, aber es tut weh, also höre ich schnell wieder auf.

»Genau.«

»Du meinst Malta.«

»Stimmt! Er war in Malta.« Er schweigt einen Moment. »Machen die da Malteser?«

»Keine Ahnung. Vielleicht. Und was war mit Frank in Malta?«

Wieder kneift er die Augen zusammen und denkt nach. »Ich weiß nicht mehr, was ich sagen wollte.«

Schweigen. Er hasst es, wenn er sich an etwas nicht mehr erinnern kann. Früher konnte er sich immer an alles erinnern.

»Hast du mit deinen Pferden was gewonnen?«, frage ich schnell.

»Ein paar Pfund. Genug für ein paar Runden heut Abend im Monday Club.«

»Aber heute ist Dienstag.«

»Der Club findet wegen dem Feiertag am Dienstag statt«, erklärt er und wippt zur anderen Seite des Betts, wo er sich niederlässt.

Ich kann nicht lachen. Es tut alles so weh, und ich glaube, mein Kind hat auch einen Teil meines Humors mitgenommen.

»Es macht dir doch nichts, wenn ich hingehe, oder, Joyce? Wenn du möchtest, bleib ich nämlich hier, das macht mir nichts, es ist nicht so wichtig für mich.«

»Natürlich ist es wichtig. Seit zwanzig Jahren hast du keinen Montagabend verpasst.«

»Abgesehen von den Feiertagen!« Er hebt einen krummen Finger, und seine Augen funkeln.

»Abgesehen von den Feiertagen«, wiederhole ich lächelnd und ergreife den Finger.

»Na ja«, meint er und nimmt meine Hand. »Du bist aber wichtiger als ein paar Bier und ein bisschen Singen.«

»Was würde ich ohne dich machen?« Meine Augen füllen sich wieder mit Tränen.

»Es wird alles gut, Liebes. Außerdem …«, fährt er fort und blickt mich dabei forschend an, »außerdem hast du Conor.«

Ich lasse seine Hand los und sehe weg. Was, wenn ich Conor nicht mehr will?

»Ich hab ihn gestern Abend auf dem Handtelefon zu erreichen versucht, aber er ist nicht drangegangen. Vielleicht hab ich ja die Nummer falsch eingetippt«, fügt er hastig hinzu. »Auf den Handtelefonen sind es immer so viel mehr Zahlen.«

»Handys heißen die Dinger, Dad«, verbessere ich ihn geistesabwesend.

»Ach ja klar, auf dem Handy. Er ruft immer an, wenn du grade schläfst. Übrigens will er heimkommen, sobald er einen Flug kriegt. Er macht sich große Sorgen.«

»Das ist nett von ihm. Dann können wir ja die nächsten zehn Jahre unserer Ehe versuchen, noch ein Baby zu produzieren.« Zurück ans Werk. Eine nette kleine Abwechslung, die unserer Beziehung eine Art von Bedeutung verleiht.

»Ach, Liebes …«

Der erste Tag vom Rest meines Lebens, und ich bin nicht sicher, ob ich hier sein möchte. Ich weiß, ich sollte irgendjemandem dafür dankbar sein, aber ich fühle mich überhaupt nicht danach. Stattdessen wünsche ich mir, sie hätten sich die Mühe nicht gemacht.

Sechs

Ich sehe zu, wie die Kinder auf dem Krankenhausfußboden miteinander spielen, kleine Finger und Zehen, runde Wangen und volle Lippen – die Züge ihrer Eltern deutlich in ihren Gesichtchen zu erkennen. Mein Herz wird schwer, mein Magen zieht sich zusammen. Schon wieder stehen Tränen in meinen Augen, und ich muss wegsehen.

»Kann ich mir eine Traube nehmen?«, zwitschert Dad. Er ist wie ein kleiner Kanarienvogel, der neben mir in seinem Käfig herumhüpft.

»Natürlich, Dad. Überhaupt solltest du allmählich nach Hause gehen und was essen. Du brauchst Energie.«

Er nimmt sich eine Banane. »Kalium«, verkündet er lächelnd und wedelt mit den Armen. »Wenn ich die esse, kann ich nach Hause joggen.«

»Wie bist du eigentlich hergekommen?« Plötzlich fällt mir ein, dass er seit Jahren nicht mehr in der Stadt gewesen ist. Irgendwann ist ihm hier alles zu schnell geworden, neue Gebäude schossen wie Pilze aus dem Boden, Einbahnstraßen führten plötzlich in die andere Richtung. Schweren Herzens hat er auch sein Auto verkauft, weil er so schlecht sah, dass er für sich und andere immer mehr zu einer Gefahr wurde. Fünfundsiebzig ist er jetzt, seine Frau seit zehn Jahren tot. Inzwischen hat er seine eigene Routine, ist zufrieden, in seiner Gegend zu bleiben, mit den Nachbarn zu plaudern, sonntags und mittwochs in die Kirche zu gehen, jeden Montag in den Monday Club (außer wenn der Montag ein Feiertag ist und der Club sich am Dienstag trifft), am Dienstag zum Metzger, tagsüber Kreuzworträtsel, Ratesendungen und Fernsehshows, der Garten in der Zeit dazwischen.

»Fran von nebenan hat mich mitgenommen.« Er lacht immer noch über seinen Jogging-Witz, legt die Banane weg und stopft sich noch eine Traube in den Mund. »Hat mich ein paar Mal beinahe das Leben gekostet. Oft genug, um mir mal wieder zu beweisen, dass es einen Gott gibt, falls ich je daran gezweifelt hätte.« Plötzlich verzieht er das Gesicht. »Ich hab doch gesagt, ich will kernlose Trauben, und die hier sind alles andere als kernlos.« Mit seinen leberfleckigen Händen legt er die Trauben wieder auf das Schränkchen, klaubt sich die Kerne aus dem Mund und sieht sich nach einem Mülleimer um.

»Glaubst du jetzt immer noch an deinen Gott, Dad?«, frage ich, und es kommt viel härter heraus, als ich es meine, aber meine Wut ist beinahe unerträglich.

»Ja. ich glaube an ihn, Joyce.« Wie immer meint er es nicht böse. Er deponiert die Kerne in seinem Taschentuch und stopft es wieder in die Tasche. »Was er tut, ist oft rätselhaft, und wir können es weder erklären noch verstehen, noch ertragen. Mir ist klar, dass du ihn jetzt in Frage stellst – das tun wir ja alle gelegentlich. Als deine Mutter gestorben ist, habe ich …« Der Satz bleibt unvollendet, wie immer. Weiter strapaziert er die Loyalität zu seinem Gott nicht, mehr sagt er nicht über den Tod seiner Frau. »Aber diesmal hat Gott alle meine Gebete erhört. Als ich ihn letzte Nacht gerufen habe, hat er zu mir gesagt« – Dad verfällt in den breiten Cavan-Akzent, den er als Kind gesprochen hat, ehe er als Teenager nach Dublin kam – »Kein Problem, Henry. Ich verstehe dich laut und deutlich, und ich hab alles im Griff, mach dir also keine Sorgen. Ich erledige das für dich, keine Angst.‹ Und er hat dich gerettet. Er hat mein Mädchen am Leben erhalten, und dafür werde ich ihm immer dankbar sein, so traurig wir auch wegen dem Tod des Babys sind.«

Darauf weiß ich keine Erwiderung, aber ich bin etwas besänftigt.

Er zieht seinen Stuhl laut quietschend näher ans Bett.

»Und ich glaube auch an ein Leben nach dem Tod«, sagt er, ein bisschen ruhiger. »Auf jeden Fall. Ich glaube an das himmlische Paradies, und jeder, der einmal hier war, ist jetzt da oben. Auch die Sünder, denn Gott vergibt. Das glaube ich.«

»Alle sind im Himmel?« Ich kämpfe mit den Tränen, halte sie zurück, denn wenn ich jetzt anfange, höre ich nie mehr auf. »Was ist mit meinem Baby, Dad? Ist mein Baby auch dort?«

Ich sehe ihm den Schmerz an. Wir haben nicht viel über meine Schwangerschaft gesprochen. Anfangs haben wir uns alle Sorgen gemacht, er am meisten. Erst vor ein paar Tagen hatten wir einen kleinen Streit, weil ich ihn gebeten hatte, unser Gästebett in seiner Garage zu verstauen. Ich hatte nämlich angefangen, das Kinderzimmer einzurichten … Ach je, das Kinderzimmer. Das Gästebett und das Gerümpel habe ich rausgeräumt und das Kinderbettchen aufgestellt. Die Wände in einem hübschen Gelb gestrichen. »Butterblumentraum«, mit einer Entchenbordüre.

Noch fünf Monate wären es gewesen. Manche Leute, unter ihnen auch mein Vater, hielten es für voreilig, das Kinderzimmer schon im vierten Monat der Schwangerschaft einzurichten, aber wir hatten sechs Jahre auf ein Baby gewartet, auf dieses Baby. Daran war nichts voreilig.

»Ach, Liebes, das weiß ich nicht …«

»Ich wollte es Sean nennen, wenn es ein Junge wird«, höre ich mich schließlich laut sagen. Schon den ganzen Tag wiederhole ich diese Dinge im Kopf, immer wieder, und jetzt kommen sie einfach aus meinem Mund, strömen aus mir heraus, an Stelle der Tränen vielleicht, die ich zurückgehalten habe.

»Ah, Sean, das ist ein schöner Name.«

»Ein Mädchen sollte Grace heißen. Nach Mum. Das hätte ihr gefallen.«

Er beißt die Zähne zusammen und sieht weg. Wer ihn nicht

kennt, könnte denken, dass meine Bemerkung ihn wütend gemacht hat. Aber ich weiß, dass das nicht der Fall ist. Ich weiß, dass es die Gefühle sind, die sich in seinem Kiefer sammeln wie in einem riesigen Becken, in dem alles gestaut wird und auf die seltenen Augenblicke wartet, wenn es nicht mehr anders geht, die Dämme brechen und alles aus ihm herausfließt.

»Aus irgendeinem Grund dachte ich, dass es ein Junge wird. Ich weiß nicht, warum, aber ich hab das irgendwie gefühlt. Natürlich hätte ich mich irren können. Ich wollte ihn Sean nennen«, wiederhole ich.

Dad nickt. »Ja, richtig, ein schöner Name.«

»Ich hab immer mit ihm geredet. Ihm vorgesungen. Ich frage mich, ob er es gehört hat.« Meine Stimme ist weit weg. Ich habe das Gefühl, dass ich aus einem hohlen Baum rufe, in dem ich mich versteckt habe.

Wir schweigen, während ich mir eine Zukunft mit dem kleinen Sean vorstelle, eine Zukunft, die es nie geben wird. Wie ich ihm abends vorsinge, wie wir Marshmallows essen und uns beim Baden nass spritzen. Wie wir Fahrrad fahren, Sandburgen bauen und fußballbedingte Wutausbrüche erleben. Aber dann löscht der Zorn über ein verpasstes Leben – nein, schlimmer noch, ein verlorenes Leben – alle meine Träumereien aus.

»Ich frage mich, ob er es überhaupt gewusst hat.«

»Ob er was gewusst hat, Liebes?«

»Was passiert ist. Was er verpassen würde. Hat er gedacht, ich schicke ihn fort? Ich hoffe, er macht mir keine Vorwürfe. Schließlich war ich alles, was er hatte und …« Ich halte inne. Ich habe das Gefühl, ich fange gleich an zu schreien, ich muss das sein lassen. Wenn ich jetzt anfange mit den Tränen, höre ich nie wieder auf.

»Wo ist er jetzt, Dad? Wie kann man überhaupt sterben, wenn man noch gar nicht geboren ist?«

»Ach, Liebes.« Er nimmt meine Hand und drückt sie.

»Sag es mir.«

Diesmal denkt er darüber nach. Lange und angestrengt. Er tätschelt mir den Kopf, streicht mir die Haarsträhnen aus dem Gesicht und klemmt sie hinter meine Ohren. Das hat er nicht mehr gemacht, seit ich ein kleines Mädchen war.

»Ich denke, er ist im Himmel, Liebes. Ach was, das denke ich nicht, das weiß ich. Er ist da oben, zusammen mit deiner Mutter, ja. Er sitzt auf ihrem Schoß, während sie mit Pauline Rommé spielt, sie haushoch besiegt und dabei laut vor sich hin kichert. Sie ist da oben.« Er blickt hoch und wackelt mit dem Zeigefinger. »Pass gut auf Baby Sean auf, Gracie, hörst du? Sie erzählt Sean garantiert alles von dir, Liebes. Wie du noch ein Baby warst, wie du laufen gelernt hast, wie du deinen ersten Zahn gekriegt hast. Von deinem ersten Schultag wird sie ihm erzählen, von deinem letzten Schultag und all den Tagen dazwischen, und dann weiß er alles über dich, und wenn du dann durchs Himmelstor marschierst, als alte Frau – viel älter als ich jetzt –, dann schaut er hoch vom Rommé spielen und sagt: ›Ah, da ist sie ja endlich. Höchstpersönlich. Meine Mummy.‹ Er wird dich sofort erkennen.«

Nur der Kloß in meinem Hals, der so groß ist, dass ich kaum schlucken kann, hindert mich daran, ihm zu danken, wie ich es eigentlich möchte, aber vielleicht sieht er es in meinen Augen, denn er nickt und wendet sich dann wieder dem Fernseher zu, während ich aus dem Fenster starre, hinaus ins Leere.

»Die haben hier 'ne nette Kapelle, Liebes. Vielleicht solltest du sie gelegentlich mal besuchen, wenn du wieder gesünder bist. Du brauchst nicht mal was zu sagen. Das stört Gott nicht. Du kannst einfach dasitzen und nachdenken. Mir hilft das immer.«

Aber eine Kapelle ist so ziemlich das Letzte, wo ich jetzt sein möchte.

»Es ist schön dort«, fährt Dad fort, als hätte er meine Gedanken gelesen. Als er mich ansieht, kann ich fast hören, wie er betet, dass ich aus dem Bett springe und nach dem Rosenkranz greife, den er auf den Nachttisch gelegt hat.

»Es ist ein Rokokogebäude, weißt du«, sage ich plötzlich, ohne selbst eine Ahnung zu haben, wovon ich rede.

»Was?« Dad runzelt die Stirn, sodass seine Augen fast unter den Brauen verschwinden, wie zwei Schnecken, die sich in ihr Haus zurückziehen.

Ich versuche nachzudenken. »Worüber haben wir gerade gesprochen?«

Jetzt überlegt er angestrengt. »Malteser. Nein!«

Einen Moment sitzt er schweigend da, dann fängt er an, Antworten auszuspucken wie in einer Quizsendung.

»Bananen! Nein. Den Himmel! Nein. Die Kapelle! Wir haben über die Kapelle geredet.« Er setzt ein strahlendes Lächeln auf, so freut er sich, dass er sich an das Gespräch erinnern kann, das vor weniger als einer Minute stattgefunden hat. »Und dann hast du gesagt, es ist ein Rock'n'Roll-Gebäude. Was hast du damit eigentlich gemeint? Gibt es da Konzerte?«

»Rokoko, nicht Rock'n'Roll«, korrigiere ich ihn und komme mir vor wie eine Lehrerin. »Die Kapelle ist bekannt wegen ihrer kunstvollen Stuckdecken, dem Werk eines französischen Stuckateurs namens Barthelemy Cramillion.«

»Ach wirklich, Liebes? Wann hat er das denn gemacht?« Er zieht den Stuhl noch ein Stück näher ans Bett. Nichts findet er toller als ein gälisches scéal, eine richtig gute Geschichte.

»Im Jahr 1762.« Warum in aller Welt weiß ich so etwas? Aber ich kann nichts dagegen machen, es ist fast, als funktioniere meine Zunge per Autopilot, völlig losgelöst vom Gehirn. »Die Kapelle ist vom gleichen Mann entworfen worden, der auch das Leinster House gebaut hat. Er hieß Richard Cassels. Einer der berühmtesten Architekten seiner Zeit.«

»Von ihm hab ich schon gehört«, lügt Dad. »Wenn du Dick gesagt hättest, hätte ich gleich Bescheid gewusst.« Er kichert.

»Eigentlich war es ja das Geistesprodukt von Bartholomew Mosse«, erkläre ich weiter, obwohl ich keine Ahnung habe, wo das Wissen und die Worte herkommen. Es ist wie bei einem Déjà-vu – die Worte und das Gefühl, das sie begleitet, sind irgendwie vertraut, dabei habe ich nie davon gehört. Vielleicht erfinde ich alles nur. Aber irgendwo tief in mir weiß ich, dass es stimmt, was ich sage. Wärme durchflutet meinen Körper.

»1745 hat er ein kleines Theater namens New Booth gekauft und es in Dublins erste Entbindungsklinik verwandelt.«

»Dann hat es hier gestanden, das Theater, oder?«

»Nein, in der George's Lane. Hier waren nur Felder. Aber schließlich wurde die Klinik zu klein, und er hat die Felder hier gekauft, sich mit Richard Cassels beraten, und 1757 wurde das neue Krankenhaus, heute unter dem Namen Rotunda bekannt, vom königlichen Statthalter eröffnet. Am 8. Dezember, wenn ich mich recht erinnere.«

Jetzt ist Dad verwirrt. »Ich wusste gar nicht, dass du dich für so was interessierst, Joyce. Woher weißt du das denn alles?«

Ich runzle die Stirn. Bisher wusste ich das ja auch nicht. Auf einmal überwältigt mich der Frust, und ich schüttle wütend den Kopf.

»Ich möchte mir die Haare schneiden lassen«, verkünde ich ungehalten und blase meinen Pony aus der Stirn. »Ich möchte hier raus.«

»In Ordnung, Liebes«, erwidert Dad. »Du musst nur noch ein Weilchen durchhalten.«

Sieben

Geh zum Friseur! Justin bläst sich den Pony aus den Augen und starrt unzufrieden sein Spiegelbild an.

Bevor er in den Spiegel geschaut hat, war er dabei, seine Tasche für den Rückflug nach London zu packen und eine fröhliche Melodie über einen vor kurzem geschiedenen Mann zu pfeifen, der gerade zum ersten Mal mit einer anderen Frau Sex gehabt hat. Na ja, es war eigentlich das zweite Mal Sex dieses Jahr, aber das erste Mal, an das er wenigstens mit einem Mindestmaß an Stolz denken kann. Jetzt, vor dem großen Spiegel, bricht das Pfeifen ab, denn die Wirklichkeit steht in krassem Kontrast zu dem Fantasiebild, das er sich von sich selbst gemacht hat. Er korrigiert seine Haltung, saugt die Wangen ein, lässt seine Muskeln spielen und schwört sich, dass er jetzt, wo die finstere Scheidungswolke sich einigermaßen verzogen hat, seinen Körper wieder in Form bringen wird. Er ist dreiundvierzig und durchaus attraktiv, das weiß er, aber er bildet sich nichts darauf ein. Seine Meinung über sein Äußeres unterliegt der gleichen Logik, die er auch bei einer Weinprobe anwendet. Wenn ein Wein richtig gut ist, liegt es einfach daran, dass die Trauben am richtigen Ort und unter den richtigen Bedingungen gedeihen konnten. Ein gewisses Ausmaß an Pflege und Zuwendung, später dann energisches Auspressen. Justin ist klar, dass er mit guten Genen auf die Welt gekommen ist und mit Gesichtszügen, die einigermaßen proportioniert und dort angesiedelt sind, wo sie hingehören. Seiner Ansicht nach gebührt ihm dafür weder Lob noch Tadel, ebenso wenig, wie weniger attraktive Menschen mit gerümpfter Nase und mitleidigem Lächeln bedacht werden sollten. Es ist eben so, wie es ist.

Mit gut eins achtzig ist er ziemlich groß, breitschultrig, hat noch immer dichte, kastanienbraune Haare, die allerdings an den Schläfen langsam grau werden. Das stört ihn nicht, denn er hat schon mit Mitte zwanzig ein paar graue Haare gehabt und fand immer, dass er dadurch irgendwie elegant wirkt. Obwohl es da auch jemanden gibt, der so viel Angst vor der Vergänglichkeit des Lebens hat, dass ihm Justins graue Sprenkel ein Dorn im Auge waren, an dem die Seifenblase eigener Jugendlichkeits-Illusionen platzen konnte. Dieser Jemand war hämisch auf ihn zugebuckelt und hatte ihm eine Flasche Haartönung hingeworfen, als wäre sie ein Krug mit kostbarem Wasser direkt aus dem Brunnen ewiger Jugend.

Aber für Justin ist es einfach eine Tatsache, dass man sich verändert. Er ist kein Typ, der innehält und im Leben steckenbleibt – obwohl er nicht damit gerechnet hat, dass diese praktische Philosophie des Alterns und Grauwerdens auch auf seine Ehe zutreffen würde. Jennifer hat ihn vor zwei Jahren deswegen verlassen, na ja, vielleicht nicht nur deshalb, sondern auch noch aus einer Menge anderer Gründe. So vielen genau genommen, dass er sich wünscht, er hätte Stift und Papier zur Hand genommen und sie sich notiert, während sie ihre Hasstirade auf ihn niederprasseln ließ. In den dunklen, einsamen Nächten, die folgten, hielt Justin die Haartönung in der Hand und fragte sich, ob alles wieder gut werden würde, wenn er von seinen Überzeugungen ein bisschen abrücken würde. Würde er dann eines Morgens wieder neben Jennifer aufwachen? Würde die kleine Narbe an seinem Kinn – an der Stelle, wo der Ehering gelandet war, den sie ihm an den Kopf geschleudert hatte – verheilt sein? Würde die Liste der Dinge, die Jennifer so sehr an ihm hasste, plötzlich genau das sein, was sie an ihm liebte? Aber dann wurde er wieder nüchtern und leerte die Haarfarbe in die Küchenspüle seines gemieteten Apartments. Die Flecken auf dem rostfreien

Stahl erinnerten ihn von da an jeden Tag an seinen Entschluss, in der Realität verwurzelt zu bleiben. Bis er nach London zog, um näher bei seiner Tochter zu sein – was seiner Exfrau überhaupt nicht passte.

Durch die langen Strähnen hindurch, die ihm in die Stirn hängen, hat er eine Vision des Mannes, den er sehen möchte. Er soll schlanker und jünger sein, vielleicht ein paar Falten weniger um die Augen haben. Seine Makel, wie beispielsweise ein erweiterter Bauchumfang, sind teilweise auf das Älterwerden und teilweise auf ihn selbst zurückzuführen, weil er in der anstrengenden Phase der Scheidung Trost bei Bier und Take-aways gesucht hat, statt spazieren zu gehen oder gelegentlich auch mal zu joggen.

Wiederholte Flashbacks der vorigen Nacht lenken seinen Blick zurück zum Bett, wo er und Sarah sich gestern schließlich auch intim kennengelernt haben. Den ganzen Tag hat er sich wie der große Zampano gefühlt und war im Hörsaal des Öfteren kurz davor, seinen Vortrag über niederländische und flämische Malerei zu unterbrechen und stattdessen Einzelheiten über seine Nachtvorstellung preiszugeben. Es ist gerade Rag-Week an der Uni mit ihren Tausenden Events, und bestenfalls drei Viertel der Studenten war zur Vorlesung erschienen. Am Abend vorher hatte eine große Schaumparty stattgefunden, und Justin vermutete, dass auch die Anwesenden es wahrscheinlich nicht bemerkt hätten, wenn er zu einer detaillierten Analyse seiner Qualitäten als Liebhaber übergegangen wäre. Trotzdem überprüfte er diese Annahme lieber nicht.

Zu Justins großer Erleichterung ist die Blutspendeaktion inzwischen vorbei, und Sarah arbeitet wieder in ihrer Praxis. Als er diesen Monat zu seinen Vorlesungen nach Dublin gekommen ist, sind sie sich in einer Bar begegnet, von der er zufällig wusste, dass sie zu ihren Lieblingskneipen gehört, und dort hat sich alles Weitere entwickelt. Zwar ist er nicht sicher, ob er sie wiedersehen wird, aber in seiner Innentasche steckt jedenfalls ein Zettel mit ihrer Nummer.

Die vorige Nacht war zwar wirklich nett, aber er muss zugeben, dass einiges an seinem Eroberungszug nicht optimal war. Erst haben sie in einer gut besuchten Bar am Green ein paar Flaschen Château Olivier zu viel getrunken – einen Wein, den Justin bis dahin trotz seiner idealen Bordeaux-Lage immer eher enttäuschend gefunden hatte –, darauf folgte ein Spaziergang zu seinem Hotel. Da er sich bereits vorher an der Minibar im Hotel ein bisschen Mut angetrunken hatte, war er, als er in die Bar kam, schon nicht mehr in der Lage, sich ernsthaft und kultiviert zu unterhalten – genau genommen überhaupt Konversation zu machen. *Herrgott nochmal, Justin, kennst du irgendeinen Mann, der sich bei einem Date wirklich für das Gespräch interessiert?* Aber obwohl sie im Bett gelandet sind, hat er trotzdem das Gefühl, dass das Reden für Sarah wichtig war. Vielleicht wollte sie ihm etwas sagen, und vielleicht hat sie es ihm sogar gesagt, während er tief in ihre traurigen blauen Augen blickte und zusah, wie ihre Rosenlippen sich öffneten und schlossen. Aber der Jameson-Whiskey hat nachhaltig verhindert, dass er wirklich verstanden hat, was sie sagte. Stattdessen drehte er ihre Worte nur ständig in seinem Kopf herum wie ein nörgeliges Kleinkind.

Da er nun auch die zweite Vorlesung in zwei Monaten hinter sich gebracht hat, wirft Justin seine Klamotten in die Reisetasche und freut sich, dass er dieses stickige Kabuff eine Weile nicht mehr zu sehen braucht. Es ist Freitagnachmittag, Zeit, nach London zu fliegen. Zurück zu seiner Tochter, zu seinem kleinen Bruder Al und dessen Frau Doris, die zurzeit zu Besuch aus Chicago da sind. Justin verlässt das Hotel, überquert die kopfsteingepflasterten Seitenstraßen von Temple Bar und steigt ins wartende Taxi.

»Zum Flughafen bitte.«

»Haben Sie hier Urlaub gemacht?«, fragt der Fahrer wie aus der Pistole geschossen.

»Nein«, antwortet Justin einsilbig und sieht aus dem Fenster, in der Hoffnung, das Gespräch im Keim zu ersticken.

»Arbeiten Sie hier?« Er lässt den Motor an.

»Ja.«

»Wo arbeiten Sie denn?«

»Am College.«

»An welchem?«

Justin seufzt. »Trinity.«

»Sind Sie der Hausmeister?« Die grünen Augen funkeln Justin im Rückspiegel schelmisch an.

»Ich bin Dozent für Kunst und Architektur«, erwidert er abwehrend, schlägt die Arme übereinander und bläst mal wieder die langen Strähnen aus seiner Stirn.

»Architektur, was? Ich war früher mal Bauunternehmer.«

Justin antwortet nicht. Vielleicht gibt der Mann jetzt auf.

»Und wohin sind Sie unterwegs? In den Urlaub?«

»Nein.«

»Wohin dann?«

»Ich wohne in London.« *Und meine Sozialversicherungsnummer lautet …*

»Aber Sie arbeiten hier?«

»Ja.«

»Und wohnen nicht hier?«

»Nein.«

»Warum denn nicht?«

»Weil ich hier nur Gastdozent bin. Ein ehemaliger Kollege hat mich eingeladen, einmal im Monat eine Vorlesung zu halten.«

»Ah.« Der Fahrer grinst ihn im Spiegel an, als hätte er versucht, ihn auf den Arm zu nehmen. »Und was machen Sie in London?« Mit neugierigen Augen glotzt der Mann ihn an.

Ich bin ein Serienkiller, der sich auf Taxifahrer spezialisiert hat.

»Verschiedenes.« Justin seufzt und gibt schließlich klein bei, weil der Fahrer so demonstrativ wartet. »Ich bin Herausgeber der *Art and Architectural Review*, der einzigen internationalen Zeitschrift für Kunst und Architektur«, erklärt er nicht ohne Stolz. »Vor zehn Jahren hab ich damit angefangen, und es gibt bis heute keine Publikation, die ihr wirklich das Wasser reichen kann. Es ist und bleibt die meistverkaufte Zeitschrift dieser Art.«

Grade mal zwanzigtausend Abonnenten, du alter Lügner.

Keine Reaktion.

»Außerdem bin ich Kurator.«

Der Fahrer zuckt zusammen. »Haben Sie es da mit Leichen zu tun?«

Verwirrt verzieht Justin das Gesicht. »Was? Nein.« Dann fügt er völlig unnötig hinzu: »Und ich bin regelmäßig Gast bei einer BBC-Sendung für Kunst und Kultur.«

Zweimal in fünf Jahren ist nicht gerade das, was man allgemein unter regelmäßig versteht, Justin. Ach, halt doch den Mund.

Im Rückspiegel beobachtet der Fahrer Justin jetzt ganz genau. »Sie sind beim Fernsehen?« Er kneift die Augen zusammen. »Ich erkenne Sie aber überhaupt nicht.«

»Na ja, sehen Sie Kultursendungen?«

»Nein.«

Na bitte.

Justin verdreht die Augen, zieht seine Anzugjacke aus, öffnet noch einen Hemdenknopf und macht das Fenster auf. Seine Haare kleben auf der Stirn. Nach wie vor. Er war immer noch nicht beim Friseur. Ständig muss er sich die Strähnen aus den Augen blasen.

An einer roten Ampel bleiben sie stehen, und Justin sieht nach links. Da ist ein Friseursalon!

»Hey, können Sie bitte hier ein paar Minuten halten?«

»Hör mal, Conor, mach dir keine Sorgen. Und hör bitte auf, dich ständig zu entschuldigen«, sage ich erschöpft ins Telefon. Er raubt mir den Nerv. Jedes Wort, das ich mit ihm wechsle, ist unglaublich anstrengend. »Dad ist bei mir, wir nehmen uns zusammen ein Taxi nach Hause, obwohl ich das, nebenbei bemerkt, sehr gut auch alleine schaffen würde.«

Vor dem Krankenhaus hält Dad mir die Tür auf, und ich klettere in das Taxi. Endlich kann ich heim, aber die Erleichterung, die ich eigentlich erwartet habe, bleibt aus. Alles, was ich spüre, ist Angst. Mir graut davor, meinen Bekannten zu begegnen und jedem Einzelnen immer wieder erklären zu müssen, was passiert ist. Mir graut davor, ins Haus zu kommen und mich dem Anblick des halb fertigen Kinderzimmers aussetzen zu müssen. Mir graut davor, die Kindersachen ausräumen zu müssen, das Gästebett aufzustellen und die Schränke wieder mit meinem ganzen überflüssigen Krempel vollzustopfen – Schuhe, Handtaschen, lauter Zeug, das ich nie im Leben tragen werde. Als wären sie ein angemessener Ersatz für das Baby. Mir graut davor, wieder arbeiten zu gehen, statt die Elternzeit zu nehmen, die ich geplant hatte. Mir graut vor Conor. Mir graut davor, in eine lieblose Ehe zurückkehren zu müssen und nicht mal ein Baby zu haben, das uns ablenkt. Mir graut davor, den Rest meines Lebens mit Conor verbringen zu müssen, der am Telefon davon schwafelt, wie gern er für mich da sein möchte, während ich ihm in den letzten Tagen mantra-artig gesagt habe, dass er nicht zu kommen braucht. Ich weiß, normalerweise müsste ich wollen, dass mein Mann sofort zu mir nach Hause kommt – und er genauso. Aber in unserer Ehe gibt es nur allzu viele Abers, und dieser »Vorfall« ist auch kein normales Ereignis. Da kann man nicht »normal« reagieren. Richtig und erwachsen zu handeln fühlt sich für mich falsch an, denn ich will niemanden um mich herum haben. Ich bin seelisch und körperlich so mitgenommen, dass ich jetzt nur noch allein sein möchte – allein sein, damit ich ungestört trauern kann. Ich möchte mich selbst bemitleiden, ohne mitfühlende Worte von anderen, ohne medizinische Erklärungen. Ich möchte unlogisch sein, ich möchte jammern, klagen, mich in ein Schneckenhaus zurückziehen und mich einfach für ein paar Tage bitter und verloren fühlen. Bitte, du Welt da draußen, lass mich in Ruhe!

Obgleich auch das in unserer Ehe nicht ungewöhnlich ist – ich war oft genug allein.

Conor ist Ingenieur. Er ist oft monatelang im Ausland unterwegs, kommt zwischendurch einen Monat nach Hause und fährt dann wieder weg. Früher habe ich mich manchmal so an meine eigene Gesellschaft und meine eigene Routine gewöhnt, dass ich in der ersten Woche, wenn Conor nach Hause kam, ständig gereizt war und mir wünschte, er würde gleich wieder fahren. Natürlich hat sich das im Lauf der Jahre geändert. Jetzt hält sich meine Gereiztheit den ganzen Monat über, den wir zusammen sind. Und es ist inzwischen sonnenklar, dass ich mit diesem Gefühl keineswegs allein dastehe.

Als Conor den Job vor Jahren angenommen hat, fiel es uns schwer, so lange getrennt zu sein. Ich habe ihn, so oft es ging, besucht, aber es war schwierig, weil ich in meinem Job dauernd Urlaub nehmen musste. So wurden meine Besuche immer kürzer, seltener, und schließlich stellte ich sie ganz ein.

Ich dachte immer, unsere Ehe könnte alles überleben, solange wir uns nur Mühe gaben, alle beide. Aber dann merkte ich, dass ich mich dauernd überreden musste, es zu versuchen. Ich fing an, in unserer Beziehung zu forschen, all die komplizierten Schichten abzutragen und zu analysieren, die sich im Lauf der Zeit angesammelt hatten, um ganz zum Anfang vorzudringen. Was hatten wir damals, als wir uns kennenlernten und frisch verliebt waren, was konnten wir davon wiederbeleben? Was war es gewesen, das uns zu dem Versprechen bewogen hatte, dass wir jeden Tag unseres Lebens miteinander verbringen wollten? Und ich fand auch die Antwort: Es war das, was man im Allgemeinen Liebe nennt. Ein kleines, einfaches Wort. Wenn es nicht so viel bedeuten würde, dann wäre unsere Ehe perfekt gewesen.

In meinem Krankenhausbett habe ich viel nachgedacht. Manchmal haben meine Gedanken mittendrin abrupt angehalten, wie wenn man in ein Zimmer kommt und plötzlich vergessen hat, was man da eigentlich wollte. Auf einmal blieben sie stehen, sprachlos. Dann war ich wie benommen, und wenn ich die rosaroten Wände anstarrte, konnte ich nichts anderes denken, als dass ich die rosaroten Wände anstarrte.

Allzu oft sind meine Gedanken dabei von einem Extrem ins andere gekippt – erst zu wenig Gefühl, dann zu viel, aber einmal, als sie sehr weit weggewandert waren, bin ich auf eine tief vergrabene Erinnerung gestoßen, aus der Zeit, als ich sechs Jahre alt war und ein Teeservice von meiner Großmutter geschenkt bekommen hatte, das ich heiß und innig liebte. Es stand in ihrem Haus, damit ich jederzeit damit spielen konnte. Wenn ich sie samstags besuchte und nachmittags dann ihre Freundinnen zum Tee kamen, schlüpfte ich in eins der Kleider, die meine Mutter als kleines Mädchen getragen hatte, und veranstaltete mit Tante Jemima, der Katze, meine eigene Teeparty. Zwar passten mir die Kleider nie ganz richtig, aber ich zog sie trotzdem an. Tante Jemima und ich tranken natürlich auch nie wirklich Tee, aber wir waren beide höflich genug, um so zu tun. Bis abends meine Eltern kamen, um mich abzuholen. Als ich die Geschichte vor ein paar Jahren Conor erzählt habe, lachte er und kapierte überhaupt nicht, worum es ging.

Das konnte man auch leicht übersehen, ich halte es ihm nicht vor, aber ich hätte ihm die Erkenntnis, die dahintersteckte und die mir selbst immer deutlicher wurde, verdammt gern verständlich gemacht: Die Menschen werden es nie müde, Spiele zu spielen und sich zu verkleiden, ganz egal, wie alt sie sind. Nur unsere Lügen werden immer komplizierter, die Worte, mit denen wir anderen etwas vormachen, geschliffener und gewandter. Von Räuber und Gendarm, von Vater-Mutter-Kind zu Mann und Frau – wir hören nie auf, uns zu verstellen. Aber jetzt, wo ich neben Dad im Taxi sitze und Conors Stimme aus dem Telefon höre, wird mir klar, dass ich aufgehört habe, Theater zu spielen.

»Wo ist Conor?«, fragt Dad, als ich aufgelegt habe.

Er macht den obersten Hemdenknopf auf und lockert seine Krawatte. Er verlässt das Haus nur in Anzug und Krawatte und vergisst auch nie seine Kappe. Jetzt sucht er den Hebel an der Autotür, mit dem er die Scheibe herunterkurbeln kann.

»Das geht inzwischen alles elektronisch, Dad. Da ist der Knopf. Conor ist noch in Japan. In ein paar Tagen kommt er heim.«

»Ich dachte, er wollte schon gestern zurück sein.« Dad lässt das Fenster ganz herunter und wird fast weggeweht. Die Mütze rutscht ihm vom Kopf, und die wenigen noch verbliebenen Haarsträhnen stehen wild in die Höhe. Sorgfältig setzt er die Kappe wieder auf und kämpft mit dem Fenster, bis er endlich den Trick raushat, wie man einen kleinen Schlitz offen lassen kann, um frische Luft in das muffige Taxi zu bekommen.

»Ha, geschafft!«, ruft er triumphierend und schlägt mit der Faust gegen die Scheibe.

Ich warte ab, bis er damit fertig ist, ehe ich antworte: »Ich hab es ihm ausgeredet.«

»Wem hast du was ausgeredet, Liebes?«

»Conor. Du hast nach Conor gefragt, Dad.«

»Ach ja, richtig. Er kommt aber doch bestimmt bald heim, oder?«

Ich nicke nur.

Es ist ein heißer Tag, die Haare kleben mir im Nacken, und ich blase mir den Pony aus der verschwitzten Stirn. Auf einmal fühlen meine Haare sich schwer und fettig an. Braun und strähnig, eine erdrückende Last, und ich verspüre wieder den überwältigenden Drang, sie einfach abzurasieren. Unruhig rutsche ich auf meinem Sitz herum. Dad bemerkt es zwar, ist aber klug genug, den Mund zu halten. Schon die ganze Woche geht das so: Ich spüre eine unvorstellbare Wut, die ich selbst nicht verstehe, die aber so groß ist, dass ich am liebsten mit den Fäusten auf die Wand losgegangen wäre oder die Krankenschwestern verprügelt hätte. Und dann werde ich auf einmal weinerlich und fühle eine Leere in mir, die ich nie und nimmer werde auffüllen können. Ehrlich gesagt ist mir die Wut lieber. Wut ist heiß und füllt mich aus und gibt mir etwas, woran ich mich festhalten kann.

An der Ampel bleiben wir stehen, und ich schaue nach links. Ein Friseursalon!

»Bitte halten Sie hier.«

»Was machst du denn, Joyce?«

»Warte bitte im Auto, Dad. Es dauert bestimmt nicht länger als zehn Minuten, ich will mir nur schnell die Haare schneiden lassen. Ich halte das einfach nicht mehr aus.«

Dad sieht zu dem Friseurladen hinüber. Dann schaut er den Taxifahrer an, und zum Glück sagen beide nichts. Auch das Taxi direkt vor uns blinkt und fährt an den Bordstein. Wir halten hinter ihm.

Ein Mann steigt vor uns aus, und ich halte inne, einen Fuß schon auf dem Bürgersteig, um ihn zu beobachten. Irgendwie kommt er mir bekannt vor. Für einen Moment treffen sich unsere Blicke, und wir starren uns an. Suchen etwas im Gesicht des anderen. Dann kratzt er sich am linken Arm, eine Bewegung, die meine Aufmerksamkeit viel zu lange auf sich zieht. Ein ungewöhnlicher Moment. Ich bekomme eine Gänsehaut. Das Letzte, was ich jetzt brauchen kann, ist Smalltalk mit einem Bekannten, also schaue ich schnell wieder weg.

Auch er wendet den Blick ab und geht rasch weiter.

»Was machst du denn?«, fragt Dad viel zu laut, und ich steige vollends aus.

Langsam gehe ich auf den Friseurladen zu, und wie sich zeigt, hat der Mann dasselbe Ziel. Sofort verändert sich mein Gang, und ich bewege mich mechanisch, linkisch, gehemmt. Irgendetwas an diesem Menschen bringt mich ganz durcheinander. Er macht mich unruhig. Vielleicht ist nur die Aussicht schuld, womöglich gleich jemandem erklären zu müssen, dass ich kein Baby kriegen werde. Ja, nach Wochen ununterbrochenen Babygeschwätzes wird es kein Baby vorzuweisen geben, und ich habe ein schlechtes Gewissen, als hätte ich meine Freunde und meine Familie betrogen. Als hätte ich sie absichtlich an der Nase herumgeführt. Ein Baby, das nie kommen wird. Beim Gedanken daran wird mein Herz schwer.

Lächelnd hält er mir die Tür zum Salon auf. Ein attraktiver

Mann. Frisches Gesicht. Groß. Breit. Athletisch. Perfekt. Strahlt er mich jetzt auch noch an? Dann kenne ich ihn bestimmt.

»Danke«, sage ich.

»Gern geschehen.«

Wir halten beide inne, sehen einander an, blicken zu den Taxis hinüber, die am Straßenrand warten, und wieder zurück zu uns. Ich glaube, dass er noch etwas sagen will, aber ich wende mich hastig ab und gehe hinein.

Außer uns sind keine Kunden da, zwei Angestellte sitzen herum und plaudern. Beides Männer, einer mit Vokuhila, der andere blond gebleicht. Als sie uns sehen, springen sie eifrig auf.

»Welchen wollen Sie?«, fragt mich der Mann aus dem Mundwinkel. Er hat einen amerikanischen Akzent.

»Den Blonden«, antworte ich ebenso.

»Dann nehme ich den Vokuhila«, sagt er.

Ich muss lachen.

»Hallo, ihr zwei Turteltäubchen«, ruft der Vokuhila-Mann und eilt auf uns zu. »Wie kann ich euch helfen?« Sein Blick wandert zwischen dem Amerikaner und mir hin und her. »Wer kriegt denn heute die Haare gemacht?«

»Tja, wir beide, denke ich. Richtig?« Er sieht mich fragend an, und ich nicke.

»Oh, Entschuldigung, ich dachte, ihr gehört zusammen.«

Auf einmal merke ich, dass sich unsere Hüften fast berühren, so nahe stehen wir nebeneinander. Beide schauen wir gleichzeitig hin, dann treffen sich unsere Blicke, und wir machen schnell einen Schritt zur Seite, in entgegengesetzte Richtungen.

»Ihr solltet es mal mit Synchronschwimmen probieren«, lacht der Friseur, aber der Scherz verpufft, weil keiner von uns darauf eingeht. »Ashley, nimm du die hübsche junge Dame. Und Sie können mir bitte folgen«, fügt er, an den Amerikaner gewandt, hinzu und führt ihn zu einem der Friseurstühle. Der Ami schneidet eine Grimasse in meine Richtung, während auch ich mich zu einem Stuhl komplimentieren lasse, und ich lache wieder.

»Gut, ich möchte die Haare gern fünf Zentimeter kürzer haben«, sagt er. »Als ich das letzte Mal beim Friseur war, hat man mir einen halben Meter abgeschnitten. Diesmal aber bitte nur fünf Zentimeter«, betont er noch einmal. »Draußen wartet mein Taxi, ich muss zum Flughafen, deshalb wäre ich dankbar, wenn es möglichst schnell geht.«

Sein Friseur lacht. »Klar, kein Problem. Fliegen Sie zurück in die Staaten?«

Der Mann verdreht die Augen. »Nein, nicht zurück nach Amerika, ich fliege auch nicht in Urlaub, und ich hole auch niemanden ab, ich fliege einfach. Weg. In Irland kriegt man wirklich viele Fragen gestellt.«

»Ach tatsächlich?«

»J…«, setzt er an, unterbricht sich aber mitten im Wort und sieht den Friseur mit zusammengekniffenen Augen an.

»Erwischt«, lacht der und deutet mit der Schere auf ihn.

»Stimmt«, stößt er zwischen zusammengebissenen Zähnen hervor. »Auf frischer Tat ertappt.«

Ich muss wieder lachen, und sofort sieht der Amerikaner mich wieder an. Er macht einen leicht verwirrten Eindruck. Vielleicht kennen wir uns ja tatsächlich. Vielleicht ist er ein Kollege von Conor. Vielleicht bin ich mit ihm zur Schule gegangen. Oder aufs College. Vielleicht ist er im Immobiliengeschäft, und wir hatten irgendwann mal ein gemeinsames Projekt. Aber das kann nicht sein, er ist Amerikaner. Vielleicht habe ich ihm ein Haus gezeigt. Vielleicht ist er berühmt, und ich sollte ihn nicht so anstarren. Auf einmal schäme ich mich und wende mich ab.

Mein Friseur legt mir einen schwarzen Umhang um, und ich werfe im Spiegel schnell noch einen verstohlenen Blick auf den Amerikaner. Wieder begegnen sich unsere Blicke. Ich schaue weg, dann wieder zu ihm. Jetzt schaut er weg. Die gesamte Dauer unseres Friseurbesuchs halten wir dieses Tennismatch durch.

»Und was kann ich denn für Sie tun, Madam?«, fragt der Blonde.

»Alles ab«, antworte ich und versuche, mich nicht im Spiegel anzuschauen, aber dann spüre ich kühle Hände auf meinen heißen Wangen, und als ich unwillkürlich den Kopf hebe, bin ich gezwungen, mir direkt ins Gesicht zu sehen. Es kann einen aus der Fassung bringen, wenn man in einer Situation, in der man um keinen Preis mit etwas Bestimmtem konfrontiert werden möchte, gezwungen ist, sich selbst anzuschauen. Etwas Rohes, Reales kommt da zum Vorschein, etwas, vor dem man nicht weglaufen kann. Man kann sich selbst belügen, so viel man will, aber wenn man sich ins Gesicht schaut, dann erkennt man die Wahrheit. Mit mir ist etwas nicht okay. Das leugne ich nicht, es starrt mir ins Gesicht. Meine Wangen sind eingefallen, meine Augen haben dunkle Ringe und sind rot gerändert von den Tränen der letzten Nacht, wie mit einem seltsamen Lidstrich. Aber ansonsten sehe ich aus wie immer. Trotz der riesigen Veränderung in meinem Leben sehe ich aus wie immer. Müde, aber wie ich. Keine Ahnung, was ich erwartet habe. Wahrscheinlich eine vollkommen veränderte Frau, der die Leute auf den ersten Blick ansehen, dass sie ein traumatisches Erlebnis hinter sich hat. Doch der Spiegel sagt mir Folgendes: Von außen sieht man nichts Besonderes. Von außen kann man niemals alles sehen.

Ich bin eins siebenundsechzig und habe mittellange Haare, bis zur Schulter. Meine Haarfarbe ist ein Mittelding zwischen Blond und Braun. Ich bin eine Mittelperson. Nicht dick, aber auch nicht dünn. Ich mache zweimal die Woche Sport, jogge ein bisschen, walke ein bisschen, schwimme ein bisschen. Nichts Übertriebenes, nichts Untertriebenes. Keine Besessenheit, kein Suchtverhalten. Ich bin weder sonderlich extrovertiert noch besonders schüchtern, nein, ich bin ein bisschen von beidem, je nach Stimmung, je nach Situation. Ich übertreibe selten etwas, und das meiste, was ich tue, tue ich gern. Ich bin selten gelangweilt und beklage mich fast nie. Wenn ich Alkohol trinke, werde ich beschwipst, aber ich kippe nicht aus den Latschen und muss mich auch nicht übergeben. Ich mag meinen Job, aber ich liebe ihn nicht. Ich bin ganz hübsch, nicht umwerfend, aber auch nicht hässlich, ich erwarte nie zu viel und werde deshalb auch nie allzu sehr enttäuscht. Ich bin selten überglücklich, aber auch kaum einmal unterglücklich, sondern meistens gerade glücklich genug. Als ich jetzt in den Spiegel schaue, sehe ich eine mittelmäßig durchschnittliche Peron. Ein bisschen müde, ein bisschen traurig, aber nicht von einem dramatischen Zusammenbruch bedroht. Vorsichtig blicke ich zu dem Mann neben mir und erkenne dort das Gleiche.

»Entschuldigung?«, unterbricht der Friseur meine Gedanken. »Sie möchten, dass ich alles abschneide? Sind Sie sicher? An Ihren Haaren ist doch nichts auszusetzen.« Schon fährt er mit allen zehn Fingern durch. »Ist das Ihre Naturfarbe?«

»Ja. Ich hab manchmal ein bisschen getönt, aber dann hab ich damit aufgehört, wegen …« Ich will sagen »wegen des Babys«. Schon füllen sich meine Augen mit Tränen, und ich senke den Blick.

»Weswegen haben Sie aufgehört?«, fragt er nach.

Ich sehe weiter auf meine Füße und zapple ein bisschen herum. Mir fällt keine Antwort ein, deshalb tue ich, als hätte ich ihn nicht verstanden. »Hmm?«

»Sie haben gesagt, Sie haben aus irgendeinem Grund mit dem Haarefärben aufgehört.«

»Oh, ach so …« Nicht weinen. Bloß nicht weinen. Wenn du jetzt damit anfängst, kannst du nie wieder aufhören. »Ach, ich weiß auch nicht«, murmle ich, beuge mich zu meiner Handtasche hinunter, die auf dem Boden steht, und fummle an ihr herum. Es geht vorbei, es geht vorbei. Eines Tages geht alles vorbei, Joyce. »Wegen der Chemie. Ich hab aufgehört wegen der Chemie.«

»Ach so. Hmm. Dann zeige ich Ihnen mal, wie die kurzen Haare aussehen könnten«, sagt er, nimmt meine Haare und bindet sie zurück. »Wie wäre es mit einer Frisur wie Meg Ryan in *French Kiss*?« Er strubbelt die Haare in alle Richtungen, sodass ich aussehe, als hätte ich den Finger in eine Steckdose gesteckt.

»Das wäre der Out-of-Bed-Look, sehr sexy. Oder wir könnten es auch so machen.« Erneut zwirbelt er meine Haare nach Strich und Faden durcheinander.

»Könnten wir vielleicht ein bisschen schneller machen? Auf mich wartet draußen nämlich auch ein Taxi.« Ich schaue aus dem Fenster. Dad unterhält sich mit dem Fahrer, beide lachen, und ich entspanne mich etwas.

»Oooo-kay. Aber so eine Entscheidung sollte man wirklich nicht überstürzen. Sie haben schöne, dichte Haare.«

»Schon gut. Ich gebe Ihnen die Erlaubnis, sich zu beeilen. Schneiden Sie einfach alles ab.« Wieder sehe ich zurück zum Auto.

»Na ja, ein paar Zentimeter müssen wir schon dranlassen, Schätzchen.« Er dreht mein Gesicht wieder zum Spiegel. »Wir wollen ja keine Sigourney Weaver aus *Alien*, oder? Wir machen einen schrägen Pony, sehr raffiniert, sehr angesagt zurzeit. Ich glaube, das wird Ihnen auch gut stehen, dann kommen Ihre hohen Wangenknochen zur Geltung. Was meinen Sie?«

Meine Wangenknochen sind mir egal, ich möchte nur endlich diese Haare los sein.

»Wie wäre es denn, wenn wir einfach das hier machen?« Schon habe ich ihm die Schere abgenommen und meinen Pferdeschwanz abgeschnitten. Dann drücke ich ihm beides in die Hand.

Er stößt ein entsetztes Quieken aus. »Ein … ein Bob, natürlich, das ist auch eine Möglichkeit.«

Mein Friseur steht mit seiner großen Schere in der einen Hand da, mein Pferdeschwanz baumelt von der anderen herunter, und der Amerikaner starrt ihn mit offenem Mund an. Aber dann dreht er sich blitzschnell um und nimmt seinem Friseur die Schere ab, ehe der noch einen Schnitt machen kann. »Machen Sie das bitte nicht mit mir!«, ruft er warnend.

Vokuhila seufzt und verdreht die Augen. »Nein, selbstverständlich nicht, Sir.«

Wieder fängt der Amerikaner an, sich am linken Arm zu kratzen. »Irgendwas muss mich da gestochen haben.« Er rollt die Ärmel hoch, und ich verrenke mir in meinem Stuhl den Hals, um seinen Arm zu sehen.

»Könnten Sie bitte stillsitzen?«

»Könnten Sie bitte stillsitzen?«

Die Friseure äußern ihre Ermahnung wie aus einem Munde. Sie schauen sich an und lachen.

»Heute liegt irgendwas Komisches in der Luft«, meint der eine dann, und der Amerikaner und ich sehen uns an. Ja, wirklich komisch.

»Schauen Sie bitte wieder nach vorn, Sir.« Brav wendet er sich dem Spiegel zu.

Mein Friseur legt einen Finger unter mein Kinn, sodass mein Kopf wieder gerade wird, und überreicht mir mit großer Geste meinen Pferdeschwanz.

»Als Souvenir.«

»Ich möchte ihn aber nicht«, wehre ich ab und weigere mich, die Haare in die Hand zu nehmen. Jeder Zentimeter stammt aus einer Zeit, die jetzt vorbei ist. Gedanken, Wünsche, Hoffnungen, Sehnsüchte, Träume, die es nicht mehr gibt. Ich möchte einen Neustart. Mit neuen Haaren.

Schließlich legt er den Pferdeschwanz weg und beginnt, meine Haare in Form zu bringen, und ich sehe zu, wie die Strähnen zu Boden fallen. Schon fühlt sich mein Kopf viel leichter an.

Das Stück, das gewachsen ist, als wir das Bettchen gekauft haben. Schnipp.

Das Stück, das gewachsen ist, als wir die Farbe fürs Kinderzimmer ausgesucht haben, die Fläschchen, Lätzchen und Bodys. Alles zu früh gekauft, aber wir konnten es einfach nicht abwarten … Schnipp.

Das Stück, das gewachsen ist, als wir einen Namen für das Baby ausgesucht haben. Schnipp.

Das Stück, das gewachsen ist, als wir Freunden und Familie das bevorstehende frohe Ereignis mitgeteilt haben. Schnipp.

Der Tag des ersten Ultraschalls. Der Tag, als ich festgestellt habe, dass ich schwanger bin. Der Tag, an dem das Baby empfangen wurde. Schnipp. Schnipp. Schnipp.

Die schmerzlicheren neuen Erinnerungen direkt an den Wurzeln müssen noch eine Weile ausharren. Wohl oder übel muss ich noch warten, bis ich sie loswerden kann. Aber dann sind alle Spuren verschwunden, und ich kann weitermachen.

Gleichzeitig sind der Amerikaner und ich fertig und gehen zur Kasse.

»Steht Ihnen sehr gut«, bemerkt er und mustert mich.

Nervös will ich eine Strähne hinter die Ohren streichen, aber da ist nichts mehr. Ich fühle mich leichter, ein bisschen benommen, vergnügt, weil mir schwindlig ist, schwindlig, weil ich mich freue.

»Bei Ihnen sieht's auch gut aus.«

»Danke.«

Er hält die Tür für mich auf.

»Danke.« Ich trete nach draußen.

»Sie sind viel zu höflich«, sagt er.

»Danke«, antworte ich. »Sie auch.«

»Danke«, nickt er.

Wir lachen. Dann sehen wir beide zu den wartenden Taxis und neugierig wieder zurück. Er lächelt mich an.

»Das erste oder das zweite Taxi?«, fragt er.

»Für mich?«

Er nickt. »Mein Fahrer ist eine fürchterliche Quasselstrippe.«

Ich betrachte beide, sehe Dad im zweiten Wagen, wie er mit dem Fahrer plaudert.

»Das erste. Mein Dad ist eine fürchterliche Quasselstrippe.«

Er studiert das zweite Taxi, in dem Dad jetzt die Nase an die Scheibe drückt und mich anstarrt, als wäre ich ein Gespenst.

»Dann also das zweite«, sagt der Amerikaner.

»Hey!«, protestiere ich, aber er geht unbeirrt zu seinem Taxi. Allerdings dreht er sich unterwegs zweimal um.

Wie auf Wolken erreiche ich den anderen Wagen, steige ein, und wir ziehen gleichzeitig die Tür hinter uns zu. Der Fahrer und mein Dad glotzen mich an.

»Was denn?«, frage ich mit wild pochendem Herzen. »Was ist los?«

»Deine Haare«, sagt Dad nur mit verdutztem Gesicht. »Du siehst aus wie ein Junge.«

Acht

Als das Taxi sich meinem Haus in Phisboro nähert, verkrampft sich mein Magen.

»Das war lustig, dass der Mann vor uns sein Taxi auch hat warten lassen, Gracie, stimmt's?«

»Joyce. Und ja«, antworte ich, und meine Beine zittern nervös.

»Machen das die Leute heutzutage oft, wenn sie sich die Haare schneiden lassen?«

»Was machen sie dann oft, Dad?«

»Dass sie ein Taxi draußen warten lassen.«

»Keine Ahnung.«

Er rutscht auf der Sitzbank ganz nach vorn und beugt sich dicht zum Taxifahrer. »Wissen Sie das vielleicht, Jack? Ob die Leute sich heute so die Haare schneiden lassen?«

»Wie?«

»Dass sie solange ihr Taxi vor der Tür warten lassen?«

»Bisher hat das bei mir noch niemand gemacht«, erklärt der Fahrer höflich.

Zufrieden lehnt Dad sich wieder zurück. »Hab ich's mir doch gedacht, Gracie.«

»Ich heiße Joyce«, blaffe ich.

»Joyce. Es ist also ein Zufall. Und weißt du, was man über Zufälle sagt?«

»Ja.« Wir biegen um die Ecke in meine Straße, und mein Magen will sich umdrehen.

»Es gibt keine Zufälle«, fährt Dad fort, obwohl ich deutlich zu erkennen gegeben habe, dass ich Bescheid weiß. »Ganz bestimmt nicht«, murmelt er vor sich hin. »Zufälle gibt's nicht. Da ist ja Patrick!«, ruft er und winkt. »Hoffentlich versucht er nicht zurückzuwinken.« Er beobachtet seinen Freund aus dem Monday Club, der sich mühsam fortbewegt, beide Hände auf seinem Gehwagen. »Und David führt den Hund aus.« Wieder winkt er, obwohl David stehen geblieben ist, um den Hund sein Geschäft erledigen zu lassen, und in die andere Richtung schaut. Ich habe das Gefühl, dass Dad sich hier im Taxi ganz schön toll vorkommt. Er fährt selten Taxi, weil es zu teuer ist und er alles, was er braucht, zu Fuß oder mit dem Bus erreichen kann.

»Home sweet home«, verkündet er. »Wie viel schulde ich Ihnen, Jack?« Wieder beugt er sich vor und zieht zwei Fünf-Euro-Scheine aus der Tasche.

»Ich fürchte, das reicht nicht ganz … zwanzig Euro bitte.«

»Was?« Schockiert sieht Dad ihn an.

»Ich zahle, Dad, steck dein Geld ruhig wieder ein.« Ich gebe dem Fahrer fünfundzwanzig Euro und sage ihm, es stimme so. Dad sieht mich an, als hätte ich ihm gerade sein Glas aus der Hand genommen und sein Bier weggeschüttet.

Als Conor und ich vor zehn Jahren geheiratet haben, sind wir in das rote Backsteinhaus in Phisboro eingezogen. Die Häuser stammen aus den vierziger Jahren, und im Lauf der Zeit haben wir eine Menge Geld in die Modernisierung gesteckt. Jetzt ist es endlich so, wie wir es haben wollten – jedenfalls war es das bis diese Woche. Ein schwarzer Zaun umgibt einen kleinen Vorgarten, in dem die Rosenbüsche, die meine Mutter gepflanzt hat, wachsen und gedeihen. Dad wohnt zwei Straßen weiter in einem identischen Haus, dem Haus, in dem ich aufgewachsen bin – obwohl man ja nie ganz mit dem Wachsen aufhört und ständig lernt –, und wenn ich dort bin, fühle ich mich augenblicklich in meine Kindheit zurückversetzt.

In dem Moment, als das Taxi wegfährt, kommt Dads Nachbarin Fran aus meiner Haustür und lächelt mich an. Unsicher betrachtet sie uns und wendet jedes Mal schnell die Augen ab, wenn unsere Blicke sich zu treffen drohen. Daran muss ich mich wahrscheinlich in nächster Zeit gewöhnen.

»Oh, deine Haare!«, sagt sie als Erstes und nimmt sich dann schnell zusammen. »Tut mir leid, Liebes, ich wollte eigentlich längst weg sein, bis ihr heimkommt.« Jetzt öffnet sie die Tür ganz und zieht ein kariertes Einkaufswägelchen hinter sich her. An der rechten Hand hat sie einen Gummihandschuh.

Dad macht einen nervösen Eindruck und vermeidet es, mich anzusehen.

»Was machen Sie denn hier, Fran? Wie in aller Welt sind Sie in mein Haus gekommen?« Zwar versuche ich höflich zu sein, aber dass jemand ohne meine Erlaubnis in meinem Haus war, überrascht und ärgert mich kolossal.

Fran errötet und sieht meinen Dad an. Der schaut auf seine Hände hinunter und hüstelt verlegen. Auch Fran senkt den Blick, lacht nervös und zieht den Gummihandschuh aus. »Oh, dein Vater hat mir einen Schlüssel gegeben. Ich dachte … na ja, ich hab dir einen hübschen kleinen Läufer in den Flur gelegt. Hoffentlich gefällt er dir.«

Völlig verwirrt starre ich sie an.

»Na ja, ich geh dann mal lieber.« Als sie an mir vorbeikommt, ergreift sie meinen Arm und drückt ihn, weigert sich aber immer noch, mich anzusehen. »Pass gut auf dich auf, Liebes.« Damit macht sie sich auf den Weg die Straße hinunter, ihr Wägelchen hinter sich herziehend, und ihre altmodische Strumpfhose schlägt Falten um ihre breiten Knöchel.

»Dad«, sage ich und sehe ihn ärgerlich an. »Dad, was zum Teufel soll das?« Dann gehe ich ins Haus, wo ich einen ekligen staubigen Läufer auf meinem schönen beigefarbenen Teppichboden vorfinde. »Warum hast du einer Fremden meinen Hausschlüssel gegeben, damit sie reinkommt und hier diesen komischen Läufer deponiert? Ich bin doch kein Fall für die Wohlfahrt!«

71

Er nimmt die Mütze ab und knautscht sie verlegen mit den Händen. »Sie ist doch keine Fremde, Liebes. Sie kennt dich, seit du nach der Geburt aus dem Krankenhaus gekommen bist ...«

Momentan ist das genau das falsche Thema, das muss auch ihm klar sein.

»Das ist mir vollkommen egal!«, zische ich. »Es ist mein Haus, nicht deines! Das kannst du nicht einfach machen. Dieser hässliche Scheißläufer!« Ich packe das groteske Ding, schleife es hinaus, komme wieder ins Haus und knalle die Tür hinter mir zu. Ich koche vor Wut und nehme Dad ins Visier, um ihn weiter anzuschreien. Er ist bleich und erschüttert und starrt unverwandt auf den Boden. Ich folge seinem Blick.

Rotbraune Flecken unterschiedlicher Schattierung, bei denen man unwillkürlich an Rotwein denken muss, sind über den hellen Teppich verteilt. An manchen Stellen hat anscheinend jemand versucht, sie wegzureiben, aber die gegen den Strich gebürsteten Teppichhaare lassen immer noch eindeutig erkennen, dass hier etwas vergossen worden ist. Mein Blut.

Ich schlage die Hände vors Gesicht.

Leise und kleinlaut sagt Dad: »Ich dachte, es wäre am besten, wenn du es nicht mehr sehen kannst.«

»Ach, Dad.«

»Fran war jeden Tag eine Weile hier und hat es mit verschiedenen Putzmitteln versucht. Ich hab schließlich den Vorschlag mit dem Läufer gemacht«, fügt er noch leiser hinzu. »Das war nicht ihre Idee.«

Ich hasse mich.

»Ich weiß, dass du in deinem Haus gern lauter hübsch zusammenpassende Sachen hast«, sagt er und schaut sich um, »aber so was besitzen Fran oder ich nun mal leider nicht.«

»Tut mir leid, Dad. Ich weiß nicht, was in mich gefahren ist. Entschuldige, dass ich dich angeschrien habe. Du hast mir so viel geholfen in der letzten Woche. Ich ... ich werde irgendwann bei Fran vorbeischauen und mich richtig bei ihr bedanken.«

»In Ordnung«, sagt er. »Dann lass ich dich jetzt erst mal in Ruhe. Den Läufer bring ich Fran lieber gleich zurück. Ich möchte nicht, dass einer von den Nachbarn ihn auf der Straße rumliegen sieht und ihr davon erzählt.«

»Nein, ich lege ihn wieder hierher. Er ist zu schwer für dich. Ich behalte ihn einfach erst mal und gebe ihn ihr dann bald zurück.« Ich mache die Haustür auf, schnappe mir den Läufer, der auf dem Gartenweg gelandet ist, und schleppe ihn mit etwas mehr Respekt ins Haus zurück. Dort lege ich ihn so hin, dass er die Stelle verdeckt, wo ich mein Baby verloren habe.

»Es tut mir wirklich leid, Dad.«

»Keine Sorge.« Schwankend wie immer kommt er auf mich zu und tätschelt mir die Schulter. »Du machst eine schwere Zeit durch, das weiß ich. Ich bin gleich um die Ecke, wenn du irgendwas brauchst.«

Mit einem Schnippen des Handgelenks setzt er die Mütze wieder auf den Kopf, und ich sehe ihm nach, wie er die Straße hinunterschaukelt. Die Bewegung ist vertraut und tröstlich, ein Auf und Ab wie Meereswogen. Schließlich verschwindet er um die Ecke, und ich schließe die Tür. Ich bin allein. Stille. Nur ich und das Haus. Das Leben geht weiter, als wäre nichts passiert.

Auf einmal merke ich, dass das Kinderzimmer im Obergeschoss zu vibrieren scheint. Bum-bum. Bum-bum. Es pocht wie ein Herz, als versuchte es, die Wände nach außen zu drücken und Blut die Treppe herunterströmen zu lassen, durch den Flur, bis in den kleinsten Winkel. Ich entferne mich von der Treppe, dem Tatort, und wandere langsam durch die Zimmer. Wie es aussieht, ist alles genau so, wie es immer war, obwohl mir auf den zweiten Blick auffällt, dass Fran überall saubergemacht hat. Die Tasse Tee, die ich getrunken habe, steht nicht mehr auf dem Couchtisch im Wohnzimmer. In der Küche summt die Spülmaschine. Wasserhähne und Abtropfbrett, Arbeitsplatten, alles blitzt und blinkt. Ich durchquere die Küche. Von hier führt die Tür in den Garten. Auch die rückwärtige Hauswand wird von den Rosenbüschen meiner Mutter gesäumt. Dads Geranien stecken die Köpfe aus der Erde.

Immer noch pocht das Kinderzimmer dort oben.

Jetzt erst bemerke ich, dass das rote Licht des Anrufbeantworters im Flur blinkt. Vier Nachrichten. Ich klicke mich durch die Liste der gespeicherten Nummern und erkenne meine Freundinnen. Aber ich gehe schnell wieder weg, denn ich bin noch nicht bereit, mir ihre Beileidsbezeugungen anzuhören. Doch dann erstarre ich. Gehe zurück. Klicke die Liste noch einmal durch. Da ist es. Montagabend. 19 Uhr 10. Noch einmal um 19 Uhr 12. Meine zweite Chance, das Gespräch anzunehmen. Der Anruf, wegen dem ich so unvorsichtig die Treppe heruntergerannt bin und das Leben meines Kindes aufs Spiel gesetzt habe.

Der Anrufer hat eine Nachricht hinterlassen. Mit zitternden Fingern drücke ich auf Play.

»Hallo, hier ist Xtra-Vision, Phisboro, wegen der DVD von der *Muppets Weihnachtsgeschichte*. Unser System sagt, sie müsste schon seit einer Woche wieder bei uns sein. Wir wären dankbar, wenn Sie sie so bald wie möglich zurückbringen könnten. Danke.«

Ich hole tief Luft, meine Augen füllen sich mit Tränen. Was habe ich erwartet? Einen Anruf, der es wert wäre, dafür ein Baby zu verlieren? Etwas Dringendes, das meine überstürzte Eile im Nachhinein rechtfertigt? Würde das meinen Verlust irgendwie leichter machen?

Mein ganzer Körper zittert vor Wut und Schock. Mit weichen Knien gehe ich ins Wohnzimmer, direkt zum DVD-Player. Obendrauf liegt die DVD, die ich fürs Babysitten bei meiner Patentochter ausgeliehen habe. Ich greife danach, halte sie fest in der Hand, drücke sie, als könnte ich das Leben darin konservieren. Dann schleudere ich sie heftig durchs Zimmer. Sie fegt unsere Fotosammlung vom Klavier, zerbricht das Glas unseres Hochzeitsbilds und zerkratzt den Silberrahmen eines anderen.

Ich öffne den Mund. Und schreie, schreie aus vollem Hals, so laut ich kann. Der Schrei ist tief und lang und voller Schmerz. Noch einmal schreie ich und schreie weiter, so lange ich kann. Ein Schrei nach dem anderen, aus der Magengrube, aus der Tiefe meines Herzens. Ein Heulen, das fast ein Lachen sein könnte, zum Bersten angefüllt mit Frustration und Verzweiflung. Ich schreie und schreie, bis ich außer Atem bin und mein Hals brennt wie Feuer.

Oben pulsiert das Kinderzimmer immer noch. Bum-bum, bum-bum. Wild und ungestüm klopft das Herz meines Zuhauses und lockt mich zu sich. Ich gehe zur Treppe, über den Läufer, auf die Stufen, hangle mich am Geländer nach oben, denn meine Beine sind zu kraftlos, um mich allein hinaufzutragen. Mit jedem Schritt wird das Pochen lauter, bis ich die letzte Stufe geschafft habe und vor der Tür des Kinderzimmers stehe. Das Pochen verstummt. Jetzt ist alles still.

Langsam strecke ich die Hand aus und berühre mit dem Finger die Tür, drücke meine Wange dagegen und wünsche mir mit aller Kraft, dass das, was passiert ist, nicht passiert ist. Dann greife ich nach der Klinke und öffne die Tür.

Eine halb gestrichene Wand in »Butterblumentraum« begrüßt mich. Sanfte Pastellfarben. Süßer Geruch. Ein Bettchen, über dem ein Mobile mit kleinen gelben Entchen baumelt. Eine Spielkiste, verziert mit großen Buchstaben. An einer Stange hängen zwei winzige Bodys. Stiefelchen stehen auf einer Kommode.

In dem Bettchen sitzt ein Häschen, glotzt mich fasziniert und dämlich lächelnd an. Ich ziehe die Schuhe aus, trete barfuß auf den dicken weichen Teppich und versuche mich in der Welt zu verwurzeln. Leise schließe ich die Tür hinter mir. Kein Laut ist zu hören. Ich nehme das Häschen auf den Arm und fahre mit einer Hand über die glänzenden neuen Möbel, die Kleider, die Spielsachen. Vorsichtig öffne ich eine Spieldose und sehe zu, wie die kleine Maus darin zu einem hypnotisierenden Geklimper um ein Stück Käse herumzulaufen beginnt.

»Tut mir leid, Sean«, flüstere ich, und die Worte bleiben mir fast im Hals stecken. »Es tut mir so wahnsinnig leid.«

Dann lasse ich mich auf den weichen Teppich sinken, ziehe die Beine an und umarme das selig unwissende Häschen. Wieder betrachte ich die Maus, deren ganzes Wesen nur damit befasst ist, hinter einem Stück Käse herzulaufen, das sie niemals erreichen, geschweige denn fressen wird.

Entschlossen knalle ich den Deckel zu, die Musik verstummt, und ich bleibe allein in der Stille zurück.

Neun

»Ich finde nichts zu essen in dieser Wohnung, wir müssen uns was bestellen«, ruft Justins Schwägerin Doris ins Wohnzimmer, während sie im Küchenschrank herumwühlt.

»Vielleicht kennst du die Frau ja irgendwoher«, meint Justins jüngerer Bruder Al, der auf einem Plastikgartenstuhl in Justins bestenfalls halb eingerichtetem Wohnzimmer sitzt.

»Nein, das ist es ja, was ich dir zu erklären versuche. Sie kommt mir bekannt vor, obwohl ich genau weiß, dass ich sie nicht *wirklich* kenne.«

»Du hast sie erkannt?«

»Ja. Hmm, nein.« *Irgendwie schon.*

»Und du kennst ihren Namen.«

»Nein. Ich habe keine Ahnung, wie sie heißt.«

»Hey, hört mir eigentlich da drüben jemand zu oder führe ich Selbstgespräche?«, unterbricht Doris sie erneut. »Ich hab gesagt, hier gibt es nichts zu essen, und wir müssen was bestellen.«

»Ja, klar, Schatz«, ruft Al. »Vielleicht ist sie eine von deinen Studentinnen oder war mal bei einem Vortrag von dir. Erinnerst du dich normalerweise an deine Zuhörer?«

»Da sitzen Hunderte von Leuten«, erwidert Justin schulterzuckend. »Und meistens ist es dunkel.«

»Das heißt dann also nein«, fasst Al zusammen.

»Ach, vergesst das mit dem Bestellen«, meldet Doris sich wieder. »Du hast ja auch keine Teller und kein Besteck – wir müssen essen gehen.«

»Das muss ich nochmal erklären, Al. Wenn ich sage, sie kommt mir *bekannt* vor, dann meine ich, dass ich ihr Gesicht nicht wirklich kenne.«

Al runzelt die Stirn.

»Es ist nur so ein Gefühl. Als wäre sie mir irgendwie vertraut.«

Ja, das ist es – sie kam ihm vertraut vor.

»Vielleicht sieht sie nur einer Frau ähnlich, die du kennst.«

Vielleicht.

»Hey, warum hört mir eigentlich niemand zu?« Jetzt steht Doris in der Wohnzimmertür – lange Fingernägel mit Leopardenmuster, die Hüften in einer hautengen Lederhose. Doris ist fünfunddreißig, Italo-Amerikanerin, Schnellrednerin und seit zehn Jahren mit Al verheiratet. Für Justin ist sie so etwas wie eine liebenswerte, aber manchmal entsetzlich nervige kleine Schwester. An ihrem Körper befindet sich kein Gramm Fett, und alles, was sie anhat, scheint aus dem Schrank von Sandy aus *Grease* zu stammen – in ihrer verruchten Phase gegen Ende des Films natürlich.

»Ja, klar, Schatz«, sagt Al wieder, ohne sie anzusehen. »Vielleicht war es ja so ein Déjà-Dingsda.«

»Ja!«, meint Justin und schnippt mit den Fingern. »Ein Déjà-vu. Oder vielleicht ein *Déjà-vécu* oder ein *Déjà-senti*«, philosophiert er und reibt sich gedankenverloren das Kinn. »Oder ein *Déjà-visité*.«

»Was soll das denn sein?«, fragt Al, während Doris einen großen Karton als Sitzgelegenheit heranzieht und sich neben den beiden Männern niederlässt.

»*Déjà-vu* ist Französisch für ›schon gesehen‹ und beschreibt die Erfahrung, dass man eine neue Situation schon einmal erlebt zu haben meint. Der Begriff wurde von einem französischen Forscher namens Emile Boirac geprägt, der sich sehr für übersinnliche Phänomene interessierte. Er hat ihn in einem Essay publik gemacht, den er während seiner Zeit an der University of Chicago veröffentlichte.«

»Go the Maroons«, ruft Al, hebt Justins alten Pokal des Chicagoer Uni-Teams, den er als Bierglas benutzt, und trinkt ein paar große Schlucke.

Mit angewidertem Blick sieht Doris ihm zu. »Erzähl weiter, Justin.«

»Nun, ein *Déjà-vu*-Erlebnis wird gewöhnlich begleitet von einem unwiderstehlichen Gefühl der Vertrautheit, obwohl einem alles gleichzeitig unheimlich und fremd ist. Oft führt man die Erfahrung auf einen Traum zurück, obwohl sie in manchen Fällen von dem sicheren Gefühl begleitet ist, dass man die Situation in der Vergangenheit schon einmal erlebt hat. Man hat das *Déjà-vu* auch schon als eine Art Erinnerung an die Zukunft beschrieben.«

»Wow!«, haucht Doris beeindruckt.

»Und was willst du damit nun genau sagen, großer Bruder?«, erkundigt sich Al und rülpst.

»Na ja, ich glaube nicht, dass das mit mir und der Frau heute ein richtiges Déjà-vu war«, entgegnet Justin seufzend.

»Warum nicht?«

»Weil ein *Déjà-vu* sich nur aufs Sehen bezieht, und ich das Gefühl hatte … ach, ich weiß auch nicht. Ich hatte einfach ein *Gefühl*. *Déjà vécu* heißt ›schon erlebt‹, was eine Erfahrung beschreibt, die nicht nur das Visuelle umfasst, sondern auch noch das Wissen, was als Nächstes passiert. *Déjà senti* bedeutet spezifisch ›schon gefühlt‹ und *déjà visité*, dass man einen neuen Ort bereits genau kennt, aber das kommt seltener vor. Nein«, fügt er kopfschüttelnd hinzu. »Ich hatte überhaupt nicht das Gefühl, schon mal bei diesem Friseur gewesen zu sein.«

Alle schweigen.

Schließlich sagt Al: »Na ja, es ist aber eindeutig ein *Déjà*-irgendwas. Bist du sicher, dass du nicht einfach irgendwann schon mal mit ihr gevögelt hast?«

»Al«, ruft Doris und versetzt ihrem Mann einen Klaps auf den Unterarm. »Warum hast du dir nicht von mir die Haare schneiden lassen, Justin, und über wen redet ihr überhaupt?«

»Du hast einen Hundesalon«, gibt Justin stirnrunzelnd zu bedenken.

»Hunde haben auch Haare«, gibt sie zurück und zuckt die Achseln.

»Lass mich erklären«, unterbricht Al. »Justin hat gestern bei einem Friseur in Dublin eine Frau gesehen, die ihm bekannt vorkam, obwohl ihm ihr Gesicht nichts sagte, und er hatte das Gefühl, dass er sie kennt, obwohl er weiß, dass er sie nicht kennt.« Er rollt theatralisch die Augen, aber so, dass Justin es nicht sieht.

»O mein Gott«, ruft Doris schrill. »Ich weiß, was das ist!«

»Was?«, fragt Justin und trinkt aus seinem Zahnputzbecher.

»Ganz klar«, fährt Doris fort, hebt die Hände und sieht von einem Bruder zum andern, um den dramatischen Effekt zu erhöhen. »Das ist Zeug aus einem alten Leben.« Ihr Gesicht beginnt zu strahlen. »Du kennst die Frau aus einem früheren Leeeeben!« Sie spricht langsam und betont. »So was hab ich mal bei *Oprah* gesehen.« Mit großen Augen nickt sie bedeutungsvoll.

»Ach, hör auf mit diesem Quatsch, Doris«, meint Al und fährt, an seinen Bruder gewandt, fort: »Sie redet zurzeit von nichts anderem. Da kommt irgendwas im Fernsehen, und schon geht es los, den ganzen Weg von Chicago bis hier.«

»Ich glaube nicht, dass es mit einem früheren Leben zusammenhängt, Doris, aber trotzdem danke.«

Doris schnalzt mit der Zunge. »Ihr beiden solltet solchen Dingen gegenüber offener sein, weil man nämlich nie wissen kann.«

»Genau, man kann *nie* wissen«, feuert Al zurück.

»Ach, kommt schon. Die Frau war mir irgendwie vertraut, weiter nichts. Vielleicht sah sie nur jemandem ähnlich, den ich daheim mal gekannt habe. Nicht so wichtig.« *Vergiss es einfach und denk an was anderes.*

»Na, *du* hast aber mit diesem ganzen *Déjà*-Zeug angefangen«, schnaubt Doris. »Wenn nicht ein früheres Leben, welchen Grund soll es denn sonst für so was geben?«

»Optische Reizleitungsverzögerung«, antwortet Justin mit einem Achselzucken.

Bruder und Schwägerin glotzen ihn an.

»Es gibt die Theorie, dass manchmal das eine Auge eine Szene minimal schneller wahrnimmt als das andere. Wenn die gleiche Szene wenige Millisekunden später vom anderen Auge aufgenommen wird, entsteht ein starker Erinnerungseffekt. Der ist zwar lediglich das Ergebnis einer Verzögerung des optischen Inputs vom einen zum anderen Auge, der sonst simultan erfolgt, aber das Ganze führt die bewusste Wahrnehmung in die Irre und verursacht ein Gefühl von Vertrautheit, wo es gar keines geben sollte.«

Schweigen.

Justin räuspert sich.

»Ob du es glaubst oder nicht, Schatz, ich fand deine Erklärung mit dem früheren Leben besser«, schnaubt Al und trinkt sein Bier aus.

»Danke, Süßer.« Doris drückt gerührt die Hand aufs Herz. »Na gut, wie ich vorhin schon bei meinem *Selbstgespräch* in der Küche erwähnt habe – da es hier nichts zu beißen, kein Besteck und kein Geschirr gibt, müssen wir irgendwo was essen gehen. Schau dir doch mal an, wie du hier haust, Justin. Ich mach mir Sorgen um dich.« Voller Abscheu schaut Doris sich um, und ihre zurückgekämmten, mit Haarspray bearbeiteten rot gefärbten Haare folgen der Bewegung. »Du bist ganz allein hierhergezogen, du hast nichts als Gartenmöbel und unausgepackte Kisten, dieser Keller sieht aus wie eine Studentenbude. Anscheinend hat Jennifer bei eurer Scheidung auch den ganzen guten Geschmack zugesprochen gekriegt.«

»Das Haus ist ein viktorianisches Meisterwerk, Doris, ein echter Fund. Das hier ist die einzige Wohnung, die ein bisschen Geschichte hat und dabei einigermaßen erschwinglich ist. London ist teuer.«

»Vor Jahrhunderten war das hier bestimmt ein Juwel, aber

jetzt kriege ich Gänsehaut.« Doris schaudert. »Der Erbauer des Hauses treibt sich bestimmt noch irgendwo in dem Gemäuer rum und beobachtet uns.«

Al verdreht die Augen.

»Die Wohnung braucht bloß ein bisschen Zuwendung, dann ist sie wunderbar«, sagt Justin und versucht dabei nicht an die Wohnung im wohlhabenden, historischen Teil von Chicago zu denken, die er geliebt und vor kurzem verscherbelt hat.

»Genau deshalb bin ich ja hier«, ruft Doris und klatscht in die Hände.

»Großartig«, meint Justin mit einem gezwungenen Lächeln. »Gehen wir was essen. Ich hab Lust auf ein Steak.«

»Aber du bist doch Vegetarierin, Joyce«, sagt Conor und sieht mich an, als hätte ich den Verstand verloren. Wahrscheinlich stimmt das sogar. Ich kann mich nicht erinnern, wann ich das letzte Mal rotes Fleisch gegessen habe, aber jetzt, wo wir uns im Restaurant niedergelassen haben, bin ich auf einmal ganz scharf darauf.

»Ich bin keine Vegetarierin, Conor. Ich mag nur einfach kein rotes Fleisch.«

»Aber du hast grade ein Steak bestellt, und zwar blutig!«

»Ich weiß«, räume ich achselzuckend ein. »Ich bin halt ein verrücktes Huhn.«

Er lächelt, als erinnerte er sich, dass ich tatsächlich mal ein ziemlich wilder Feger war. Wir benehmen uns wie zwei Freunde, die sich nach vielen Jahren wiederbegegnen. So viel zu bereden, und wir haben beide nicht den geringsten Schimmer, wo wir anfangen sollen.

»Haben Sie schon einen Wein ausgesucht?«, erkundigt sich der Kellner bei Conor.

Rasch greife ich nach der Weinkarte. »Ich möchte gerne diesen hier«, sage ich und deute auf die Karte.

»Sancerre 1998. Eine sehr gute Wahl, Madam.«

»Danke.« Ich habe keine Ahnung, warum ich diesen Wein ausgesucht habe.

Conor lacht. »Hast du das an den Fingern abgezählt?«

Ich lächle, aber mir wird ganz heiß. Ich weiß nicht, wie ich auf diesen Wein gekommen bin. Er ist zu teuer, und ich trinke normalerweise Weißwein, aber ich tue, als wäre nichts, weil ich nicht möchte, dass Conor denkt, ich drehe allmählich durch. Schließlich fand er meine abgeschnittenen Haare schon verrückt genug. Er soll denken, dass ich wieder ganz normal bin, damit ich ihm das sagen kann, was ich mir für heute Abend vorgenommen habe.

Der Kellner kommt mit der Weinflasche.

»Du kannst ihn probieren«, sagt Al zu Justin, »immerhin hast du ihn auch ausgesucht.«

Justin hebt das Weinglas, steckt die Nase hinein und atmet tief ein.

Ich atme tief ein, schwenke den Wein im Glas herum und beobachte, wie er an den Seiten hochschwappt. Dann nehme ich einen Schluck, behalte ihn einen Moment auf der Zunge und sauge ihn dann ein, sodass der Alkohol auf der Innenseite meines Munds brennt. Perfekt.

»Wunderbar, danke«, sage ich und stelle das Glas wieder auf den Tisch.

Der Kellner füllt Conors Glas und schenkt mir nach.

»Ein herrlicher Wein.« Dann beginne ich ihm die Geschichte zu erzählen.

»Ich habe ihn entdeckt, als Jennifer und ich vor ein paar Jahren in Frankreich waren«, erklärt Justin. »Sie hat beim Festival des Cathédrales de Picardie im Orchester gespielt, ein denkwürdiges Erlebnis. In Versailles haben wir im Hôtel du Berry übernachtet, einer eleganten Villa von 1634 mit jeder Menge Mobiliar aus dieser Zeit. Praktisch ein historisches Museum der Region – vielleicht erinnert ihr euch noch, dass ich davon erzählt habe. Jedenfalls haben wir an einem ihrer freien Abende in Paris dieses wunderschöne kleine Fischrestaurant gefunden, irgendwo versteckt in einem der Kopfsteinpflastersträßchen von Montmartre. Wir haben Seebarsch bestellt, die Spezialität des Hauses, aber ihr wisst ja, dass ich eigentlich Rotweinfan bin – sogar zu Fisch trinke ich lieber rot als weiß –, und da hat der Kellner uns den Sancerre empfohlen.

Ich dachte immer, es gäbe nur weiße Sancerre-Weine, da sie ja wegen der Sauvignon-Traube bekannt sind, aber sie bauen auch Pinot Noir dort an. Und das Tolle ist, dass man den roten Sancerre gekühlt wie Weißwein trinken kann, bei zwölf Grad. Ungekühlt schmeckt er auch sehr lecker zu Fleisch. Also, genießt ihn.« Er prostet seinem Bruder und seiner Schwägerin zu.

Mit versteinertem Gesicht sieht Conor mich an. »Montmartre? Joyce, du warst noch nie in Paris. Woher weißt du denn auf einmal so viel über Wein? Und wer zum Henker ist Jennifer?«

Ich erwache aus meiner Trance und höre auf einmal die Worte der Geschichte, die ich gerade erzählt habe. Und tue das Einzige, was ich unter diesen Umständen tun kann. Ich fange an zu lachen. »Erwischt!«

»Erwischt?«, hakt er nach und runzelt die Stirn.

»Das war aus einem Film, den ich neulich gesehen habe.«

»Oh.« Erleichterung breitet sich auf seinem Gesicht aus, und er entspannt sich ein bisschen. »Einen Moment hast du mir echt Angst eingejagt, Joyce. Es war, als wärst du jemand anderes.« Er lächelt. »Was war das für ein Film?«

»Ach, ich weiß nicht mehr, wie er hieß«, antworte ich und wedle wegwerfend mit der Hand, überlege dabei aber krampfhaft, was eigentlich mit mir los ist, und versuche mich zu erinnern, ob ich überhaupt diese Woche irgendeinen Film gesehen habe.

»Magst du jetzt auf einmal keine Sardellen mehr?«, unterbricht er meine Gedanken und betrachtet die Sammlung kleiner Fischchen, die sich auf meinem Tellerrand stapeln.

»Gib sie mir, großer Bruder«, sagt Al und streckt Justin seinen Teller hin. »Ich liebe Sardellen. Wie du Caesar Salad ohne essen kannst, ist mir unbegreiflich. Ist es okay, dass ich die Sardellen esse, Doris?«, fragt er dann seine Frau in sarkastischem Ton. »Der Arzt war nicht zufällig der Ansicht, dass Sardellen mich umbringen, oder?«

»Höchstens, wenn ich dir das Maul damit stopfe, was sehr gut möglich ist«, stößt Doris zwischen zusammengebissenen Zähnen hervor.

»Neunundreißig Jahre bin ich alt und werde immer noch behandelt wie ein Kind«, sagt Al und blickt betrübt auf sein Sardellenhäufchen.

»Fünfunddreißig Jahre bin ich alt, und mein einziges Kind ist mein Ehemann«, faucht Doris zurück, piekt eine Sardelle aus dem Häufchen und probiert sie. Naserümpfend schaut sie sich dann im Lokal um. »Das nennen die ein italienisches Restaurant? Meine Mutter und ihre Familie würden sich allesamt im Grab umdrehen, wenn sie das sähen.« Sie bekreuzigt sich rasch und fährt dann fort: »Also, Justin, erzähl mal von der Frau, mit der du dich triffst.«

Justin verzieht das Gesicht. »Doris, das ist keine große Sache, ich hab dir doch gesagt, dass ich bloß gedacht habe, ich würde sie kennen.« *Und sie sah aus, als würde sie auch überlegen, woher sie mich kennt.*

»Nein, nicht die«, sagt Al laut, den Mund voller Sardellen. »Doris meint die andere, die du neulich gebumst hast.«

»Al!« Justin bleibt das Essen im Hals stecken.

»Joyce«, meint Conor besorgt, »alles in Ordnung mit dir?«
Tränen steigen mir in die Augen, ich huste, keuche und schnappe nach Luft.

»Hier, trink einen Schluck Wasser.« Er hält mir ein Glas unter die Nase.

Um uns herum glotzen die Leute, alarmiert und besorgt.

Aber mein Hustenanfall ist so heftig, dass ich nicht mal trinken kann. Conor steht auf, stellt sich hinter mich und klopft mir auf den Rücken, doch ich schüttle ihn energisch ab und huste weiter, während mir die Tränen in Strömen über die Wangen laufen. Panisch springe ich auf und werfe dabei den Stuhl um.

»Al! Tu doch was, Al! Oh, *Madonnina santa*!« Doris bricht in Panik aus. »Er läuft schon blau an!«

Al bindet seine Serviette vom Kragen und legt sie ganz ruhig auf den Tisch. Dann steht er auf und stellt sich hinter seinen Bruder. Er schlingt die Arme von hinten um seine Taille und drückt ihm kräftig auf den Bauch. Beim zweiten Anlauf löst sich der Bissen, der in Justins Kehle feststeckt.

Noch jemand kommt mir zu Hilfe oder mischt sich besser gesagt in die panische Diskussion darüber ein, wie man das Heimlich-Manöver durchführt. Und dann höre ich auf einmal auf zu husten. Drei Augenpaare starren mich überrascht an, und ich reibe mir den Hals, ebenfalls ziemlich verwirrt.

»Alles wieder okay?«, fragt Conor und fängt schon wieder an, mir den Rücken zu tätscheln.

»Ja«, flüstere ich. Die Aufmerksamkeit, die wir auf uns gezogen haben, ist mir unendlich peinlich. »Mir geht's wieder gut, danke. Ich danke Ihnen allen für Ihre Hilfe.«

Aber die Helfer ziehen sich nur langsam wieder zurück.

»Sie können sich ruhig hinsetzen und weiteressen. Mir geht's gut, ehrlich. Danke.« Schnell setze ich mich auch wieder, reibe mir die Wimperntusche aus den Augen und versuche die neugierigen Blicke zu ignorieren. »O Gott, war das peinlich.«

»Komisch, du hattest nicht mal was gegessen. Du hast geredet, und auf einmal – zack! – hast du angefangen zu husten.«

»Ich weiß auch nicht, irgendwas ist mir wohl beim Einatmen in die Quere gekommen«, wiegle ich ab.

Der Kellner kommt, um unsere Teller abzuräumen. »Ist alles in Ordnung, Madam?«

»Ja, danke, es geht mir gut.«

Von hinten stupst mich jemand an, und ein Nachbar von uns, der gerade mit seiner Frau das Restaurant betreten hat, beugt sich zu uns herüber. »Hey, wir dachten schon, du kriegst Wehen, ha-ha! Stimmt's, Margaret?« Er sieht seine Frau an und lacht.

»Nein«, entgegnet Margaret, während ihr Lächeln verblasst. Sie läuft puterrot an. »Nein, Pat«, wiederholt sie und fasst ihn am Ärmel.

»Nein?« Der Mann ist verwirrt. »Na ja, *ich* hab das jedenfalls gedacht. Glückwunsch, Conor.« Er zwinkert Conor zu, der auf einmal ganz blass wird. »Glaubt mir, ihr könnt euch die nächsten zwanzig Jahre vom ruhigen Nachtschlaf verabschieden. Aber lasst es euch trotzdem schmecken.« Dann lässt er sich von Margaret zu einem Tisch weiterziehen, und kurz darauf hören wir Streitgemurmel.

Conor macht ein langes Gesicht und ergreift über den Tisch hinweg meine Hand. »Alles klar mit dir?«

»Das ist mir jetzt schon ein paar Mal passiert«, erkläre ich und lege instinktiv die Hand auf meinen flachen Bauch. »Ich hab auch kaum in den Spiegel geschaut, seit ich wieder zu Hause bin. Ich ertrage es irgendwie nicht.«

Conor bringt angemessen besorgte Laute hervor, ich höre die Worte »schön« und »hübsch«, gebe ihm aber zu verstehen, dass er lieber schweigen soll. Es ist wichtig für mich, dass er zuhört und nicht versucht, gleich wieder alles zu regeln. Er soll verstehen, dass es mir nicht um mein Äußeres, nicht ums Hübschsein geht, sondern darum, so zu erscheinen, wie ich bin. Ich möchte ihm erklären, wie ich mich fühle, wenn ich mich zwinge, in den Spiegel zu sehen und meinen Körper anzuschauen, der mir jetzt vorkommt wie ein leeres Gefäß.

»Ach, Joyce.« Er umfasst meine Hand fester, während ich spreche, und drückt mir dabei den Ehering so heftig ins Fleisch, dass es wehtut.

Ein Ehering, aber keine Ehe.

Ich bewege die Hand ein bisschen, damit er merkt, dass er seinen Griff lockern soll. Aber stattdessen lässt er mich gleich ganz los. Ein Zeichen.

»Conor«, ist alles, was ich sage. Ich sehe ihn an und mir wird klar, dass er weiß, was ich gleich sagen werde. Er hat diesen Blick schon öfter gesehen.

»Nein, nein, nein, nein, Joyce, nicht diese Diskussion.« Er hebt abwehrend die Hände. »Du – wir alle beide haben diese Woche schon genug durchgemacht.«

»Conor, ich will keine Ablenkungen mehr«, beginne ich mit dringlicher Stimme und beuge mich vor. »Wir müssen jetzt über uns sprechen, sonst sitzen wir in zehn Jahren da und fragen uns den Rest unseres jämmerlichen Lebens, was hätte sein können.«

In den letzten fünf Jahren haben wir dieses Gespräch regelmäßig mindestens einmal im Jahr geführt, und ich warte schon auf Conors übliche Erwiderung. Dass niemand behauptet hat, die Ehe sei ein Sonntagsspaziergang, dass wir nicht zu viel erwarten dürfen, dass wir uns aber etwas versprochen haben, dass die Ehe etwas fürs Leben ist und dass er sich bemüht, daran zu arbeiten. Retten wir, was zu retten ist, predigt mein Mann, der so gut wie nie anwesend ist. Ich konzentriere mich auf die Reflexion der Kerze in meinem Dessertlöffel, während ich auf seinen Vortrag warte. Erst mehrere Minuten später merke ich, dass er nicht kommt. Als ich aufblicke, sehe ich, dass Conor mit den Tränen kämpft und nickt, als würde er mir zustimmen.

Ich hole tief Luft. Das war's dann wohl.

Justin beäugt die Dessertkarte.

»Nein, das kannst du glatt vergessen, Al«, verkündet Doris, entreißt ihrem Mann die Karte und klappt sie zu.

»Warum nicht? Darf ich nicht wenigstens die Karte lesen?«

»Dein Cholesterinspiegel steigt schon, wenn du sie bloß anschaust.«

Justin blendet ihre Kabbelei aus. Eigentlich sollte er auch keinen Nachtisch essen. Seit der Scheidung lässt er sich ein bisschen gehen und isst, um sich zu trösten, statt Sport zu machen. Er sollte es wirklich gut sein lassen, aber seine Augen schweben über der Karte wie ein Geier über seiner Beute.

»Darf ich Ihnen einen Nachtisch bringen, Sir?«, erkundigt sich der Kellner.

Also los.

»Ich hätte gern die …«

»… Banoffee Pie, bitte«, platze ich zu meiner eigenen Überraschung heraus, als der Kellner mich nach dem Dessert fragt.

Conor sperrt den Mund auf.

Ach je. Meine Ehe ist gerade in die Brüche gegangen, und ich bestelle Nachtisch! Verlegen beiße ich mir auf die Lippen, um ein nervöses Lächeln zu verdrängen.

Auf den Neuanfang. Auf das Streben nach … irgendwas.

Zehn

Ein stattliches Läuten empfängt mich im bescheidenen Heim meines Vaters. Die glockenspielartige Klingel ruft eigentlich andere Assoziationen hervor als das kleine Vierzimmerhäuschen meines Dads, aber so ist er nun mal.

Der Klang trägt mich zurück in das Leben, das ich in diesen Mauern verbracht habe, und erinnert mich daran, wie ich Besucher am Klang ihres Klingelns identifiziert habe. Kurzes, energisches Bimmeln kündigte Kinderfreunde an, die hochhüpfen mussten, um den Klingelknopf zu erreichen. Schnelle und schwache Klangfetzen waren ein Hinweis darauf, dass Verehrer sich draußen herumdrückten, voller Angst, meinem Vater zu offenbaren, dass sie überhaupt existierten – ganz zu schweigen davon, dass sie direkt vor seiner Tür standen. Wenn es spät in der Nacht etwas wackelig und unregelmäßig klingelte, konnte man davon ausgehen, dass mein Vater aus dem Pub zurückkam und den Schlüssel vergessen hatte. Fröhliche, verspielte Rhythmen waren Familienbesuche, kurze, laute, nicht enden wollende Maschinengewehrsalven von Tönen warnten uns vor Hausierern. Ich drücke noch einmal auf die Klingel, aber nicht nur, weil das Haus um zehn Uhr vormittags still ist und sich nichts darin regt, sondern weil ich wissen will, wie es klingt, wenn ich klingle.

Zaghaft, kurz und abgehackt. Fast so, als wollte ich nicht gehört werden. Gleichzeitig weiß ich ja, dass ich gehört werden muss. Mein Klingeln sagt, entschuldige, Dad, tut mir leid, dass ich dich störe. Entschuldige, dass deine dreiunddreißigjährige

Tochter, die du schon lange los zu sein glaubtest, wieder nach Hause kommt, weil ihre Ehe gescheitert ist.

Schließlich höre ich Geräusche im Innern des Hauses und sehe, durch das Glas verzerrt, Dads schaukelnde Bewegungen näher kommen, schattengleich und ein bisschen unheimlich.

»Tut mir leid, Liebes«, sagt er, als er die Tür aufmacht. »Ich hab dich beim ersten Mal nicht gehört.«

»Wenn du mich nicht gehört hast, woher wusstest du dann, dass ich geklingelt habe?«

Er sieht mich verständnislos an, dann wandert sein Blick zu den Koffern neben meinen Füßen. »Was ist das denn?«

»Du … du hast doch gesagt, ich kann eine Weile bei dir bleiben.«

»Ich dachte, das heißt bis zum Ende von *Countdown*.«

»Hmm … na ja, ich hab gehofft, es dürfte auch ein bisschen länger sein.«

»Länger, als ich hier sein werde, wie's aussieht.« Er betrachtet seine Schwelle. »Komm rein, komm rein. Wo ist Conor? Was ist mit dem Haus? Ihr habt doch nicht etwa wieder Mäuse, oder? Ist wieder die Jahreszeit für sie, ihr hättet Türen und Fenster geschlossen halten sollen. Die Ritzen verstopfen, das mache ich immer. Ich zeige es dir, wenn wir drin sind und es uns gemütlich gemacht haben. Conor sollte das eigentlich wissen.«

»Dad, wegen Mäusen hab ich noch nie gefragt, ob ich hier bleiben kann.«

»Es gibt für alles ein erstes Mal. Deine Mutter hat das auch gemacht. Sie hat die Viecher gehasst und ist immer für ein paar Tage zu deiner Großmutter gezogen, während ich hier rumgerannt bin wie diese Zeichentrickkatze. Tom oder Jerry, richtig?« Er kneift die Augen zusammen, um besser nachdenken zu können, öffnet sie dann aber wieder, anscheinend jedoch, ohne klüger geworden zu ein. »Ich konnte mir nie merken, wer welcher war, aber die Mäuse haben's bei Gott gemerkt, wenn ich hinter ihnen her war.« Er hebt die Faust, verzieht das Gesicht einen

Moment, während er sich in die alten Zeiten zurückversetzt, zu einer kampflustigen Grimasse, hält dann aber plötzlich inne und schleppt wortlos meine Koffer in die Halle.

»Dad?«, sage ich etwas frustriert. »Ich dachte, du hättest das am Telefon verstanden. Conor und ich machen Schluss.«

»Womit?«

»Wir haben uns getrennt.«

»Von wem?«

»Voneinander!«

»Was in aller Welt redest du denn da, Gracie?«

»Joyce. Conor und ich, wir sind nicht mehr zusammen. Wir haben Schluss gemacht.«

Er stellt die Koffer unter den Fotos an der Flurwand ab, die zu dem Zweck hier hängen, dass jeder Besucher gleich einen kleinen Einblick in die Geschichte der Familie Conway erhält. Dad als Junge, Mum als Mädchen, Dad und Mum frisch verliebt, verheiratet, meine Taufe, meine Kommunion, mein Abschlussball und meine Hochzeit. Kamera draufhalten, abdrücken, rahmen, ausstellen – so lautet das Motto meiner Eltern. Seltsam, wie die Menschen ihr Leben markieren, welche Fixpunkte sie wählen, um zu entscheiden, dass ein bestimmter Moment wichtiger ist als alle anderen. Denn das Leben besteht doch nur aus Momenten. Ich denke immer, dass die besten alle in meiner Erinnerung gespeichert sind, dass ich sie im Blut habe, in einer Art eigenen Datenbank, in die kein anderer Einblick hat außer mir.

Doch Dad hält keinen Moment inne, als er die Enthüllungen über meine Ehe endlich begreift, sondern macht sich unverzüglich auf den Weg in die Küche. »Wie wär's mit einem Tässchen Tee?«

Ich bleibe in der Diele, schaue mir weiter die Bilder an und atme den Geruch ein. Den Geruch, den Dad mit sich herumträgt, jeden Tag, wie eine Schnecke ihr Schneckenhaus. Früher dachte ich immer, es wäre der Duft von Mums Kochkünsten, der durch die Räume zog und in jede Faser eindrang, einschließlich der

Tapeten, aber inzwischen ist Mum seit zehn Jahren tot, und der Geruch ist derselbe geblieben. Vielleicht steckt sie immer noch dahinter.

»Was schnüffelst du denn da an der Wand herum?«

Ich fahre erschrocken zusammen, weil er mich ertappt hat, und mache mich ein bisschen verlegen auf den Weg in die Küche. Sie hat sich nicht verändert seit der Zeit, als ich noch hier gewohnt habe, und ist noch genauso makellos, wie Mum sie hinterlassen hat – nichts wurde umgeräumt, nicht mal aus praktischen Erwägungen. Ich beobachte, wie Dad in aller Ruhe herumwerkelt, sich auf den rechten Fuß aufstützt, um an die unteren Schränke zu kommen, und dann die zusätzlichen Zentimeter seines linken Beins nutzt wie seine persönliche Trittleiter, um etwas von ganz oben herunterzuholen. Der Wasserkocher macht zu viel Lärm für ein Gespräch, und ich bin froh darüber, weil Dad den Griff so fest umklammert, dass seine Knöchel weiß hervortreten. In der linken Hand, die er in die Hüfte stemmt, hält er einen Teelöffel, und das erinnert mich daran, wie früher immer die Zigarette zwischen seinen nikotinverfärbten Fingern klemmte. Er blickt hinaus in den mustergültigen Garten, und ich sehe, wie sein Kiefer mahlt – Dad ist wütend. Sofort komme ich mir vor, als wäre ich wieder ein Teenager, der auf eine Strafpredigt wartet.

»Woran denkst du, Dad?«, frage ich schließlich, als der Kessel endlich aufhört zu brodeln wie das brechend volle Croke-Park-Stadion bei der Irland-Meisterschaft.

»An den Garten«, antwortet er, aber ich sehe, wie sich sein Kiefer wieder anspannt.

»Den Garten?«

»Die blöde Katze von nebenan pisst ständig auf die Rosen deiner Mutter.« Wütend schüttelt er den Kopf. »Flauschi heißt sie«, ruft er und wirft die Hände in die Luft, »*Flauschi* – was ist das denn überhaupt für ein Name? Wenn ich das Vieh mal in die Finger kriege, ist es garantiert kein Flauschi mehr. Dafür trage ich dann so eine schicke Pelzmütze wie die Russen und tanze

Kasatschok vor Mrs Hendersons Gartentür, während sie ihren zitternden *Kahli* drinnen in eine warme Decke packt.«

»Darüber denkst du wirklich nach?«, frage ich ungläubig.

»Na ja … nicht wirklich, Liebes«, gesteht er und beruhigt sich etwas. »Außerdem noch über die Osterglocken. Bald ist Pflanzzeit für Narzissen. Ein paar Krokusse möchte ich auch. Muss mir dringend Zwiebeln besorgen.«

Gut zu wissen, dass es für meinen Vater nicht erste Priorität hat, wenn meine Ehe kaputtgeht. Und auch nicht zweite. Es steht wahrscheinlich irgendwo nach den Krokussen auf der Liste.

»Und Schneeglöckchen«, fügt er hinzu.

Es kommt selten vor, dass ich so früh am Tag in der Gegend bin. Normalerweise bin ich längst unterwegs, um irgendwelchen Kunden irgendwelche Immobilien in der Stadt zu zeigen. Jetzt, wo alle Leute bei der Arbeit sind, ist es so still, dass ich mich frage, was um alles in der Welt Dad eigentlich in dieser Stille tut.

»Was hast du gemacht, bevor ich gekommen bin?«

»Vor dreiunddreißig Jahren oder heute?«

»Heute«, antworte ich und verkneife mir ein Lächeln, weil ich weiß, dass er es ernst meint.

»Rätsel.« Er deutet mit einer Kopfbewegung zum Küchentisch, wo eine aufgeschlagene Rätselzeitschrift liegt. Etwa die Hälfte der Seite scheint bereits bearbeitet zu sein. »Bei Nummer sechs bin ich steckengeblieben. Schau mal.« Er bringt die Teetassen zum Tisch und schafft es, trotz seines wippenden Gangs nichts zu verschütten. Immer stabil.

»›Welche von Mozarts Opern wurde von einem besonders einflussreichen Kritiker schlecht aufgenommen, weil dieser meinte, sie hätte zu viele Noten?‹« Ich lese die Frage laut vor.

»Mozart«, sagt Dad achselzuckend. »Von dem Knaben hab ich überhaupt keine Ahnung.«

»Kaiser Joseph der Zweite«, sage ich.

»Was?« Dads Raupenaugenbrauen ziehen sich überrascht in die Höhe. »Woher weißt du das?«

Ich runzle die Stirn. »Muss ich wohl irgendwo mal gehört ha…
riecht es hier nach Rauch?«

Dad setzt sich kerzengerade auf und wittert wie ein Bluthund.
»Das ist der Toast, den ich mir vorhin gemacht habe. Hatte die
Einstellung zu hoch gedreht, und alles ist verbrannt. Und aus-
gerechnet waren es auch noch die letzten zwei Scheiben.«

»Wie gemein«, sage ich kopfschüttelnd. »Wo ist eigentlich das
Foto von Mum aus der Diele?«

»Welches? Es gibt dreiunddreißig Fotos von Mum.«

»Du hast sie gezählt?« Ich muss lachen.

»Klar, schließlich hab ich sie aufgehängt. Insgesamt vierundvierzig Fotos, also brauchte ich vierundvierzig Nägel. Bin
runter zum Laden und hab eine Packung Nägel gekauft. Drin
waren vierzig Nägel. Da musste ich wegen popliger vier Nägel
noch eine Packung kaufen.« Er hält vier Finger in die Höhe
und schüttelt den Kopf. »Sechsunddreißig liegen immer noch in
meinem Werkzeugkasten. Was soll bloß aus der Welt noch werden?«

Vergessen wir den Terrorismus und die Erderwärmung. Der
Beweis für den Verfall der Welt liegt in seinen Augen bei den
sechsunddreißig Nägeln in seinem Werkzeugkasten. Wahrscheinlich hat er sogar recht damit.

»Und wo ist das Foto nun?«

»Da, wo es immer war«, antwortet er nicht sonderlich überzeugend.

Wir schauen beide zur geschlossenen Küchentür, in Richtung
des Dielentischchens. Nach einer Weile stehe ich auf und will
nachsehen gehen. Solche Dinge tut man eben, wenn man Zeit
hat.

»Nein, nein«, winkt er ab. »Setz dich hin.« Jetzt steht er auf.
»Ich schau mal danach.« Er schließt die Küchentür hinter sich,
sodass ich nicht hinaussehen kann. »Da ist sie doch«, ruft er.
»Hallo, Gracie, deine Tochter hat sich Sorgen um dich gemacht.
Hat gedacht, sie sieht dich nicht, aber du warst natürlich die gan-

ze Zeit über hier und hast sie beobachtet, wie sie an den Wänden geschnüffelt hat, als wäre die Tapete am Brennen. Dabei wird sie einfach nur immer verrückter, verlässt ihren Ehemann und schmeißt ihren Job hin.«

Bisher habe ich gar nicht erwähnt, dass ich eine Auszeit genommen habe, und das bedeutet, dass Conor es ihm erzählt hat, und das wiederum heißt, dass Dad genau gewusst hat, warum ich hier bin, vom ersten Moment an, als er die Klingel gehört hat. Das muss man ihm lassen, er kann sich echt gut dumm stellen. Jetzt kommt er zurück in die Küche, und ich erhasche einen Blick auf das Foto, das brav auf dem Dielentischchen steht.

»Oh!«, ruft er plötzlich und sieht erschrocken auf seine Armbanduhr. »Schon gleich halb elf! Gehen wir rein, schnell!« So behände habe ich ihn lange nicht mehr gesehen – ratzfatz packt er seine Fernsehzeitung und seine Teetasse und eilt ins Fernsehzimmer.

»Was schaust du dir denn an?«, frage ich, während ich ihm amüsiert folge.

»*Mord ist ihr Hobby.* Kennst du das?«

»Nein, das hab ich noch nie gesehen.«

»Oh, das musst du dir anschauen, Gracie, wart's nur ab! Diese Jessica Fletcher ist echt witzig, wie die ihren Mördern auf die Schliche kommt. Auf dem nächsten Programm sehen wir uns dann noch *Diagnose: Mord* an, wo der Arzt den Fall löst.« Er nimmt einen Stift und umkringelt die Sendung auf der Seite.

Dads Aufregung reißt mich mit. Er schmettert die Titelmelodie und macht Trompetengeräusche mit dem Mund.

»Komm rein, leg dich auf die Couch, ich deck dich zu.« Er nimmt die karierte Decke, die über der Rückenlehne der grünen Samtcouch liegt, und breitet sie sanft über mich, steckt sie fest, so eng, dass ich meine Arme nicht bewegen kann. Auf derselben Decke bin ich als Baby herumgerollt, in dieselbe Decke wurde ich eingepackt, wenn ich krank von der Schule heimkam und auf dem Sofa fernsehen durfte. Voller Zuneigung beobachte ich

Dad, erinnere mich, wie zärtlich er zu mir war, als ich klein war, und fühle mich plötzlich wieder in alte Zeiten zurückversetzt.

Bis er sich aufs eine Ende der Couch setzt und mir fast die Füße zermalmt.

Elf

»Was meinst du, Gracie – wird Betty am Ende der Sendung Millionärin sein?«

In den letzten paar Tagen habe ich mir eine Unmenge halbstündiger Vormittagssendungen angesehen, und jetzt sind wir gerade bei der *Antiquitäten-Roadshow*.

Betty ist siebzig Jahre alt, aus Warwickshire und wartet gespannt, während der Antiquitätenhändler versucht, den Preis der alten Teekanne zu schätzen, die sie mitgebracht hat.

Ich beobachte, wie der Mann die Kanne vorsichtig begutachtet, und ein angenehmes, vertrautes Gefühl steigt in mir auf. »Tut mir leid, Betty«, sage ich zum Fernseher, »das ist kein Original aus dem achtzehnten Jahrhundert. Damals haben die Franzosen so was zwar benutzt, aber Bettys Kanne stammt aus dem frühen zwanzigsten Jahrhundert. Das sieht man an der Form des Griffs. Keine gute Arbeit.«

»Ach wirklich?«, sagt Dad und sieht mich interessiert an.

Gebannt starren wir beide auf den Bildschirm, wo der Händler meine Aussage soeben bestätigt. Die arme Betty ist am Boden zerstört, tut aber so, als hätte sie die Teekanne eigentlich sowieso nicht verkaufen wollen, weil sie das gute Stück von ihrer Großmutter geschenkt bekommen hat.

»Lügnerin!«, ruft Dad. »Betty hat garantiert schon ihre Kreuzfahrt gebucht und sich einen Bikini gekauft. Aber weshalb weißt du so gut Bescheid über Kannen und die Franzosen, Gracie? Hast du das in einem deiner Bücher gelesen?«

»Vielleicht.« Aber ich habe keine Ahnung. Wenn ich über meinen neuen Wissensschatz nachdenke, bekomme ich regelmäßig Kopfweh.

Dad bemerkt meinen Gesichtsausdruck. »Warum rufst du nicht mal eine Freundin an oder so? Ein kleines Schwätzchen tut dir bestimmt gut.«

Ich habe nicht die geringste Lust, aber ich weiß, dass er recht hat. »Na ja, wahrscheinlich sollte ich mich mal bei Kate melden.«

»Dieses kräftige Mädel, das dich mit schwarzgebranntem Whiskey abgefüllt hat, als ihr sechzehn wart?«

»Genau die«, lache ich. Mein Vater hat Kate das nie verziehen.

»Also wirklich. Eine Chaotin, das Mädchen. Was ist eigentlich aus ihr geworden?«

»Nicht viel. Sie hat bloß grade ihren Laden in der Stadt für zwei Millionen verkauft, um Hausfrau und Mutter zu werden.« Ich muss mir auf die Zunge beißen, um nicht laut loszulachen, als ich sein schockiertes Gesicht sehe.

Er spitzt die Ohren. »Na klar, ruf sie an. Plaudert ein bisschen, das macht ihr Frauen doch so gern. Gut für die Seele, hat deine Mutter immer gesagt. Deine Mutter hat auch gern geredet – ständig hat sie mit irgendwem über irgendwas geplappert.«

»Ich frage mich, wo sie das herhatte«, sage ich leise, aber wie durch ein Wunder funktionieren die Ohren meines Vaters plötzlich ganz hervorragend.

»Ihr Sternzeichen war schuld daran. Stier. Hat 'ne Menge Mist geredet.«

»Dad!«

»Was denn? Ich habe sie von ganzem Herzen geliebt, aber sie hat trotzdem eine Menge Mist geredet. Es reichte ihr nicht, über etwas zu reden, nein, ich musste mir auch noch in allen Einzelheiten anhören, was sie darüber dachte. Zehnmal mindestens.«

»Du glaubst doch gar nicht an Sternzeichen«, sage ich und versetze ihm einen Knuff.

»Oh doch. Ich bin Waage.« Er beugt sich von einer Seite zur anderen. »Perfekt ausgewogen.«

Ich lache und ziehe mich dann in mein Zimmer zurück, um Kate anzurufen. Das Zimmer ist praktisch unverändert seit der Zeit, als ich hier gewohnt habe. Obwohl gelegentlich Gäste hier übernachtet haben, nachdem ich weg war, haben meine Eltern die Überreste meiner Siebensachen nie weggeräumt. Sticker von The Cure kleben noch an der Tür, und wo ich Plakate aufgehängt hatte, ist die Tapete gerissen. Als Strafe dafür, dass ich die Tapete zerstört hatte, musste ich den Rasen vor dem Haus mähen und fuhr mit dem Rasenmäher dabei aus Versehen über einen Strauch. Mein Vater sprach den Rest des Tages kein Wort mehr mit mir. Anscheinend hatte der Strauch ausgerechnet da zum ersten Mal geblüht. Damals konnte ich seine Frustration nicht verstehen, aber nachdem ich nun über so viele Jahre harte Arbeit in die Pflege meiner Ehe gesteckt habe und mit ansehen musste, wie sie verwelkt und gestorben ist, kann ich seinen Kummer verstehen. Obwohl ich wette, dass er die Erleichterung nicht empfunden hat, die ich jetzt fühle.

In meinem Zimmer ist nicht mehr Platz als für ein Bett und einen Schrank, aber das war meine Welt. Meine persönliche Zuflucht. Hier konnte ich denken und träumen, weinen und lachen und darauf warten, endlich erwachsen zu werden und all die Dinge zu tun, die ich nicht durfte. Damals war dieses Zimmer der einzige Fleck auf der Erde, der nur mir allein gehörte, und jetzt, mit dreiunddreißig Jahren, ist es wieder so. Wer hätte gedacht, dass ich mich hier wiederfinden würde, ohne die Dinge, die ich mir immer gewünscht habe – oder noch schlimmer, die ich mir immer noch wünsche. Weder bin ich Bandmitglied von The Cure noch mit Robert Smith verheiratet, ich habe weder ein Baby noch einen Ehemann.

Die wilde Blümchentapete passt allerdings überhaupt nicht

zu einem Ort der Ruhe: Millionen winziger Blümchen mit hellgrün verblichenen Stielen. Kein Wunder, dass ich die Wände mit Postern zugepflastert hatte. Der Teppich ist braun mit Kringeln in einem helleren Braunton und hat Flecken von verschüttetem Parfüm und Make-up. Neu hinzugekommen sind die abgeschabten braunen Lederkoffer oben auf dem Schrank, die seit Mums Tod dort Staub ansammeln. Dad verreist nie. Schon vor langem ist er zu der Erkenntnis gekommen, dass das Leben ohne Mum für ihn anstrengend und fremd genug ist.

Die letzte Neuerung ist die Tagesdecke. Wobei neu bedeutet, dass sie gut zehn Jahre alt ist. Mum hat sie gekauft, als mein Zimmer zum Gästezimmer ernannt wurde. Im Jahr vor ihrem Tod bin ich hier aus- und mit Kate zusammengezogen, aber ich wünsche mir jeden Tag, ich hätte das nicht getan. All die kostbaren Tage, an denen ich nicht von Mums langgezogenem Gähnen aufgewacht bin, das nach einer gewissen Zeit regelmäßig in ein Singen überging, bevor sie sich in Selbstgespräche verwickelte und sozusagen ihr verbales Tagebuch führte, während im Hintergrund Gay Byrnes Radiosendung lief. Mum liebte Gay Byrne, und ihr größter Ehrgeiz im Leben war es, ihn einmal zu treffen. Am nächsten kam sie diesem Traum, als sie und Dad Tickets für einen Publikumsplatz in *The Late Late Show* bekamen, und Mum hat noch Jahre danach davon erzählt. Ich glaube, sie war in Gay Byrne verliebt. Dad hasste ihn. Vermutlich wusste er, dass Mum ein bisschen in ihn verschossen war.

Aber jetzt hört er ihn selbst gern. Ich glaube, das erinnert ihn immer an eine besonders schöne Zeit mit Mum, fast so, als würde er Mums Stimme hören, obwohl alle anderen meinen, es ist Gay Byrne. Seit sie gestorben ist, umgibt Dad sich mit den Dingen, die sie geliebt hat. Jeden Morgen, wenn Gay Byrne kommt, stellt er das Radio an, er sieht sich Mums Lieblingssendungen im Fernsehen an, er kauft bei seinem wöchentlichen Einkauf ihre Lieblingskekse, obwohl er sie früher nie gegessen hat, nur weil er sie so gerne im Schrank liegen sieht, wenn er die Tür aufmacht, genau wie ihre Zeitschriften neben seiner Tageszeitung. Er stellt gern ihre Hausschuhe neben ihren Sessel vor dem Kamin, sozusagen als Erinnerung, dass nicht die ganze Welt kaputtgegangen ist. Manchmal brauchen wir einfach so viel Klebstoff wie nur möglich, um nicht auseinanderzufallen.

Mit seinen fünfundsechzig Jahren war er einfach zu jung, um seine Frau zu verlieren. Mit meinen dreiundzwanzig war ich auch zu jung, um meine Mutter zu verlieren. Sie hätte nicht mit fünfundfünfzig sterben dürfen, aber der Krebs, dieser Zeiträuber, der erst viel zu spät erkannt wurde, hat sie uns gestohlen, uns allen. Dad hatte für seine Generation erst spät geheiratet und war schon zweiundvierzig, als ich auf die Welt kam. Ich glaube, dass ihm vorher jemand das Herz gebrochen hat. Er hat nie über sie gesprochen, und ich habe ihn auch nie danach gefragt, aber er sagt immer, dass er länger auf Mum gewartet hat, als er wirklich mit ihr zusammen war – aber dass diese Zeit jede Sekunde aufwiegt, in der er nach ihr gesucht und die er sie später vermisst hat.

Mum hat Conor nie kennengelernt, aber ich weiß nicht, ob sie ihn gemocht hätte. Natürlich wäre sie viel zu höflich gewesen, um sich etwas anmerken zu lassen. Mum mochte ganz verschiedene Menschen, aber vor allem diejenigen, die Lebensfreude und Energie besaßen und diese auch ausstrahlten, Menschen, die lebten und Leben versprühten. Conor ist sympathisch. Immer nur sympathisch. Nie übermäßig aufgeregt. Oder aufregend. Er ist sympathisch, was ja nur ein anderes Wort für nett ist. Wenn man einen netten Mann heiratet, führt man mit ihm eine nette Ehe, aber mehr auch nicht. Und gegen nett ist nichts einzuwenden, wenn es von anderen Dingen flankiert wird, aber nicht, wenn es alleine steht.

Dad kann sich mit jedem unterhalten, egal wann und wo, und hat trotzdem keine Meinung über ihn oder sie. Das einzig Negative, was er jemals über Conor gesagt hat, war: »Na ja, welcher Mann mag denn schon *Tennis*?« Dad, der selbst ein Fußball- und

Hurlingfan ist, spuckte das Wort Tennis aus, als könnte er sich daran den Mund schmutzig machen.

Dass wir kein Kind bekamen, machte Dads Meinung nicht besser. Wenn ein Schwangerschaftstest mal wieder nicht den ersehnten blauen Streifen produzierte, gab er dem Tennis die Schuld daran, vor allem den engen weißen Shorts, die Conor manchmal trug. Natürlich sagte er das nur, um mich aufzuheitern. Manchmal funktionierte es sogar, manchmal auch nicht, aber es war unverfänglich, da jeder wusste, dass es weder an den Tennisshorts noch an dem Mann lag, der sie trug.

Ich lasse mich auf der Tagesdecke nieder, die Mum gekauft hat, und achte darauf, dass ich sie nicht zerknittere. Es war ein Set von Dunnes, bestehend aus der Decke, zwei dazu passenden Kissen und einer Kerze fürs Fensterbrett, die nie angezündet wurde und inzwischen ihren Duft verloren hat. Staub sammelt sich auf ihr, ein Beweis, dass Dad seinen Pflichten nicht nachkommt – als wäre es für einen Fünfundsiebzigjährigen wichtig, irgendwo anders Staub zu wischen als auf dem Regal mit den liebsten Erinnerungsstücken. Aber der Staub hat sich gelegt, und er soll bleiben, wo er ist.

Ich schalte mein Handy an, das tagelang abgestellt war, und sofort beginnt es eifrig zu piepen, während ein Dutzend Nachrichten eintrudelt. Eigentlich habe ich alle, die mir lieb und nahe oder neugierig sind, schon angerufen und informiert. Es ist, wie wenn man ein Pflaster herunterreißt – nicht dran denken, ein Ruck, dann ist die Sache fast schmerzfrei zu erledigen. Adressbuch aufschlagen, und dann eins nach dem anderen, zack, zack, zack, jeweils drei Minuten. Schnelle, schwungvolle Telefongespräche, geführt von einer seltsam gut gelaunten Frau, die für einen kurzen Zeitraum meinen Körper bewohnte. Eine unglaubliche Frau, positiv und munter, und doch zum richtigen Zeitpunkt auch emotional und weise. Ihr Timing war perfekt, und ihre Empfindungen waren so prägnant, dass ich am liebsten mitgeschrieben hätte. Sogar ein bisschen Humor war dabei, den manche Lieben, Nahen und Neugierigen gut verkrafteten, während andere fast einen beleidigten Eindruck machten – nicht, dass es ihr etwas ausgemacht hätte, *it's my party, and I cry if I want to.* Natürlich kenne ich diese Frau, sie hat bei mir Trauma-Bereitschaft, schlüpft in meine Schuhe und übernimmt die schwierigen Rollen. Garantiert wird sie bald wieder auftauchen.

Nein, es wird noch lange dauern, bis ich wieder mit meiner eigenen Stimme sprechen kann. Aber die Frau, die ich jetzt anrufe, ist eine Ausnahme, bei ihr kann und muss ich mich nicht verstellen.

Kate hebt beim vierten Klingeln ab.

»Hallo!«, ruft sie, und ich zucke heftig zusammen. Im Hintergrund höre ich Geräusche, als wäre soeben ein Krieg ausgebrochen.

»Joyce!«, brüllt sie, und mir wird klar, dass sie die Freisprecheinrichtung eingestellt hat. »Ich hab dich schon so oft angerufen! Derek, SETZ DICH HIN! DAS GEFÄLLT MUMMY NICHT! Sorry, ich bin grade dran mit dem Abholdienst. Ich muss sechs Kinder nach Hause schaffen, dann gibt's einen kleinen Snack, bevor ich Eric zum Basketball und Jayda zum Schwimmen bringe. Hast du Lust, dich da nachher mit mir zu treffen? Jayda kriegt heute ihr Zehn-Meter-Abzeichen.«

Ich höre Jayda heulen, dass sie Zehn-Meter-Abzeichen hasst.

»Wie kannst du es hassen, wenn du noch nie eins gemacht hast?«, faucht Kate sie an. Jayda heult noch lauter, und ich muss mein Handy ein Stück vom Ohr weg halten. »JAYDA! GIB JETZT ENDLICH RUHE! DEREK, MACH DEINEN GURT ZU! Wenn ich plötzlich bremsen muss, KRACHST du durch die Windschutzscheibe und SCHLÄGST DIR DAS GESICHT ZU BREI. Moment mal, Joyce.«

Während ich warte, herrscht Schweigen.

»Gracie!«, schreit Dad. Panisch renne ich zur Treppe. So habe ich ihn seit meiner Kindheit nicht mehr brüllen hören.

»Ja, Dad? Alles klar bei dir?«

»Ich hab sieben Buchstaben!«, ruft er.

»Du hast *was*?«

»Sieben Buchstaben!«

»Was soll das heißen?«

»Bei *Countdown*!«

Meine Panik ebbt ab, und ich setze mich leicht frustriert auf die oberste Treppenstufe. Plötzlich kommt Kates Stimme zurück, und es klingt, als wären Ruhe und Frieden wiederhergestellt.

»Okay, ich hab die Freisprecheinrichtung ausgeschaltet. Wahrscheinlich werde ich verhaftet, weil ich das Telefon in der Hand habe, und natürlich auch von der Abholliste gestrichen, aber das ist mir so was von scheißegal.«

»Ich sag meiner Mummy, dass du das Sch-Wort benutzt hast«, ertönt ein hohes Stimmchen.

»Gut. Das wollte ich ihr schon seit Jahren sagen«, murmelt Kate, und ich muss lachen.

»Scheiße, Scheiße, Scheiße«, höre ich einen Kinderchor.

»O Mann, Joyce, ich mach lieber Schluss. Sehn wir uns um sieben im Freizeitcenter? Das ist meine einzige Pause. Sonst geht es erst morgen. Tennis um drei oder Turnen um sechs? Ich schau mal, ob Frankie vielleicht auch kommen kann.«

Frankie. Mit Taufnamen heißt sie Francesca, aber darauf hört sie nicht. Dad hat unrecht mit Kate. Vielleicht hat sie den Whiskey angeschleppt, aber streng genommen war es Frankie, die mir den Mund aufgehalten und mich mit dem Zeug abgefüllt hat. Da diese Version der Geschichte aber nie verbreitet wurde, denkt er, Frankie ist eine Heilige. Sehr zu Kates Ärger.

»Dann nehme ich das Turnen morgen«, sage ich und lächle, während der Kinderchor sich immer mehr ins Zeug legt. Dann ist Kate weg, und Stille tritt ein.

»GRACIE!«, brüllt Dad wieder.

»Ich heiße *Joyce*, Dad.«

»Ich hab das Wortspiel!«

So schnell ich kann, laufe ich zu meinem Bett zurück und stecke den Kopf unter das nächstbeste Kissen.

Ein paar Minuten später steht Dad in der Tür und erschreckt mich zu Tode.

»Ich war der Einzige, der das Wortspiel rausgekriegt hat. Die Teilnehmer hatten keine Ahnung. Trotzdem hat Simon gewonnen und macht morgen weiter. Seit drei Tagen gewinnt er jetzt schon, ich kann ihn nicht mehr sehen. Ein echt komischer Typ, du würdest dich schieflachen. Ich glaube, Carol mag ihn auch nicht, und sie hat schon wieder ziemlich abgenommen. Magst du einen HobNob? Ich mach noch 'ne Tasse Tee.«

»Nein danke.« Ich ziehe das Kissen wieder über den Kopf. Er benutzt so viele *Wörter*.

»Na, ich trink jedenfalls einen Tee. Beim Lunch hab ich nämlich meine Pillen vergessen, die muss ich jetzt noch nehmen.«

»Du hast beim Lunch doch eine Tablette geschluckt, weißt du das nicht mehr?«

»Das war die für mein Herz. Jetzt meine ich die fürs Gedächtnis. Fürs Kurzzeitgedächtnis.«

Ich nehme das Kissen vom Gesicht, um nachzusehen, ob er es ernst meint. »Und du hast vergessen, sie zu nehmen?«

Er nickt.

»Ach, Dad.« Ich fange an zu lachen, aber er starrt mich an, als hätte ich einen hysterischen Anfall. »Du bist Medizin genug für mich. Na ja, aber *du* brauchst stärkere Pillen, denn die jetzigen wirken anscheinend nicht, was?«

Beleidigt wendet er mir den Rücken zu und geht grummelnd den Korridor hinunter. »Und ob die wirken. Vorausgesetzt, ich vergesse nicht, sie zu nehmen.«

»Dad!«, rufe ich ihm nach, und er bleibt oben an der Treppe stehen. »Danke, dass du mir keine Fragen wegen Conor stellst.«

»Klar, das brauch ich auch nicht. Ich weiß ja, dass ihr im Handumdrehen wieder zusammen sein werdet.«

»Nein, bestimmt nicht«, entgegne ich leise.

Er kommt wieder ein bisschen näher. »Hat er was mit einer anderen?«

»Nein. Und ich übrigens auch nicht. Wir lieben uns einfach nicht mehr. Schon seit längerer Zeit.«

»Aber du hast ihn geheiratet, Joyce. Hab ich dich nicht selbst zum Altar geführt?« Verwirrt sieht er mich an.

»Was hat das denn damit zu tun?«

»Ihr habt euch im Haus des Herrn ein Versprechen gegeben, ich hab es mit eigenen Ohren gehört. Was ist mit euch jungen Leuten heutzutage bloß los, dass ihr euch dauernd trennt und huschhusch jemand anderes heiratet? Ist es etwa aus der Mode gekommen, ein Versprechen zu halten?«

Ich seufze. Was soll ich denn darauf antworten? Er macht sich wieder auf den Weg zur Treppe.

»Dad?«

Er bleibt stehen, aber ohne sich umzudrehen.

»Ich glaube, du denkst manchmal nicht an die Alternative. Meinst du wirklich, es ist besser, wenn ich mein Versprechen halte und bei Conor bleibe, obwohl ich ihn nicht liebe und unglücklich bin?«

»Wenn du glaubst, dass deine Mutter und ich eine perfekte Ehe geführt haben, dann irrst du dich, denn so was gibt es überhaupt nicht. Kein Mensch ist dauernd glücklich, Liebes.«

»Das verstehe ich ja. Aber was, wenn man nie glücklich ist? Überhaupt nie?«

Ich habe den Eindruck, dass er sich das zum ersten Mal durch den Kopf gehen lässt, und ich halte die Luft an, bis er schließlich antwortet: »Ich glaube, ich hol mir jetzt einen HobNob.«

Auf dem halben Weg die Treppe hinunter ruft er rebellisch herauf: »Und zwar einen mit Schokolade!«

Zwölf

»Ich bin im Urlaub, Justin, warum schleppst du mich ins Fitnessstudio?« Halb gehend, halb hüpfend versucht Al mit seinem schlanken Bruder Schritt zu halten.

»Ich hab nächste Woche ein Date mit Sarah«, erzählt Justin, während er unverdrossen weiterstürmt, »und ich muss wieder in Form kommen.«

»Mir war gar nicht aufgefallen, dass du *nicht* in Form bist«, keucht Al und wischt sich die Schweißtropfen von der Stirn.

»Die Scheidungswolke hat mich daran gehindert, Sport zu treiben.«

»Die Scheidungswolke?«

»Nie davon gehört?«

Atemlos und unfähig zu sprechen schüttelt Al den Kopf und wabbelt dabei mit seinem Doppelkinn wie ein Truthahn.

»Die Wolke nimmt die Form deines Körpers an und legt sich ganz eng um dich, sodass du dich kaum rühren kannst. Und auch nicht atmen. Oder Sport treiben. Oder Verabredungen treffen, geschweige denn mit einer anderen Frau schlafen.«

»Deine Scheidungswolke klingt genau wie meine Ehewolke.«

»Tja, die ist bei mir inzwischen weitergezogen.« Justin blickt hinauf in den grauen Londoner Himmel, schließt einen Moment die Augen und holt tief Luft. »Es ist Zeit für mich, wieder aktiv zu werden.« Als er die Augen wieder aufmacht, rennt er direkt in einen Laternenpfahl. »Scheiße, Al!« Er krümmt sich und hält sich den Kopf. »Danke für die Warnung.«

Mit puterrotem Gesicht schnauft Al ihn an. Worte kommen ihm nur schwer über die Lippen. Wenn überhaupt.

»Vergiss mal die Frage, ob ich Sport nötig habe, und schau *dich* an. Dein Arzt hat dir gesagt, du sollst ein paar hundert Pfund abnehmen.«

»Fünfzig …« – keuch – »sind nicht das Gleiche …« – keuch – »wie ein paar hundert, und fang du jetzt nicht auch noch damit an.« Keuch. »Doris ist schlimm genug.« Schnauf. Hust. »Was sie über Ernährung alles weiß, übersteigt meinen Verstand. Diese Frau isst so gut wie gar nichts. Sie hat schon Angst, an den Nägeln zu kauen, weil die womöglich zu viele Kalorien haben könnten.«

»Sind Doris' Nägel eigentlich echt?«

»Ja, die Nägel und die Haare. Aber das ist so ungefähr alles. An irgendwas muss ich mich ja halten.« Erledigt sieht Al sich um.

»So genau wollte ich das eigentlich gar nicht wissen«, wehrt Justin ab. »Ich kann nicht glauben, dass ihre Haare echt sind.«

»Außer der Farbe natürlich. Sie ist brünett, wie es sich für eine Italienerin gehört. Schwindlig.«

»Ja, sie macht einen ein bisschen schwindlig. Das ganze Reinkarnationszeug wegen der Frau im Friseurladen«, lacht Justin. *Welchen Grund soll es denn sonst für so was geben?*

»Nein, *mir* ist schwindlig.« Wütend funkelt Al seinen Bruder an und hält sich am Geländer fest.

»Oh, klar … ich hab bloß 'n Witz gemacht. Sieht aus, als wären wir fast da. Schaffst du es noch hundert Meter oder so?«

»Kommt ganz auf das ›oder so‹ an«, blafft Al.

»Das ist ungefähr das Gleiche wie die Woche Urlaub *oder so*, die du und Doris ursprünglich angekündigt hattet. Anscheinend wird daraus eher ein Monat.«

»Na ja, wir wollten dich überraschen, und Doug kann sich in meiner Abwesenheit gut um den Laden kümmern. Der Doc hat mir gesagt, ich soll mir keinen Stress machen, Justin. Und da wir

Herzprobleme in der Familie haben, muss ich mich wirklich ausruhen.«

»Du hast deinem Arzt gesagt, dass wir familiär belastet sind?«, fragt Justin.

»Ja, Dad ist an einem Herzanfall gestorben. Von wem sollte ich denn sonst reden?«

Justin schweigt.

»Außerdem hast du ja auch was davon – Doris richtet deine Wohnung toll her, und du wirst noch froh sein, dass wir geblieben sind. Weißt du, dass sie den Hundesalon ganz alleine renoviert hat?«

Justin sperrt die Augen auf.

»Ja, toll, nicht?« Al strahlt vor Stolz. »Also, wie viele von diesen Vorlesungen hältst du denn in Dublin? Vielleicht kommen wir mal mit, wenn du hinfliegst. Um zu sehen, wo unser Dad herkommt, weißt du.«

»Dad war aber aus Cork.«

»Oh. Hat er da noch Familie? Wir könnten auch da mal hinfahren und unsere Wurzeln suchen.«

»Keine schlechte Idee.« Justin denkt an seine Termine. »Ich hab noch ein paar Vorlesungen vor mir. Aber wahrscheinlich seid ihr so lange nicht hier.« Er mustert Al verstohlen. »Und nächste Woche könnt ihr nicht mitkommen, weil ich da Arbeit und Vergnügen miteinander verbinde und eine Verabredung mit Sarah habe.«

»Bist du echt scharf auf sie?«

Das Vokabular seines fast vierzigjährigen Bruders verblüfft Justin immer wieder von neuem. »Ob ich scharf auf sie bin?«, wiederholt er, gleichzeitig amüsiert und verwirrt. *Gute Frage. Eigentlich nicht, aber es ist irgendwie angenehm, mit ihr zusammenzusein. Ist das eine akzeptable Antwort?*

»Hat sie dich mit ›Ihhch will daine Bluot!‹ geködert?«, kichert Al.

»O ja, das war unheimlich«, entgegnet Justin. »Sarah ist ja

auch ein Vampir aus Transsilvanien. Komm, da vorn ist es, lass uns ein Stündchen Sport machen«, wechselt er das Thema. »Ich glaube nicht, dass Ausruhen das Beste für dich ist. Deshalb bist du doch in diesem Zustand.«

»*Eine Stunde?* Wo wir schon die ganze Zeit rennen?« Al explodiert beinahe. »Was willst du denn bei deinem Date machen, Bergsteigen?«

»Wir treffen uns bloß zum Mittagessen.«

Al verdreht die Augen. »Ach, aber du musst dein Essen erst jagen und töten oder was? Jedenfalls ist das jetzt dein erster Workout seit einem Jahr, und wenn du morgen früh aufwachst, wirst du nicht mehr laufen können, geschweige denn vögeln.«

Ich wache von einem lauten Geklapper von Töpfen und Pfannen auf, das aus der Küche zu mir heraufdringt. Einen Moment bin ich völlig desorientiert, weil ich erwarte, zu Hause in unserem Schlafzimmer zu sein. Aber dann fällt mir alles wieder ein. Das ist meine tägliche morgendliche Pille, bitter und schwer zu schlucken. Irgendwann werde ich aufwachen und alles gleich wissen. Allerdings weiß ich nicht, ob mir das lieber ist, denn die Momente des Vergessens sind ein Segen.

Besonders gut geschlafen habe ich nicht, einerseits, weil mir so viel durch den Kopf geht, andererseits, weil Dad anfangs jede Stunde auf Klo gegangen ist und die Spülung so laut rauscht. Als er dann irgendwann eingeschlafen ist, fingen nach kurzer Zeit die Wände von seinem Schnarchen an zu beben.

Trotz der Unterbrechungen sind mir meine Träume aus den wenigen Momenten, in denen ich geschlafen habe, noch lebhaft im Gedächtnis. Sie fühlen sich fast real an, wie Erinnerungen – obwohl wir ja auch bei ihnen nicht wissen, wie real sie wirklich sind, bei den ganzen Veränderungen, die unser Denken daran vornimmt. Ich erinnere mich, dass ich in einem Park war, aber irgendwie war ich nicht wirklich ich. Ich wirbelte ein kleines Mädchen mit weißblonden Haaren durch die Luft, und eine rothaarige Frau mit einer Kamera sah uns dabei zu. Der Park war bunt, es gab eine Menge Blumen, und wir machten ein Picknick … Aber ich kann mir das Lied nicht mehr ins Gedächtnis rufen, das ich die ganze Nacht gehört habe. Stattdessen höre ich Dad unten »The Auld Triangle« trällern, ein altes irisches Lied, das er bei sämtlichen Festen zum Besten gibt. Er stellt sich hin, das Bierglas in der Hand, ein Inbild des Frohsinns, und besingt »die alte Triangel«, die so wunderschön »Dingeling macht«.

Ich schwinge mich aus dem Bett – und stöhne vor Schmerzen laut auf. Meine Beine tun unerträglich weh, Hüfte, Oberschenkel, bis hinunter zu den Waden. Vorsichtig versuche ich den Rest meines Körpers zu bewegen, aber auch er ist praktisch gelähmt vor Schmerzen, Schultern, Bizeps, Rückenmuskeln, Torso. Völlig verwirrt massiere ich mir die Muskeln und nehme mir vor, gelegentlich zum Arzt zu gehen, nur für den Fall, dass es etwas Ernstes ist. Bestimmt ist es mein Herz, das entweder mehr Aufmerksamkeit braucht oder so voller Kummer ist, dass der Schmerz sich schon auf den Rest des Körpers ausdehnt – jeder dumpf pochende Muskel ein Ausläufer des Schmerzes in meinem Innern. Andererseits würde mir ein Arzt wahrscheinlich sagen, dass meine Beschwerden von dem dreiunddreißigjährigen Bett herrühren, in dem ich geschlafen habe und das in einer Zeit gebaut worden ist, in der die Menschen die Unterstützung des Rückens durch eine gescheite Matratze noch nicht als ihr gottgegebenes Recht ansahen.

Ich hülle mich in einen Bademantel und mache mich langsam und steif wie ein Brett auf den Weg nach unten, wobei ich mein Möglichstes tue, um die Beine nicht beugen zu müssen.

Wieder steigt mir ein schwacher Qualmgeruch in die Nase, und als ich am Dielentischchen vorbeikomme, fällt mir auf, dass Mums Foto erneut verschwunden ist. Einem spontanen Impuls folgend, ziehe ich die Schublade unter dem Tischchen auf, und tatsächlich – da liegt sie, mit dem Gesicht nach unten. Mir steigen die Tränen in die Augen, so wütend bin ich, dass dieses kostbare Bild einfach versteckt worden ist. Für Dad und mich war es immer mehr als nur ein gewöhnliches Bild, es repräsentiert Mums Gegenwart in diesem Haus, sie begrüßt uns jedes Mal von ihrem Ehrenplatz, wenn wir durch die Haustür herein- oder die Treppe herunterkommen. Aber ich atme tief durch und beschließe, erst mal nichts zu sagen, sondern einfach anzunehmen, dass Dad seine Gründe für diese seltsame Maßnahme hat. Auch wenn ich mir nichts Einleuchtendes vorstellen kann. Rasch schiebe ich die Schublade wieder zu, lasse Mum dort, wo Dad sie platziert hat, und habe dabei das Gefühl, als müsste ich sie ein zweites Mal beerdigen.

Als ich in die Küche humple, begrüßt mich das pure Chaos. Überall Töpfe und Pfannen, Geschirrtücher, Eierschalen und ein Wirrwarr von Dingen – es sieht aus, als hätte Dad sämtliche Küchenschränke ausgeräumt. Er selbst hat eine Schürze mit dem Bild einer Frau in roter Reizwäsche und Hosenträgern umgebunden, und darunter trägt er seinen üblichen Pulli, Hemd und Hose. Seine Füße stecken in Manchester-United-Slippern in Form von zwei riesigen Fußbällen.

»Morgen, Liebes!«, ruft er, als er mich sieht, richtet sich mithilfe des linken Beins auf und gibt mir einen Kuss auf die Stirn.

Mir wird plötzlich klar, dass heute zum ersten Mal seit Jahren jemand Frühstück für mich macht. Und dass Dad wiederum das erste Mal seit Jahren für jemanden Frühstück macht. Auf einmal verstehe ich das Singen, das Chaos, das Geklapper mit Töpfen und Pfannen. Er ist total aufgeregt.

»Ich mache Waffeln!«, erklärt er mit einem amerikanischen Akzent.

»Oh, sehr lecker!«

»Das sagt doch der Esel immer, oder?«

»Welcher Esel?«

»Der …« Er hört auf, in der Pfanne zu rühren, und schließt die Augen, um besser nachdenken zu können. »In dieser Geschichte mit dem grünen Mann.«

»Der Hulk?«

»Nein.«

»Hmm, ich kenne sonst keine grünen Leute.«

»Doch, doch, du weißt schon, der …«

»Die böse Hexe des Westens aus dem *Zauberer von Oz*?«

»Nein. Da macht doch kein Esel mit! Denk doch mal an eine Geschichte mit einem Esel.«

»Ist es eine biblische Geschichte?«

»Kommen in der Bibel etwa sprechende Esel vor, Gracie? Hat Jesus jemals Waffeln gegessen? Was glaubst du? Himmel, da haben wir endlich einen uralten Irrtum aufgeklärt: Jesus hat beim letzten Abendmahl Waffeln an seine Jünger verteilt, kein Brot!«

»Ich heiße Joyce.«

»Ich kann mich nicht erinnern, dass Jesus Waffeln gegessen hat, aber klar, ich kann mal die Jungs im Monday Club danach fragen. Vielleicht hab ich ja mein Leben lang die falsche Bibel gelesen.« Er lacht laut über seinen eigenen Witz.

Neugierig schaue ich ihm über die Schulter. »Dad, du machst ja gar keine Waffeln!«

Er seufzt genervt. »Bin ich ein Esel? Sehe ich für dich etwa aus wie ein Esel? Esel machen Waffeln, *ich* mache ein richtig gutes Frühstück.«

Ich sehe ihm zu, wie er die Würstchen in der Pfanne rumschiebt, damit sie gleichmäßig von allen Seiten gebräunt werden. »Ich esse auch welche.«

»Aber du bist doch eine von diesen Vegetaristinnen.«

»Vegetarierinnen. Und ich bin keine mehr.«

»Na klar, dann bist du eben keine von denen. Du warst bloß eine, seit du fünfzehn bist und im Fernsehen die Sendung über die Robben gesehen hast. Morgen wach ich auf, und du erzählst mir wahrscheinlich, du bist ein Mann. Das hab ich auch mal im Fernsehen gesehen. Diese Frau, die war ungefähr in deinem Alter, hat ihrem Mann live vor dem Publikum erklärt, dass sie beschlossen hat, ihre …«

114

Plötzlich bin ich so frustriert, dass ich ihm ins Wort falle: »Mums Foto steht nicht auf dem Dielentischchen.«

Schuldbewusst zuckt Dad zusammen und erstarrt, was mich ein bisschen ärgert, als hätte ich mir bis jetzt eingeredet, dass der geheimnisvolle Mitternachtsfotoverschieber eingebrochen ist und die ruchlose Tat vollbracht hat. Eigentlich wäre mir das fast lieber.

»Warum?«, frage ich nur.

Er werkelt weiter und klappert mit Tellern und Besteck. »Warum was? Warum gehst du so komisch, das möchte ich gern mal wissen.« Neugierig beäugt er meine gequälten Bewegungen.

»Das weiß ich selber nicht!«, fauche ich und humple durch die Küche zu meinem Platz. »Vielleicht ist es erblich.«

»Huhuhu«, trötet Dad und blickt zur Decke empor. »Hör sich das einer an! Deck lieber den Tisch wie ein braves Mädchen.«

Das holt mich zurück in die Wirklichkeit, und ich muss grinsen, ob ich will oder nicht. Ich decke den Tisch, während Dad sich weiter dem Frühstück widmet, und wir humpeln und hinken beide in der Küche herum, als wäre alles so wie immer und würde auch so bleiben. Für immer und ewig.

Dreizehn

»Also, Dad, was sind deine Pläne für heute? Hast du viel zu tun?«

Eine Gabel voll Würstchen, Ei, Speck, Blutwurst, Pilz und Tomate hält auf dem Weg zu seinem offenen Mund inne. Amüsiert sieht er mich unter seinen dichten Augenbrauen an.

»Pläne, hast du gesagt? Tja, lass mich sehen, Gracie, ich geh grade mal den Terminkalender für heute durch. Ich dachte, wenn ich fertig gegessen habe, was in etwa fünfzehn Minuten der Fall sein wird, dann trinke ich noch eine Tasse Tee. Während ich den Tee trinke, bleibe ich entweder auf diesem Stuhl hier sitzen, oder ich wechsle hinüber auf deinen. Der genaue Standort ist noch *to do*, wie in meinem Terminkalender stehen würde. Dann gehe ich die gestrigen Antworten in meinem Kreuzworträtsel durch, um zu sehen, was richtig ist und was nicht, und suche die Antworten auf die Fragen, die ich gestern noch nicht geschafft habe. Dann mache ich das Dusoku, dann das Worträtsel. Heute sind nautische Begriffe dran. *Seefahrer, maritim, Yacht*, ja, das kann ich ganz gut, ich sehe schon das Wort ›Ruderboot‹ in der ersten Zeile. Dann schneide ich meine Coupons aus, und damit bin ich dann den ganzen ersten Teil des Vormittags beschäftigt, Gracie. Danach mache ich mir noch ein Tässchen Tee, würde ich sagen, und dann fangen meine Sendungen an. Wenn du gern einen Termin bei mir hättest, besprich es bitte mit Maggie.« Er beendet seinen Vortrag, schaufelt das Essen vollends in den Mund, und ein bisschen Eigelb läuft ihm übers Kinn. Er bemerkt es nicht und kümmert sich nicht darum.

Ich lache. »Wer ist Maggie?«

Er schluckt und grinst amüsiert. »Ich habe keine Ahnung, warum ich das gesagt habe.« Eine Weile denkt er angestrengt nach, und schließlich fängt er auch an zu lachen. »Ich kannte mal einen Kerl in Cavan, der hieß Brendan Brady. Immer wenn wir uns verabredet haben, hat er gesagt« – Dad fährt mit tiefer Stimme fort – »›Besprich es mit Maggie‹, als wäre er furchtbar wichtig. Entweder war Maggie seine Frau oder seine Sekretärin, keine Ahnung. ›Besprich es mit Maggie‹«, wiederholt er. »Wahrscheinlich war Maggie seine Mutter«, lacht er plötzlich und isst weiter.

»Dann machst du eigentlich genau das Gleiche wie gestern.«

»O nein, überhaupt nicht!« Er blättert in der Fernsehzeitung und deutet mit seinem fettigen Zeigefinger auf die heutige Seite. Dann schaut er auf seine Armbanduhr, fährt mit dem Finger die Seite hinunter, nimmt einen Marker und streicht eine Sendung an. »Heute gibt es die *Tierklinik* statt der *Antiquitäten-Road-show*. Überhaupt nicht das Gleiche. Heute sind anstelle von Bettys unechter Teekanne Hunde und Kaninchen dran. Vielleicht kriegen wir zu sehen, wie sie versucht, den Familienhund für ein paar Euro zu verscherbeln. Vielleicht bekommt sie ihren Bikini doch noch, unsere Betty.« Er fährt fort, seine Sendungen einzukringeln, wobei er konzentriert die Zunge in den Mundwinkel klemmt, als würde er ein Manuskript verzieren.

»The Book of Kells«, platze ich heraus. Wieder mal habe ich keine Ahnung, warum ich das sage, aber das ist zurzeit ja nichts Ungewöhnliches. Inzwischen gehört mein Geschwafel für mich fast zur Tagesordnung.

»Worüber redest du denn jetzt schon wieder?«, fragt Dad, hört mit seinen Malereien auf und isst weiter.

»Lass uns heute in die Stadt gehen, Dad. Eine Stadtführung machen, ins Trinity College gehen und das Book of Kells anschauen.«

Kauend starrt Dad mich an. Ich weiß nicht, was er denkt. Wahrscheinlich das Gleiche wie ich.

»Du möchtest zum Trinity College. Das Mädchen, das nie auch nur einen Fuß in die Gegend dort setzen wollte, weder zum Studieren noch zu einer Besichtigung mit mir und deiner Mutter, will auf einmal aus heiterem Himmel zum Trinity College. Hmm, ist ›auf einmal‹ und ›aus heiterem Himmel‹ nicht eigentlich dasselbe? Die solltest du nicht beide im gleichen Satz benutzen, Henry«, korrigiert er sich.

»Ja, ich möchte zum Trinity College.« Auf einmal aus heiterem Himmel möchte ich mir unheimlich gern das Trinity College anschauen.

»Wenn dich die *Tierklinik* nicht interessiert, musst du es einfach nur sagen. Du brauchst nicht gleich in die Stadt abzuhauen. Man kann auch umschalten. Das geht.«

»Da hast du vollkommen recht, Dad, und das habe ich in letzter Zeit auch ein paar Mal gemacht.«

»Ach ja? Ist mir gar nicht aufgefallen. Hast mit deiner Ehe Schluss gemacht, Vegetaristin bist du auch nicht mehr, du sagst kein Wort über deinen Job, ziehst bei mir ein und alles. So viel war los, da weiß man ja gar nicht, ob jemand umgeschaltet oder ob schon die nächste Sendung angefangen hat.«

»Ich muss einfach mal was Neues machen«, erkläre ich. »Ich hab Zeit für Frankie und Kate, aber alle anderen … ich bin einfach noch nicht bereit. Wir brauchen eine Planänderung, Dad. Ich halte die große Fernbedienung des Lebens in meiner Hand und bin bereit, ein paar Knöpfe zu drücken, Dad.«

Einen Moment starrt er mich wortlos an. Dann steckt er als Antwort ein Stück Würstchen in den Mund.

»Wir nehmen ein Taxi in die Stadt und steigen in einen von diesen Tourbussen, was meinst du? MAGGIE!«, rufe ich so laut, dass Dad zusammenfährt. »MAGGIE, DAD FÄHRT HEUTE MIT MIR IN DIE STADT UND SIEHT SICH EIN BISSCHEN UM. IST DAS OKAY?«

Mit gespitzten Ohren warte ich auf eine Antwort. Nach einer Weile stehe ich auf. »Also Dad, es ist beschlossene Sache. Maggie sagt, es ist in Ordnung, wenn du heute in die Stadt fährst. Ich will nur noch duschen, dann komm ich in die Puschen. Ha, das reimt sich sogar.« Ich humple aus der Küche und lasse meinen verdutzten Vater mit dem Eigelb am Kinn allein.

»Ich bezweifle sehr, dass Maggie es gut finden würde, dass ich in diesem Tempo durch die Gegend renne, Gracie«, sagt Dad und versucht, mit mir Schritt zu halten, während wir uns zwischen den Massen von Fußgängern auf der Grafton Street durchschlängeln.

»Oh, tut mir leid, Dad!« Sofort drossle ich mein Tempo und hake mich bei ihm unter. Trotz seiner Spezialschuhe schwankt er, und ich schwanke mit. Ich glaube, dass er, selbst wenn er sich operieren ließe und seine Beine dann gleich lang wären, immer noch hin und her schaukeln würde, so sehr gehört das zu ihm.

»Dad, wirst du mich irgendwann endlich wieder Joyce nennen?«

»Was meinst du denn damit? So heißt du doch, oder nicht?«

Überrascht sehe ich ihn an. »Merkst du gar nicht, dass du mich ständig Gracie nennst?«

Er macht einen echt verblüfften Eindruck, sagt aber nichts, sondern geht wortlos weiter. Auf und ab, hin und her.

»Ich geb dir fünf Euro für jedes Mal, wenn du heute Joyce zu mir sagst«, schlage ich vor.

»Abgemacht, Joyce, Joyce, Joyce. Oh, wie ich dich liebe, Joyce«, kichert er. »Das sind schon zwanzig Euro vorneweg!« Er knufft mich und fügt ernst hinzu: »Mir ist überhaupt nicht aufgefallen, dass ich dich so genannt habe, Liebes. Ich werde mich bemühen.«

»Danke.«

»Du erinnerst mich so an sie, weißt du.«

»Wirklich, Dad?« Das rührt mich, und mir steigen Tränen in die Augen. So etwas sagt er sonst nie. »Inwiefern?«

»Ihr habt beide so eine kleine Schweinchennase.«

Ich verdrehe die Augen.

»Ich weiß nicht, warum wir uns immer weiter vom Trinity College entfernen. Wollten wir da nicht eigentlich hin?«

»Ja, aber die Tourbusse fahren von Stephen's Green ab. Am College kommen wir unterwegs vorbei. Heute will ich sowieso nicht reingehen.«

»Warum nicht?«

»Es ist Mittagszeit.«

»Und da macht das Book of Kells ein Stündchen Pause, was?« Jetzt ist Dad an der Reihe, die Augen zu verdrehen. »Es verdrückt ein Schinkensandwich und eine Kanne Tee, danach geht es ordentlich zurück in seinen Schaukasten und ist topfit für den Rest des Nachmittags. Ist es das, was du befürchtest? Mir kommt es nämlich sonderbar vor, nicht hinzugehen, nur weil Mittagszeit ist.«

»Tja, mir aber nicht.« Ich weiß selbst nicht, warum, es fühlt sich einfach nicht richtig an, jetzt diese Richtung einzuschlagen. Mein innerer Kompass möchte es nicht.

Justin saust durch den Torbogen des Trinity College und rennt die Straße hinauf in Richtung Grafton Street, zum Lunch mit Sarah. Beim Rennen bemüht er sich, die nörgelige Stimme zu verscheuchen, die ihm einreden will, dass er das Treffen absagen soll. *Gib ihr eine Chance. Gib dir selbst eine Chance.* Er muss es versuchen, er muss sein Gleichgewicht wiederfinden und daran denken, dass nicht jede Begegnung mit einer Frau so ist wie seine erste Begegnung mit Jennifer. Das Herzklopfen, das seinen ganzen Körper zum Vibrieren gebracht hatte, die Schmetterlinge, die in seinem Bauch herumwirbelten, das Kribbeln beim leisesten Kontakt mit ihrer Haut. Er denkt wieder an sein Date mit Sarah. Nichts dergleichen. Nur das schmeichelhafte Gefühl, dass sie ihn attraktiv findet, und die freudige Erregung, dass er endlich wieder zur Date-Szene gehört. Die Tatsache, dass er mit Sarah verabredet ist, ruft eine Menge Gefühle in ihm hervor, aber was empfindet er eigentlich *für sie*? Auf die Begegnung mit der Frau im Friseursalon vor ein paar Wochen hat er weit heftiger reagiert, und das will doch bestimmt etwas heißen. *Gib ihr eine Chance. Gib dir selbst eine Chance.*

Um die Mittagszeit herrscht auf der Grafton Street ein ziemliches Gedränge, ungefähr so, als hätte der Zoo seine Tore geöffnet und die Tiere wären alle hierhergeströmt, froh, der Gefangenschaft für ein Stündchen entronnen zu sein. Für heute ist er mit seiner Arbeit fertig, der Vorlesung über sein Spezialgebiet: »Kupfer als Leinwand: 1575–1775.« Ein Erfolg bei den Studenten im dritten Jahr, die sich seinen Vortrag extra ausgesucht haben.

Weil er weiß, dass er zu spät dran ist für sein Treffen mit Sarah, joggt er ein Stück, aber die Schmerzen von dem Aufenthalt im Fitnessstudio machen ihn fast zum Krüppel. Dass Al mit seiner Unkerei recht hatte, ärgert ihn furchtbar, und so humpelt er, statt zu rennen, hinter den beiden anscheinend langsamsten Menschen auf der ganzen Grafton Street her. Seine Pläne, die beiden zu überholen, werden vereitelt, weil ihm viel zu viele Menschen entgegenkommen. Wie soll er da auf die Überholspur gelangen? Ungeduldig verlangsamt er seine Schritte, passt sein Tempo den beiden Leuten vor ihm an, von denen der eine schwankt und vor sich hin trällert.

Um die Zeit schon besoffen, also wirklich.

Dad lässt sich Zeit und schlendert durch die Grafton Street, als hätte er alle Zeit der Welt. Wahrscheinlich hat er die ja auch, jedenfalls im Vergleich zu allen anderen, obwohl ein jüngerer Mensch vielleicht anderer Meinung wäre. Gelegentlich bleibt er stehen und deutet auf irgendetwas, stellt sich zu einem Menschenpulk, der sich gerade eine Darbietung von Straßenkünstlern anschaut, und wenn wir weitergehen, tritt er mitten hinein in den Strom, und es ist ihm vollkommen gleichgültig, dass er alles aufmischt. Wie ein Fels in der Brandung zwingt er seine Mitmenschen dazu, um ihn herumzugehen. Und während wir hin und her und rauf und runter schaukeln, singt er leise vor sich hin.

»Grafton Street's a wonderland,
There's magic in the air.
There's diamonds in the ladies' eyes and gold-dust in their hair.
And if you don't believe me,
Come and see me there,
In Dublin on a sunny summer morning.«

Dann grinst er mich an und fängt wieder von vorn an. Hier und da fällt ihm ein Wort nicht mehr ein, aber das ersetzt er einfach mit einem Summen.

In den stressigsten Phasen meines Jobs kamen mir vierundzwanzig Stunden immer viel zu wenig vor. Jetzt möchte ich am liebsten die Hände ausstrecken und nach den Sekunden und Minuten greifen, als könnte ich sie am Verstreichen hindern, ein kleines Mädchen, das Seifenblasen nachjagt. Natürlich kann ich die Zeit nicht festhalten, aber irgendwie hat es den Anschein, als könnte Dad es. Ich habe mich oft gefragt, wie er seine Zeit ausfüllt, als wäre das, was ich beruflich machte – Türen öffnen, über Sonnenwinkel, Zentralheizung und Stauraum reden –, mehr wert als sein Herumwerkeln. Dabei werkeln wir in Wahrheit doch alle nur herum, füllen die Zeit aus, die uns auf dieser Welt gegeben ist, irgendwie. Aber um uns selbst bedeutsamer zu fühlen, stellen wir allerlei Wichtigkeitslisten auf.

Was tut man also, wenn alles sich verlangsamt, wenn die Minuten, die vergehen, plötzlich ein bisschen länger zu sein scheinen als bisher? Man nimmt sich Zeit. Man atmet langsamer. Man öffnet die Augen ein bisschen weiter und sieht sich alles in Ruhe an. Nimmt seine Umgebung in sich auf. Man denkt vielleicht auch an

Geschichten von früher, an Menschen, an vergangene Zeiten und Ereignisse. Man lässt sich von dem, was man in diesem Moment wahrnimmt, an andere Dinge erinnern. Man redet über diese Dinge. Man hält inne, konzentriert sich auf das Hier und Jetzt. Man findet Lösungen für das Kreuzworträtsel, das man gestern nicht fertig gekriegt hat. *Mach langsam.* Hör auf, alles jetzt sofort erledigen zu wollen, schnell, schnell. Kümmere dich nicht darum, wenn du die Leute hinter dir aufhältst, nimm ruhig zur Kenntnis, dass sie dir fast auf die Hacken treten, aber behalte dein eigenes Tempo bei. Lass es dir von keinem anderen vorschreiben.

Aber wenn der Mensch hinter uns mir noch ein einziges Mal in die Hacken tritt …

Die Sonne scheint so hell, dass es schwierig ist, geradeaus zu schauen. Es ist, als würde sie oben an der Grafton Street sitzen, eine Bowlingkugel, die sich anschickt, uns alle zu überrollen. Endlich sind wir am Ende angekommen, und ein Ausweg aus dem Menschenstrom ist in Sicht. Plötzlich bleibt Dad stehen, fasziniert von dem Pantomimen, an dem wir gerade vorbeigegangen sind. Da unsere Arme ineinander verhakt sind, bin ich gezwungen, ebenfalls anzuhalten, und prompt rasselt der Mensch hinter mir mit voller Wucht in mich rein. Ein letzter ergiebiger Tritt in die Hacken. Das war's.

»Hey!«, rufe ich und drehe mich wütend zu ihm um. »Passen Sie doch gefälligst auf!«

Aber er grunzt mich nur frustriert an und eilt weiter. »Selber hey!«, erwidert er mit einem unverkennbaren amerikanischen Akzent.

Gerade will ich ihm etwas nachrufen, aber der Klang seiner Stimme hält mich zurück.

»Schau dir das mal an«, meint Dad bewundernd, während er dem Pantomimen zusieht, der in einer unsichtbaren Kiste festsitzt. »Soll ich ihm vielleicht einen unsichtbaren Schlüssel geben, damit er wieder rauskommt?« Er lacht. »Wäre das nicht lustig, Liebes?«

»Nein, Dad.« Ich sehe dem Rücken des Remplers nach und versuche mich daran zu erinnern, warum mir die Stimme so bekannt vorkommt.

»Du weißt doch, dass de Valera mit einem Schlüssel, den jemand in einem Geburtstagskuchen zu ihm reingeschmuggelt hat, aus dem Gefängnis entkommen ist. Das sollte mal einer diesem Typen hier erzählen. Also, wo gehen wir denn jetzt hin?« Er sieht sich um und wandert in die andere Richtung weiter, mitten durch eine Gruppe paradierender Hare Krishnas, ohne sie im Geringsten zu beachten.

Der beigefarbene Dufflecoat dreht sich noch einmal um und wirft mir einen letzten bösen Blick zu, ehe er endgültig davonstürmt.

Aber ich starre ihm weiter nach. Wenn ich das Stirnrunzeln umdrehe, wird es ein Lächeln. Ein vertrautes Lächeln.

»Gracie, hier kriegt man die Tickets. Ich hab's gefunden!«, ruft mein Vater.

»Warte mal, Dad.« Ich lasse den Dufflecoat nicht aus den Augen. Dreh dich noch einmal um und zeig mir dein Gesicht, bettle ich im Stillen.

»Ich hole dann mal die Tickets.«

»Okay, Dad«, sage ich, ohne den Blick von dem Dufflecoat abzuwenden. Ich kann mich einfach nicht davon losreißen. In Gedanken werfe ich ein Lasso und beginne ihn zu mir zu ziehen. Seine Schritte werden kleiner, das Tempo wird langsamer …

Auf einmal bleibt er stehen. Ja!

Bitte dreh dich um. Ich ziehe am Lasso.

Er wendet sich um, lässt die Augen suchend über die Menschenmenge schweifen. Sucht er mich?

»Wer bist du?«, murmle ich.

»Ich!«, antwortet Dad. »Du stehst mitten auf der Straße.«

»Ich weiß, was ich tue«, fahre ich ihn an. »Hier, hol die Tickets.« Ich strecke ihm ein paar Geldscheine hin.

Die Augen weiter auf den Dufflecoat gerichtet, entferne ich

mich von den Hare Krishnas und hoffe, dass er mich entdeckt. Der helle Wollstoff seines Mantels leuchtet zwischen den dunklen, trüben Klamotten der Leute um ihn herum. Ich räuspere mich und fahre mir durch meine kurzen Haare.

Der Mann im Dufflecoat sieht sich immer noch forschend um, und dann richtet sich sein Blick ganz, ganz langsam auf mich. In der Sekunde, die er braucht, um mich zu registrieren, erkenne ich ihn. Es ist der Mann aus dem Friseursalon!

Was jetzt? Vielleicht erinnert er sich ja überhaupt nicht an mich. Vielleicht ärgert er sich immer noch, weil ich ihn so angeblafft habe. Ich weiß nicht, was ich tun soll. Soll ich lächeln? Winken? Keiner von uns rührt sich.

Dann hebt er die Hand. Winkt. Ich sehe mich um, um mich zu vergewissern, dass ich gemeint bin. Obwohl ich mir eigentlich so sicher bin, dass ich meinen Vater verwettet hätte. Plötzlich ist die Grafton Street ganz leer. Und still. Nur er und ich sind da. Seltsam, wie das passiert ist. Wie rücksichtsvoll von den anderen. Ich winke zurück. Er bewegt die Lippen und will mir etwas sagen.

Streit? Bleib? Nein.

Leid! Es tut ihm leid. Ich überlege, was ich antworten soll, aber ich kann nicht aufhören zu lächeln, und wenn man lächelt, kann man genauso wenig Worte formen wie ein Liedchen pfeifen.

»Ich hab die Tickets«, ruft Dad. »Zwanzig Euro für jedes – der glatte Wahnsinn, wenn du mich fragst. Sehen kostet doch nichts! Ich verstehe überhaupt nicht, wie die einen dafür bezahlen lassen können, dass man die Augen benutzt. Ich werde jemandem zu diesem Thema einen geharnischten Brief schreiben. Wenn du mich das nächste Mal fragst, warum ich lieber zu Hause bleibe und meine Fernsehsendungen anschaue, werde ich dich daran erinnern, dass das wenigstens nichts kostet. Zwei Euro für die Fernsehzeitung und hundertfünfzig Euro Gebühren pro Jahr, das ist ein besseres Preis-Leistungs-Verhältnis als ein Tag mit dir in der Stadt«, schimpft er. »Teure Taxis, um hinzukommen, dann ein Schweinegeld, um Sachen anzuschauen, die ich mir seit sechzig Jahren umsonst ansehe.«

Auf einmal höre ich den Verkehrslärm wieder, sehe das Gewimmel der Menschen, spüre Sonne und Wind auf meinem Gesicht. Ich fühle mein Herz laut in meiner Brust pochen und das Blut aufgeregt durch meine Adern rasen. Dad zerrt an meinem Arm.

»Er fährt los, komm schon, Gracie, er fährt gleich los. Ist noch ein Stückchen die Straße rauf, wir müssen uns beeilen. Gleich neben dem Shelbourne Hotel. Alles in Ordnung mit dir? Du machst ein Gesicht, als hättest du einen Geist gesehen, und sag mir jetzt nicht, dass es tatsächlich so war, ich hab heute nämlich schon genug verkraftet. Vierzig Euro«, brummt er vor sich hin.

Ein stetiger Passantenstrom versammelt sich am Ende der Grafton Street, um die Straße zu überqueren, und versperrt mir die Sicht. Dad zieht mich zurück, und ich gehe neben ihm die Merrion Row entlang, rückwärts, um meinen Amerikaner im Auge zu behalten.

»Verdammt!«

»Was ist denn los, Liebes? Es ist nicht weit. Was machst du denn überhaupt, warum gehst du rückwärts?«

»Ich kann ihn nicht sehen.«

»Wen denn, Liebes?«

»Jemanden, den ich kenne. Ich glaube zumindest, dass ich ihn kenne.« Ich drehe mich um und stelle mich neben Dad, schaue aber weiter die Straße hinunter und durchsuche mit den Augen die Menge.

»Na ja, wenn du dir nicht mal sicher bist, ob du ihn überhaupt kennst, würde ich mich nicht auf ein Schwätzchen mitten in der Stadt einlassen«, meint Dad, ganz der Beschützer. »Was ist denn das überhaupt für ein Bus, Gracie? Sieht sonderbar aus, finde ich. Da komm ich ein paar Jährchen nicht in die Stadt, und schau dir an, was die Transportgesellschaft alles anstellt.«

Ich ignoriere seine Bemerkung und lasse mich von ihm in den

Bus führen, während ich immer noch versuche, in die andere Richtung zu spähen, und durch die Fenster Ausschau nach dem Mann halte. Inzwischen hat sich der Pulk, der mir die Sicht versperrt hat, entfernt, aber nun ist er nicht mehr zu sehen.

»Er ist weg.«

»Ach ja? Wenn er einfach abgedampft ist, kanntest du ihn wohl doch nicht so gut.«

Ich wende mich ihm zu. »Dad, das war das Seltsamste, was ich je erlebt habe.«

»Glaub ich nicht, denn etwas Seltsameres als das hier gibt es sowieso nicht.« Staunend sieht Dad sich um.

Jetzt sehe ich mich endlich auch im Bus um und nehme meine Umgebung zur Kenntnis. Die Passagiere tragen allesamt Wikingerhelme und haben Schwimmwesten auf dem Schoß.

»Okay, meine Damen und Herren«, sagt der Tourführer ins Mikro, »jetzt sind wir also vollzählig. Zeigen wir den Neuankömmlingen, wie sie sich zu verhalten haben. Wenn ich das Stichwort gebe, möchte ich, dass Sie alle brüllen wie die alten Wikinger! Und los geht's!«

Als der ganze Bus anfängt zu grölen, hüpfen Dad und ich vor Schreck fast von unseren Sitzen, und ich spüre, wie er sich ganz fest an mich klammert.

Vierzehn

»Guten Tag, meine Damen und Herren, ich bin Olaf der Weiße und heiße Sie an Bord des *Viking Splash Bus* herzlich willkommen! Historisch bekannt unter dem Namen DUKW oder etwas liebevoller als ›Duck‹. Wir sitzen in der amphibischen Version des Fahrzeugs, das General Motors im Zweiten Weltkrieg gebaut hat und das sich ursprünglich durch das Wasser zur Küste vorkämpfen musste, um Lasten oder Truppen vom Schiff zum Land zu bringen. Heute wird das Modell in den Vereinigten Staaten, in Großbritannien und auch in anderen Teilen der Welt häufig als Unterwasser-Rettungsfahrzeug benutzt.«

»Können wir bitte aussteigen?«, flüstere ich Dad ins Ohr.

Aber er ist bereits Feuer und Flamme für unseren Ausflug.

»Dieses Fahrzeug wiegt sieben Tonnen, ist zehn Meter lang und zweieinhalb Meter breit. Es hat sechs Räder und kann mit Hinterrad- oder Vierradantrieb gefahren werden. Wie Sie sehen, ist es umgebaut und mit bequemen Sitzen, einem Dach und herablassbaren Seitenwänden ausgestattet worden, zum Schutz vor den Elementen, denn wie Sie alle wissen, wird unser Bus einen Sprung ins Wasser machen, und wir werden zusammen eine fantastische Rundfahrt durch die Grand Canal Docklands erleben.«

Alles jubelt, und Dad schaut mich an, die Augen vor Begeisterung weit aufgerissen wie ein kleiner Junge.

»Jetzt wundere ich mich nicht mehr, dass das hier zwanzig Euro kostet. Ein Bus, der durchs Wasser fährt! Ein *Bus*? Der durchs *Wasser* fährt? So was hab ich ja noch nie gesehen. Warte bloß, bis ich das den Jungs im Monday Club erzähle. Das kann nicht mal unser Großmaul Donal überbieten.« Dann wendet Dad seine Aufmerksamkeit wieder dem Tourführer zu, der wie alle anderen Passagiere einen Wikingerhelm mit Hörnern trägt. Auch Dad holt sich zwei von den Kopfbedeckungen, stülpt sich einen Helm auf den Schädel und überreicht mir den anderen, an dem zwei dicke blonde Zöpfe befestigt sind.

»Olaf, ich möchte dir Heidi vorstellen.« Ich setze den Helm auf und drehe mich zu Dad.

Er lacht tonlos.

»Zu den Sehenswürdigkeiten auf dem Weg gehören unter anderem unsere berühmten Kathedralen von St. Patrick's und Christchurch, das Trinity College, die Regierungsgebäude, das georgianische Dublin …«

»Oooh, das wird dir gefallen«, verkündet Dad und knufft mich mit dem Ellbogen in die Seite.

»… und natürlich das Wikinger-Dublin!«

Alle fangen wieder an zu brüllen, auch mein Vater, und ich kann mir das Lachen auch nicht mehr verkneifen.

»Ich verstehe nicht, warum wir eine Truppe von Hornochsen feiern, die plündernd durch unser Land gezogen sind …«

»Ach, kannst du nicht mal ein bisschen entspannen und Spaß haben?«

»Und was machen wir, wenn wir unterwegs einem DUKW-Rivalen begegnen?«, fragt der Tourführer.

Eine Mischung aus Buhrufen und Brüllen ist die Antwort.

»Okay, los geht's!« verkündet Olaf voller Enthusiasmus.

Hektisch lässt Justin die Augen über die kahlgeschorenen Köpfe der Hare Krishnas schweifen, die an ihm vorbeidefilieren und ihm die Sicht auf die Frau im roten Mantel versperren. Ein Meer orangefarbener Gewänder und lächelnder Gesichter, dazu klingelnde Glöckchen und Trommelschlagen. Verzweifelt hüpft

Justin auf und ab und versucht, die Merrion Row hinunterzuspähen.

Plötzlich taucht vor ihm ein Pantomime in schwarzem Trikot auf, das Gesicht weiß geschminkt, die Lippen rot, auf dem Kopf einen gestreiften Hut. Einen Augenblick lang stehen sie einander gegenüber, warten beide darauf, dass der jeweils andere etwas tut, und Justin schickt ein Stoßgebet zum Himmel, dass es dem Pantomimen bald langweilig wird und er sich verkrümelt. Aber nein. Stattdessen strafft der Mann die Schultern, setzt ein fieses Gesicht auf, spreizt die Beine und lässt die Hand über der Stelle schweben, wo im wilden Westen das Pistolenhalfter sitzt.

Höflich, mit gedämpfter Stimme sagt Justin: »Hören Sie, ich bin wirklich nicht in der Stimmung für so was. Wären Sie bitte so nett, sich jemand anderes auszusuchen?«

Unbeirrt beginnt der Mann, mit versonnenem Gesichtsausdruck auf einer unsichtbaren Violine zu spielen.

Justin hört Gelächter und merkt, dass sich bereits Schaulustige um sie scharen. *Na toll.*

»Ja, wirklich sehr komisch. Aber das reicht jetzt.«

Ohne auf die weiteren Faxen des Manns zu achten, entfernt Justin sich von der wachsenden Menge und hält dabei weiter Ausschau nach dem roten Mantel in der Merrion Row.

Aber der Clown lässt sich nicht so leicht abwimmeln, taucht wieder neben ihm auf, hält sich die Hand über die Stirn und blickt in die Ferne wie von einem Schiffsausguck. Die Zuschauerherde folgt, blökend und mit gezückten Fotoapparaten. Ein älteres japanisches Pärchen ist schon wild am Knipsen.

Justin knirscht mit den Zähnen, sagt aber ganz leise, sodass niemand außer dem Pantomimen es hören kann: »Hey, Arschloch, sehe ich vielleicht aus, als würde mir das Spaß machen?«

Wie von den Lippen eines Bauchredners ertönt die Antwort mit einem breiten Dubliner Akzent: »Hey, Arschloch, sehe ich vielleicht aus, als würde mich das einen Scheißdreck interessieren?«

»Na gut, wenn du es so willst. Ich weiß nicht, ob du hier Marcel Marceau oder Coco den Clown geben willst, deine Hampelei wäre jedenfalls für beide peinlich. Vielleicht finden die Leute hier deine geklauten Marceau-Versatzstücke amüsant, aber ich ganz sicher nicht. Im Gegensatz zu diesen Touris, die nicht wissen, dass Marceau mit seinen Darbietungen immer eine Geschichte erzählt oder eine bestimmte Figur beschrieben hat, durchschaue ich dich nämlich. Du selbst hast Marceau auch nicht kapiert. Der stand nicht einfach zufällig an einer Straßenecke rum und hat Passanten belästigt. Du bist eine Schande für alle Pantomimen der Welt mit deiner Einfallslosigkeit und deiner miesen Technik.«

Der Mann blinzelt einmal und geht weiter gegen einen unsichtbaren starken Gegenwind.

»Hier bin ich!«, ruft eine Stimme jenseits der Menge.

Da ist sie! Sie hat mich erkannt!

Justin tanzt von einem Fuß auf den anderen und sucht den roten Mantel.

Das Publikum wendet sich um, die Menge teilt sich, und da ist Sarah. Anscheinend findet sie die Szenerie irgendwie aufregend.

Sofort imitiert der Pantomime Justins offensichtliche Enttäuschung, setzt ein betrübtes Gesicht auf und macht den Rücken krumm, sodass die Hände fast auf dem Boden schleifen.

»Ooooooch«, machen die Zuschauer, und auch Sarahs Lachen verschwindet.

Nervös vertreibt Justin die Enttäuschung aus seinem Gesicht und zwingt sich zu lächeln. Rasch bahnt er sich einen Weg durch die Menge, begrüßt Sarah und führt sie eilig weg, während die Zuschauer klatschen und ein paar Münzen in den Kasten des Pantomimen werfen.

»Fandest du das nicht ein bisschen unhöflich? Vielleicht hättest du ihm wenigstens ein bisschen Kleingeld geben sollen oder so«, meint sie und schaut über die Schulter zu dem Clown zurück, der die Hände vors Gesicht geschlagen hat und mit zuckenden Schultern einen Weinkrampf mimt.

»Ich fand den Typen im Trikot ein bisschen unhöflich«, entgegnet Justin und schaut sich geistesabwesend weiter nach dem roten Mantel um, während sie sich auf den Weg zum Restaurant machen, zu einem Lunch, den Justin jetzt unbedingt absagen möchte.

Sag ihr doch, du fühlst dich nicht wohl. Nein, sie ist Ärztin, sie wird zu viele Fragen stellen. Sag ihr, dass du dich in deinem Stundenplan vertan hast und noch eine Vorlesung halten musst, jetzt gleich. Sag es ihr, sag es ihr!

Aber er geht einfach weiter, neben ihr her, in Gedanken so aktiv wie der St.-Helena-Vulkan kurz vor dem Ausbruch, die Augen so unruhig wie ein Junkie, der dringend einen Schuss braucht. In dem Kellerrestaurant führt man sie zu einem ruhigen Tisch in der Ecke. Justin blickt sehnsüchtig zur Tür.

Ruf einfach »Feuer« und renn los!

Sarah lässt ihren Mantel so von der Schulter rutschen, dass man möglichst viel Haut sieht, und zieht ihren Stuhl näher zu seinem.

So ein Zufall, dass er der Frau aus dem Friseursalon wieder begegnet ist, er ist ja buchstäblich in sie reingelaufen! Obwohl es vielleicht auch gar kein so großes Wunder ist; Dublin ist klein. Seit er hier ist, hat er gemerkt, dass so ziemlich jeder jeden kennt, oder zumindest jemanden, der mit jemandem verwandt ist, den jemand mal kennengelernt hat. Aber diese Frau … er muss aufhören, sie so zu nennen. Er muss ihr einen Namen geben. *Angelina.*

»Woran denkst du?«, fragt Sarah, beugt sich über den Tisch und schaut ihm in die Augen.

Oder Lucille. »Kaffee. Ich denke an Kaffee. Ich hätte gern einen Kaffee, schwarz«, sagt er zu der Kellnerin, die gerade den Tisch abräumt. Dann fällt sein Blick auf ihr Namensschildchen. *Jessica.* Nein, die Frau im roten Mantel ist definitiv keine Jessica.

»Willst du nichts essen?«, fragt Sarah, enttäuscht und verwirrt.

»Nein, ich kann leider nicht so lange bleiben, wie ich gehofft hatte, sondern muss schon früher wieder ins College zurück.«

Unter dem Tisch hüpft sein Bein, schlägt gegen die Tischplatte und bringt das Besteck zum Klappern. Die Kellnerin und Sarah beäugen ihn forschend.

»Oh. Okay«, sagt Sarah und widmet sich der Speisekarte. »Ich hätte gern einen Chefsalat und ein Glas von dem weißen Hauswein, bitte«, bestellt sie und meint dann zu Justin: »Ich muss was essen, sonst klappe ich zusammen. Hoffentlich stört es dich nicht.

»Kein Problem«, erwidert er lächelnd. *Obwohl du natürlich unbedingt den größten Salat auf der ganzen Karte bestellen musstest. Wie wäre es mit Susan? Sieht meine Mantel-Frau aus wie eine Susan?* Meine *Mantel-Frau? Was zum Henker ist denn mit mir los?*

»Wir kommen jetzt in die Dawson Street, benannt nach Joshua Dawson, der auch die Grafton Street, Anne Street und Henry Street entworfen hat. Rechts sehen Sie das Mansion House, in dem der Oberbürgermeister von Dublin residiert.«

Sämtliche gehörnten Wikingerhelme wenden sich nach rechts. Videokameras, Digicams und Handys werden durch die offenen Fenster gestreckt.

»Meinst du, das haben die Wikinger damals so gemacht, Dad? Ihre Kameras auf Gebäude gerichtet, die es damals noch gar nicht gab, und klick-klick gemacht?«, flüstere ich.

»Ach, sei still«, entgegnet er laut, und der Tourführer hält irritiert mitten im Satz inne.

»Nein, nicht Sie!«, beruhigt Dad ihn und wedelt mit der Hand. »Meine Tochter.« Er deutet auf mich, und der ganze Bus glotzt uns an.

»Rechts sehen Sie die St. Anne's Church, die 1707 von Isaac Wells konzipiert wurde. Das Innere der Kirche stammt aus dem siebzehnten Jahrhundert«, fährt Olaf fort, an die dreißig Mann starke Wikingertruppe gewandt.

»Genau genommen wurde die romanische Fassade erst 1868

hinzugefügt, und die ist ein Werk von Thomas Newenham Deane«, flüstere ich Dad zu.

»Oh«, sagt Dad und macht große Augen. »Das hab ich nicht gewusst.«

Auch ich reiße die Augen auf. »Ich auch nicht.«

Dad kichert.

»Jetzt sind wir auf der Nassau Street, und gleich kommen wir linkerhand an der Grafton Street vorbei.«

Dad fängt wieder an, »Grafton Street's a Wonderland« zu singen. Und zwar ziemlich laut.

Eine Amerikanerin vor uns dreht sich zu uns um und strahlt. »Oh, kennen Sie das Lied? Mein Vater hat es immer gesungen. Er kam aus Irland. Ach, ich würde es so gern noch einmal ganz hören, könnten Sie es vielleicht für uns singen? Bitte!«

Ein Chor von »O ja, bitte …!« stimmt ein.

Durchaus an öffentliche Auftritte gewöhnt, beginnt mein Vater, der sich ja auch jede Woche im Monday Club gesanglich ins Zeug legt, zu schmettern, und der ganze Bus stimmt schunkelnd ein. Dads Stimme dringt durch die klappbaren Plastikfenster des DUKW nach draußen, zu den Fußgängern und Autofahrern.

Ich mache ein mentales Foto von Dad, wie er neben mir sitzt und mit geschlossenen Augen singt, auf dem Kopf den Helm mit zwei Hörnern.

Mit wachsender Ungeduld beobachtet Justin, wie Sarah in ihrem Salat herumstochert. Spielerisch pickt die Gabel nach einem Stück Hähnchen, spießt es auf, es stürzt ab, wird wieder eingefangen und schafft es schließlich, hängen zu bleiben, obwohl es hin und her gewirbelt und nebenbei als Hebel benutzt wird, um unter den Salatblättern nach den eventuell darunter befindlichen Schätzen zu schürfen. Schließlich bekommt das Hähnchen ein Stück Tomate als Beigabe, aber während die Gabel sich gemächlich auf Sarahs Mund zubewegt, stürzt es samt der Tomate erneut in die Tiefe. Und das zum dritten Mal.

»Bist du sicher, dass du keinen Hunger hast, Justin? Du schaust dauernd so interessiert auf meinen Teller«, lächelt sie, die nächste Gabel voll Salatmischung schwenkend, von der diesmal eine rote Zwiebelscheibe und ein Stück Cheddar auf den Teller zurückpurzeln. Jedes Mal ist es ein Schritt vorwärts, zwei zurück.

»Doch, ich würde gern was davon probieren.« In der Zeit, in der sie fünf Bissen verzehrt hat, hat er sich übrigens schon eine Suppe bestellt und weggelöffelt.

»Soll ich dich füttern?«, flirtet sie und führt die Gabel mit kreisförmigen Bewegungen auf seinen Mund zu.

»Na ja, ich hätte gern mehr drauf als diese Winzportion.«
Gehorsam gabelt sie noch ein paar Salatbeigaben für ihn auf.

»Mehr«, sagt er und wirft schnell einen Blick auf seine Armbanduhr. Je mehr Essen er sich in den Mund stopfen kann, desto früher wird er dieser frustrierenden Situation entronnen sein. Er weiß, dass die Frau im roten Mantel – *Veronica* – bestimmt längst weg ist, aber hier zu sitzen und zuzusehen, wie Sarah wahrscheinlich mehr Kalorien damit verbrennt, dass sie mit dem Essen spielt, als sie aufnimmt, indem sie es verzehrt, bringt ihn der Antwort kein Stück näher.

»Okay, hier kommt das Flugzeug«, flötet sie.

»Mehr.« Beim Start des Flugzeugs ist schon wieder die Hälfte abgestürzt.

»Mehr? Wie soll ich denn noch mehr auf die Gabel packen, geschweige denn in deinen Mund?«

»Hier, ich zeige es dir.« Ohne große Umstände nimmt Justin ihr die Gabel aus der Hand und fängt an zu stochern. Hähnchen, Mais, Salat, rote Beete, Zwiebel, Tomate, Käse, er schafft alles auf einmal. »So, wenn die Pilotin das nun bitte zur Landung bringen möchte ...«

Sie kichert. »Das passt garantiert nicht alles in deinen Mund.«

»Ich hab einen ziemlich großen Mund.«

Sarah schaufelt lachend und nicht ohne Mühe die Ladung in

Justins Mund. Als er schließlich fertig gekaut und geschluckt hat, schaut er erneut auf die Uhr und dann auf ihren Teller.

»Okay, jetzt bist du dran.« *Du bist ein echtes Schwein, Justin.*

»Kommt nicht in Frage«, giggelt sie.

»Ach komm.« Er spießt so viel Salat auf wie möglich, darunter das viermal zurückgelassene Stück Hähnchen, und lässt es in Sarahs Mund fliegen.

Sie lacht weiter, während sie alles unterzubringen versucht. Obwohl sie kaum gleichzeitig atmen, kauen, schlucken und lächeln kann, bemüht sie sich trotzdem, hübsch auszusehen. Fast eine volle Minute lang kann sie nicht sprechen, denn sie möchte ja so damenhaft wie möglich kauen. Gemüsesaft und Salatsauce rinnen ihr übers Kinn, und als sie endlich schluckt und ihn dann mit lippenstiftverschmiertem Mund anlächelt, entblößt sie dabei ein großes Stückchen Salat, das zwischen ihren Zähnen steckt.

»Das war lustig«, freut sie sich.

Helena. Wie Helena von Troja, die so schön war, dass ihretwegen ein Krieg ausbrach.

»Sind Sie fertig? Kann ich den Teller abräumen?«, fragt die Kellnerin.

Sarah macht den Mund auf. »N …«, setzt sie an, aber ehe sie das Wort herausgebracht hat, geht Justin dazwischen.

»Ja, danke«, ruft er und meidet Sarahs verwunderten Blick.

»Nein, ich bin noch nicht fertig, danke«, sagt Sarah bestimmt. Der Teller wird auf den Tisch zurückgestellt.

Justins Bein wippt unter dem Tisch, und seine Ungeduld steigert sich ins Unermessliche. *Salma. Sexy Salma.* Unbehagliches Schweigen senkt sich herab.

»Tut mir leid, Salma, ich wollte nicht unhöflich sein …«

»Sarah.«

»Was?«

»Ich heiße Sarah.«

»Das weiß ich doch.«

»Du hast mich Salma genannt.«

136

»Oh. Was? Wer ist Salma? Gott. Entschuldige. Ich kenne nicht mal eine Salma, ehrlich.«

Sie isst schneller. Offensichtlich möchte auch sie jetzt weg von ihm.

Etwas freundlicher sagt er: »Es ist nur so, dass ich zum College zurück muss …«

»Früher, als du dachtest, ja, das hast du gesagt.« Sie lächelt ihn an, aber als sie wieder auf ihren Teller blickt, fällt ihr Gesicht in sich zusammen. Zielbewusst spießt sie ein Stück nach dem anderen auf. Jetzt wird nicht mehr gespielt, jetzt wird gegessen. Statt mit Worten ist ihr Mund mit Salat gefüllt.

Justin möchte im Boden versinken, denn er weiß, dass er sich furchtbar benommen hat. *Sag ihr endlich, was Sache ist, du Trottel.* Er starrt sie an: hübsches Gesicht, toller Körper, intelligente Frau. Schicker Hosenanzug, lange Beine, volle Lippen. Lange elegante Finger, französisch manikürte Nägel, schicke Handtasche, passend zu den Schuhen. Professionell, selbstbewusst, klug. Nichts auszusetzen an dieser Frau, absolut nichts. Das Problem ist Justins Gefühl, das Gefühl, dass ein Teil von ihm anderswo ist. Ein Teil von ihm, der sich aber gleichzeitig so nahe anfühlt, dass er sofort aufspringen, rauslaufen und ihn einfangen möchte. Im Moment scheint Laufen sowieso eine gute Idee, er weiß nur nicht recht, was oder wen er eigentlich fangen möchte. In einer Stadt mit einer Million Menschen kann er nicht erwarten, dass er aus der Tür kommt und gleich wieder die Frau mit dem roten Mantel draußen vorfindet. Soll er deshalb diese schöne Frau im Restaurant sitzenlassen? Nur um einer Idee nachzujagen?

Er versucht sein Bein ruhig zu halten und lehnt sich zurück. Bisher hat er auf der Stuhlkante gekauert, jederzeit bereit, zur Tür zu hechten, sobald seine Begleiterin Messer und Gabel beiseite legt. »Sarah«, seufzt er, und jetzt meint er, was er sagt. »Es tut mir sehr leid.«

Sie hört auf zu essen und blickt vom Teller zu ihm auf, kaut schnell, tupft sich die Lippen mit der Serviette ab und schluckt. Ihr Gesicht entspannt sich. »Okay.«

Mit einem Achselzucken wischt sie die Krümel vom Tisch. »Ich suche keinen Ehemann, Justin.«

»Ich weiß, ich weiß.«

»Das hier ist bloß ein Lunch.«

»Das weiß ich auch.«

»Oder sollen wir einfach ›Kaffee‹ dazu sagen, falls du beim Wort ›Lunch‹ zum Ausgang rennen und ›Feuer‹ schreien möchtest?« Sie sieht zu seiner leeren Tasse und schnippt imaginäre Krümel weg.

Er greift nach ihrer Hand, damit sie endlich stillhält. »Es tut mir leid.«

»Okay«, wiederholt sie.

Die Luft klärt sich, die Spannung verfliegt, Sarahs Teller wird abgeräumt.

»Wir sollten wohl die Rechnung …«

»Wolltest du eigentlich schon immer Ärztin werden?«

»Himmel!« Sie ist dabei, ihr Portemonnaie zu öffnen, hält aber mitten in der Bewegung inne. »Bei dir gibt's aber auch keine Zwischentöne, was?« Aber sie lächelt wieder.

»Es tut mir leid«, wiederholt Justin und schüttelt den Kopf. »Trinken wir noch einen Kaffee, bevor wir gehen. Hoffentlich habe ich noch Zeit zu verhindern, dass dir dieses Date als das schlimmste deines Lebens in Erinnerung bleibt.«

»Keine Sorge.« Lächelnd schüttelt sie den Kopf. »Aber es ist ein guter zweiter Platz, und ohne deine Ärztinnenfrage hätte es wirklich um ein Haar Platz eins geschafft.«

Justin grinst. »Und – wolltest du's immer schon werden?«

Sie nickt. »Seit James Goldin mich im Kindergarten operiert hat. Ich war fünf, und er hat mir das Leben gerettet.«

»Wow, das ist ziemlich jung für eine große Operation. Muss eine prägende Erfahrung gewesen sein.«

»Absolut. Ich war in der Mittagspause auf dem Hof, bin bei

138

Himmel und Hölle hingefallen und hab mir das Knie aufgeschlagen. Meine Freunde haben darüber diskutiert, ob eine Amputation angemessen wäre, aber James Goldin kam rübergerannt und hat mir eine Mund-zu-Mund-Beatmung gegeben. Und sofort waren die Schmerzen weg, einfach so. Da hab ich es gewusst.«

»Dass du Ärztin werden möchtest?«

»Dass ich James Goldin heiraten möchte.«

»Und hast du es getan?«

»Nein. Stattdessen bin ich Ärztin geworden.«

»Du bist eine gute Ärztin.«

»Ja, das kann man beurteilen, wenn man sich von mir Blut abnehmen lässt«, grinst sie. »Alles klar in dem Bereich?«

»Mein Arm juckt ein bisschen, aber ansonsten ist alles wunderbar.«

»Dein Arm juckt? Das sollte er nicht, lass mich mal ansehen.«

Er fängt an, den Ärmel hochzurollen, hält dann aber plötzlich inne. »Gibt es eigentlich eine Möglichkeit rauszufinden, wer mein Blut bekommen hat?«

Kopfschüttelnd antwortet sie: »Das Schöne am Blutspenden ist ja, dass es vollkommen anonym passiert.«

»Aber irgendwie muss es doch irgendwo vermerkt sein, oder nicht? In den Krankenhausakten oder sogar in *euren* Unterlagen.«

»Natürlich. Blutbankprodukte sind immer individuell auffindbar. Wird alles dokumentiert, die Spende, die Tests, die Trennung in die Blutbestandteile, die Lagerung und die Weitergabe an den Empfänger, aber …«

»Das Wort hasse ich.«

»… leider kannst du nicht erfahren, wer deine Spende erhalten hat.«

»Gerade hast du doch gesagt, dass alles dokumentiert wird.«

»Aber die Information darf nicht weitergegeben werden. Alle Einzelheiten sind in einer Datenbank gespeichert, und du hast das Recht, deine Spenderdaten einzusehen.«

»Und sagen die mir, wer mein Blut bekommen hat?«

»Nein.«

»Na, dann will ich sie auch nicht einsehen.«

»Justin, das Blut, das du gespendet hast, wurde nicht direkt an jemanden weitergeleitet, wie es aus deinen Adern gekommen ist. Es wurde getrennt in rote und weiße Blutkörperchen, Blutplättchen …«

»Ich weiß, ich weiß, ich weiß das alles.«

»Tut mir leid, aber ich kann da nichts tun. Warum willst du es denn unbedingt wissen?«

Er denkt eine Weile nach, lässt einen braunen Würfelzucker in seine Tasse plumpsen und rührt um. »Es interessiert mich einfach, wem ich geholfen habe, ob ich überhaupt jemandem geholfen habe, und wenn ja, wie es diesem Jemand jetzt geht. Ich habe das Gefühl … nein, das klingt bescheuert, du wirst denken, ich bin verrückt. Vergiss es.«

»Hey, sei nicht albern«, entgegnet sie besänftigend. »Ich halte dich doch sowieso schon für verrückt.«

»Ich hoffe, das ist keine medizinische Diagnose.«

»Erzähl es mir.« Ihre durchdringenden blauen Augen mustern ihn über den Rand ihrer Kaffeetasse hinweg, während sie einen Schluck trinkt.

»Ich spreche das zum ersten Mal laut aus, also sieh mir nach, dass ich rede, während ich denke. Zuerst war es ein lächerlicher Macho-Egotrip. Ich wollte wissen, wem ich das Leben gerettet habe. Für welche glückliche Person ich mein kostbares Blut hergegeben habe.«

Sarah lächelt.

»Aber in den letzten Tagen ist mir die Frage einfach nicht mehr aus dem Kopf gegangen. Ich fühle mich anders. Wirklich anders. Als hätte ich etwas verschenkt. Etwas sehr Wertvolles.«

»Es ist auch etwas Wertvolles, Justin. Wir brauchen ständig neue Spender.«

»Ich weiß, aber nicht – nicht so. Ich habe das Gefühl, dass

jemand da draußen rumläuft und etwas in sich hat, das ich ihm oder ihr geschenkt habe, und jetzt fehlt mir etwas …«

»Der Körper ersetzt den flüssigen Teil deiner Spende innerhalb von vierundzwanzig Stunden.«

»Nein, ich meine, ich habe das Gefühl, als hätte ich etwas weggegeben, einen Teil von mir, und dass dieser Teil einen anderen Menschen wieder vollständig gemacht hat, und … mein Gott, das klingt total hirnrissig. Ich möchte wahnsinnig gern wissen, wer dieser Mensch ist. Ich habe das Gefühl, dass ein Teil von mir fehlt und dass ich rausgehen und ihn finden muss.«

»Du kannst dein Blut nicht zurückbekommen, weißt du«, scherzt Sarah etwas lahm, dann versinken beide in ihre Gedanken. Traurig schaut Sarah in ihren Kaffee, während Justin seinem Wortgestümper einen Sinn abzugewinnen versucht.

»Ich sollte wahrscheinlich nicht versuchen, etwas so Unlogisches mit einer Ärztin zu besprechen«, sagt er schließlich.

»Ich kenne viele Leute, die so etwas sagen, Justin. Aber du bist der Erste, der es auf die Blutspende schiebt.«

Schweigen.

»Tja«, sagt Sarah und greift nach ihrem Mantel, der hinter ihr über der Stuhllehne hängt, »du hast es eilig, also sollten wir jetzt wirklich gehen.«

In kameradschaftlichem Schweigen, das nur gelegentlich von ein bisschen Smalltalk unterbrochen wird, gehen sie nebeneinander die Grafton Street hinunter. Vor der Statue von Molly Malone, direkt gegenüber vom Trinity College, bleiben sie automatisch stehen.

»Du bist bestimmt schon spät dran.«

»Nein, ich hab noch ein bisschen Zeit, bevor ich …« Er blickt auf die Uhr, plötzlich fällt ihm seine Ausrede wieder ein, und er merkt, dass er knallrot wird. »Tut mir leid.«

»Schon okay«, sagt sie.

»Ich hab das Gefühl, dass ich mich die ganze Zeit entschuldige, und du sagst okay.«

»Es ist ja auch wirklich okay«, lacht sie.

»Und mir tut es wirklich …«

»Stopp!« Sie hält ihm den Mund zu. »Es reicht.«

»Es war wirklich sehr nett«, stammelt er hilflos. »Sollen wir … weißt du, ich fühle mich hier gerade etwas beobachtet.«

Sie sehen nach rechts zu der Figur, die sie aus ihren bronzenen Augen unverwandt anschaut.

Sarah lacht. »Vielleicht könnten wir ja vereinbaren, dass …«

Ein furchtbares Gebrüll unterbricht sie.

Justin macht vor Schreck fast einen Satz. Direkt neben ihnen hat ein Bus an der Ampel gehalten, und aus seinem Innern dröhnt ein unglaublicher Lärm. Auch Sarah stößt einen Schrei aus und greift sich mit der Hand ans Herz. Über ein Dutzend Männer, Frauen und Kinder, alle mit Wikingerhelmen auf dem Kopf, schwenken die Fäuste in der Luft, lachen und grölen. Sarah und die Leute um sie herum fangen an zu lachen, ein paar brüllen zurück, aber die meisten ignorieren das Getöse.

Aber Justin ist still, denn ihm hat es den Atem verschlagen und er kann die Augen nicht abwenden von der Frau, die neben einem alten Mann sitzt und sich den Bauch hält vor Lachen. Auf dem Kopf trägt sie einen Helm mit zwei langen blonden Zöpfen.

»Die haben wir aber drangekriegt, Joyce«, ruft der alte Mann, kichert der Frau ins Gesicht und wedelt mit der Faust.

Zuerst macht sie ein verblüfftes Gesicht, dann gibt sie dem alten Mann einen Fünf-Euro-Schein, den dieser freudig entgegennimmt, und beide brechen wieder in schallendes Gelächter aus.

Schau mich an, fleht Justin im Stillen. Aber ihre Augen sind auf den alten Mann gerichtet, der jetzt den Geldschein gegen das Licht hält, als wollte er seine Echtheit überprüfen. Justin blickt zur Ampel. Sie ist immer noch rot. Noch hat die Frau Zeit, zu ihm herüberzusehen. *Dreh dich um. Schau mich an, nur ein einziges Mal!* Die Fußgängerampel wird gelb. Gleich ist die Zeit abgelaufen.

Sie sieht nicht her, vollkommen ins Gespräch vertieft.

Dann wird die Ampel grün, und der Bus biegt langsam in die Nassau Street. Justin geht neben ihm her und versucht, sie mit seiner ganzen Willenskraft zum Hersehen zu bewegen.

»Justin!«, ruft Sarah. »Was machst du denn da?«

Aber er geht einfach weiter, immer schneller, im Laufschritt. Er hört Sarah hinter sich rufen, aber er kann nicht stehen bleiben.

»Hey!«, ruft er.

Nicht laut genug, denn sie hört ihn nicht. Der Bus nimmt Tempo auf, Justin fängt an zu joggen und schließlich zu rennen. Massenweise Adrenalin wird durch seinen Körper gepumpt. Aber der Bus hängt ihn trotzdem ab.

»Joyce!«, brüllt er, so laut er kann. Der überraschende Klang seiner eigenen Stimme bringt ihn zum Stillstand. Was in aller Welt tut er denn da? Er beugt sich vor und stützt sich mit den Händen auf die Knie. Versucht Atem zu schöpfen, versucht sich in dem Wirbelwind, in dem er sich gefangen fühlt, zu sammeln. Ein letztes Mal schaut er dem Bus nach. Da taucht am Fenster ein Wikingerhelm mit blonden Zöpfen auf, die wie ein Pendel von einer Seite zur anderen schwingen. Das Gesicht kann er nicht erkennen, aber wenn ein einziger Kopf, ein einziger Mensch aus diesem Bus zu ihm zurückschaut, dann muss sie es sein, das weiß er.

Für einen Moment hält der Wirbelsturm inne, während er die Hand hebt und winkt.

Auch aus dem Busfenster erscheint eine Hand, dann biegt der Bus um die Ecke in die Kildare Street, und Justin sieht ihm nach, wie er verschwindet, und sein Herz klopft so heftig, dass er glaubt, es noch im Pflaster unter sich zu spüren. Zwar hat er nicht den leisesten Schimmer, was hier passiert, aber eins weiß er jetzt.

Joyce. Ihr Name ist Joyce.

Er blickt die leere Straße hinunter.

Aber wer bist du, Joyce?

✳

»Warum hängst du dich so weit aus dem Fenster?« Besorgt zerrt Dad mich wieder rein. »Vielleicht hast du nicht viel, für das es sich zu leben lohnt, aber du bist es dir selbst schuldig, trotzdem zu leben, Himmel nochmal.«

»Hast du auch jemanden meinen Namen rufen hören?«, frage ich Dad flüsternd, und meine Gedanken fahren in meinem Kopf Karussell.

»Oh, jetzt hört sie schon Stimmen«, brummt er. »Ich hab deinen Namen gesagt, und du hast mir einen Fünfer dafür gegeben, erinnerst du dich?« Er wedelt mit dem Geldschein vor meiner Nase herum und wendet seine Aufmerksamkeit dann wieder Olaf zu.

»Links von uns sehen Sie das Leinster House, das Gebäude, in dem jetzt das irische Nationalparlament untergebracht ist.«

Schnapp-schnapp, klick-klick, blitz-blitz, Erinnerung gespeichert.

»Das Leinster House war ursprünglich unter dem Namen Kildare House bekannt, da es auf Anweisung des Earl of Kildare gebaut wurde. Als er später Duke of Leinster wurde, benannte man es um. Teile des Gebäudes, das früher das Royal College of Surgeons war …«

»Science«, rufe ich laut, immer noch in meine eigenen Gedanken versunken.

»Wie bitte?« Olaf hält inne, und wieder wenden sich die Köpfe zu mir um.

»Ich hab nur gesagt, dass es das Royal College of Science war«, erkläre ich und werde rot.

»Ja, das habe ich doch gerade gesagt.«

»Nein, Sie haben ›surgeons‹ gesagt«, unterstützt mich die Amerikanerin, die vor uns sitzt.

»Oh!«, sagt Olaf nervös. »Entschuldigung, ich habe mich wohl versprochen. Teile des Gebäudes, das früher das … das Royal College of« – er sieht demonstrativ zu mir – »of *Science* war, dienen seit 1922 als Sitz der irischen Regierung …«

Ich blende seine Stimme aus.

»Ich hab dir doch von dem Mann erzählt, der das Rotunda Hospital entworfen hat?«, flüstere ich Dad zu.

»Ja, klar. Dick irgendwas.«

»Richard Cassells. Er hat auch das hier konzipiert. Angeblich hat es als Vorbild für das Weiße Haus in Washington gedient.«

»Ach wirklich?«, sagt Dad.

»Tatsächlich?«, fragt auch die Amerikanerin und dreht sich auf ihrem Sitz zu mir um. Sie spricht laut. Sehr laut. Zu laut. »Schatz, hast du das gehört? Diese Lady hier sagt, der Mann, der das Gebäude hier entworfen hat, hat auch das Weiße Haus entworfen.«

»Nein, ich habe eigentlich nicht …«

Plötzlich merke ich, dass der Tourführer aufgehört hat zu sprechen und mich so liebevoll anstarrt wie ein Wikinger-Drachenboot einen Katamaran. Alle Augen, Ohren und Hörner sind auf uns gerichtet.

»Na ja, ich habe gesagt, *angeblich* war es ein *Vorbild* für das Weiße Haus. Sicher ist das nicht«, sage ich leise, denn ich möchte mich da eigentlich nicht reinziehen lassen. »Aber James Hoban, der 1792 den Wettbewerb um den Entwurf des Weißen Hauses gewonnen hat, war Ire.«

Alle starren mich an.

»Er hat in Dublin Architektur studiert und kannte das Leinster House bestimmt ziemlich genau«, beende ich meinen Einschub rasch.

Die Leute um mich herum nehmen den Informationsschnipsel tuschelnd und mit vielen Ahas und Ach-wirklichs zur Kenntnis.

»Wir verstehen nichts!«, ruft jemand von oben.

»Steh auf, Gracie«, wispert Dad und schubst mich.

»Dad …« Ich wehre ihn ab.

»Hey, Olaf, geben Sie ihr das Mikro!«, ruft die Frau dem Tourleiter zu. Widerwillig reicht er es an mich weiter und verschränkt die Arme vor der Brust.

»Äh, hallo«, beginne ich, klopfe mit dem Finger auf das Mikro und blase hinein.

»Du musst sagen: ›Test, Test, eins, zwei, drei‹, Gracie.«

»Äh, Test, Test, eins, zwei …«

»Wir hören Sie ganz gut«, blafft Olaf der Weiße.

»Na schön«, sage ich und wiederhole dann meine Kommentare. Die Leute oben im Bus nicken interessiert.

»Und das gehört alles zu den Regierungsgebäuden?«, will die Amerikanerin wissen und deutet auf die Häuser rechts und links.

Unsicher sehe ich Dad an, und er nickt mir ermutigend zu. »Tja, eigentlich nicht. Das Gebäude links ist die National Library und rechts haben wir das National Museum.« Ich will mich wieder hinsetzen, aber Dad schiebt mich gleich wieder hoch. Die Passagiere wollen mehr hören. Der Tourführer macht ein kleinlautes Gesicht.

»Na ja, es könnte ganz interessant sein, dass die National Library und das National Museum ursprünglich das Dublin Museum of Science and Art beherbergt haben, das 1890 eröffnet wurde. Beide wurden nach einem 1885 abgehaltenen Wettbewerb von Thomas Newenham Deane und seinem Sohn Thomas Manly Deane entworfen und von den Dubliner Bauunternehmern J. und W. Beckett gebaut, die bei ihrer Arbeit beste irische Handwerkskunst bewiesen haben. Das Museum ist eines der besterhaltenen Beispiele für irische Steinmetzkunst, Schnitzerei und Fliesenkeramik. Das beeindruckendste Merkmal der National Library ist die Eingangsrotunde. Im Innern führt dieser Raum über eine ausladende Treppe in einen prächtigen Leseraum mit einer weitläufigen Gewölbedecke. Wie Sie ja selbst sehen, zeichnet sich das Gebäude aus durch die Säulen und Pfeiler in korinthischer Anordnung und die Rotunde mit ihrer offenen Veranda und den Eckpavillons, die das Ganze einrahmen. In der …«

Lauter Applaus unterbricht mich – genau genommen klatscht allerdings nur einer, nämlich mein Dad. Der Rest des Busses ist ganz still. Schließlich durchbricht ein kleines Mädchen das Schweigen und fragt, ob wir nicht bald mal wieder brüllen können. Nun, diesmal geht die Runde anscheinend an den bereits bis über beide Ohren grinsenden Olaf den Weißen.

»Äh, ich war eigentlich noch nicht fertig«, stammle ich leise.

Statt einer Antwort klatscht Dad noch lauter, und ein Mann, der allein in der hintersten Reihe sitzt, schließt sich ihm nervös an.

»Und … das war dann alles«, rufe ich schnell und setze mich wieder hin.

»Woher wissen Sie das bloß alles?«, fragt die Frau vor uns.

»Sie ist Immobilienmaklerin«, verkündet Dad stolz.

Die Frau runzelt die Stirn und formt mit den Lippen ein »Oh«, dreht sich dann wieder zu dem extrem zufrieden grinsenden Olaf um. Er nimmt mir das Mikro aus der Hand.

»Na, dann mal los, alle zusammen – es darf gebrüüüüüllt werden!«

Die Passagiere erwachen zu neuem Leben, während sich jeder Muskel und jedes Organ meines Körpers in Fötusstellung zusammenzieht.

Dad lehnt sich an mich und drückt mich gegen das Fenster. Dann beugt er sich noch näher zu mir, um mir etwas ins Ohr zu flüstern, und unsere Helme krachen gegeneinander.

»Woher weißt du das denn alles, Liebes?«

Als hätte ich sämtliche Worte, die mir zur Verfügung stehen, in meinem Vortrag verbraucht, öffnet und schließt sich mein Mund, aber nichts kommt heraus. Ja, woher weiß ich das alles? Woher denn bloß?

Fünfzehn

Mir klingen sofort die Ohren, als ich an diesem Abend die Sporthalle betrete und Kate und Frankie entdecke, die auf der Tribüne sitzen, die Köpfe zusammenstecken und sich mit tiefen Sorgenfalten im Gesicht angeregt unterhalten. Kate sieht aus, als hätte Frankie ihr gerade erzählt, dass ihr Vater gestorben ist, ein Gesichtsausdruck, den ich kenne, denn ich habe sie genauso angesehen, als sie vor fünf Jahren ihren Urlaub unterbrochen hat, um an seine Seite zu eilen, und ich ihr im Empfangsbereich des Dublin Airport die traurige Nachricht überbringen musste. Dann redet Kate, und Frankie macht ein Gesicht, als wäre ihr Hund angefahren worden – ein Ausdruck, den ich ebenfalls kenne, denn auch diese Nachricht musste ich weitergeben. Es war ein harter Schlag für sie, dass ihr Dackel sich drei von seinen vier Beinchen gebrochen hat. Jetzt blickt Kate auf und äugt in meine Richtung, als wäre sie in flagranti bei etwas Verbotenem erwischt worden. Auch Frankie erstarrt. Überrascht, dann schuldbewusst und schließlich mit einem Lächeln, das mir weismachen soll, dass sich die beiden gerade übers Wetter unterhalten haben und nicht über die Ereignisse in meinem Leben, die ebenso unberechenbar sind.

Ich warte, dass die Traumafrau das Zepter ergreift, damit ich verschont bleibe, während sie ihre üblichen einsichtigen Kommentare abgibt, mit denen sie allzu neugierige Fragen abwimmelt, indem sie wortreich und für jeden verständlich erklärt, dass ein Verlust doch eher eine Reise ist als eine Sackgasse, eine Reise, in der man die unschätzbare Gelegenheit bekommt, stärker zu werden, sich selbst besser kennenzulernen und dadurch das tragische Erlebnis in etwas äußerst Positives verwandeln kann. Doch die Traumafrau lässt auf sich warten, wahrscheinlich weil sie weiß, dass das hier kein leichter Auftritt für sie wird. Ihr ist klar, dass meine beiden Freundinnen, die mich jetzt gerade in den Arm nehmen und an sich drücken, ihr Traumafrau-Gefasel durchschauen und direkt in mein Herz blicken können.

Die Umarmung fällt länger und enger aus als sonst, mit Drücken und Tätscheln, kreisförmigem Rückenreiben und leichtem Schulterklopfen. Zu meiner eigenen Überraschung finde ich das alles sehr tröstlich. Das Mitgefühl auf ihren Gesichtern macht mir noch einmal meinen Verlust deutlich, mir ist flau im Magen und schwindlig im Kopf. Mir wird klar, dass es nicht die erhofften heilenden Superkräfte freisetzt, wenn ich mich bei meinem Dad im Nest verkrieche, denn jedes Mal, wenn ich das Haus verlasse und jemandem begegne, geht es von vorne los. Nicht nur das ganze Trara drumherum, nein, ich muss alles noch einmal fühlen, und das ist wesentlich ermüdender als Worte. In Kates und Frankies Armen könnte ich mich ganz einfach in das Baby verwandeln, das sie in Gedanken liebkosen, aber ich tue es nicht, denn ich weiß, wenn ich jetzt damit anfange, höre ich nie, nie wieder damit auf.

Wir sitzen ein Stück von den anderen Eltern entfernt. Ein paar sitzen in Grüppchen zusammen, aber die meisten nutzen die kostbare Zeit allein zum Lesen oder Nachdenken oder schauen einfach nur ihren Sprösslingen zu, wie sie auf den blauen Gummimatten herumrollen. Ich entdecke Kates Kinder, den sechsjährigen Eric und meine fünfjährige Patentochter Jayda, für die ich die DVD mit der *Muppets Weihnachtgeschichte* ausgeliehen hatte. Aber ich habe mir geschworen, dass ich ihr deshalb nicht böse sein werde. Voller Begeisterung hüpfen die Kleinen herum, zirpen wie ein Heer von Grillen, zupfen ihre Unterwäsche aus der Falte zwischen den Pobacken und stolpern über lose Schnürsenkel. Der elf Monate alte Sam schläft neben uns in seinem Wagen, Spuckebläschen auf den Lippen. Ich betrachte ihn liebevoll, dann erinnere ich mich wieder an das, was ich erlebt habe, und schaue schnell weg. Ach, die Erinnerung. Kann einen einfach nicht in Frieden lassen.

»Wie geht's auf der Arbeit, Frankie?«, frage ich, denn ich wünsche mir so, dass alles ist wie immer.

»Viel zu tun, wie immer«, antwortet sie, und ich spüre, wie ich ein schlechtes Gewissen kriege und ein bisschen verlegen werde.

Ich beneide sie um ihre Normalität, vielleicht sogar um ihre Langeweile. Ich beneide sie darum, dass ihr Heute so war wie ihr Gestern.

»Immer noch billig ein- und teuer verkaufen?«, meldet Kate sich zu Wort.

Frankie rollt die Augen. »Seit zwölf Jahren, Kate.«

»Ich weiß, ich weiß.« Kate beißt sich auf die Lippen und versucht nicht zu lachen.

»Zwölf Jahre hab ich den Job jetzt, und seit zwölf Jahren sagst du das. Es ist nicht mal mehr ansatzweise lustig. Genau genommen fand ich es nie lustig, und trotzdem packst du den Spruch immer wieder aus.«

Kate lacht. »Das kommt nur, weil ich absolut nicht kapiere, was du eigentlich machst. Irgendwas an der Börse, oder?«

»Corporate Treasury and Investor Relations«, erklärt Frankie.

Kate starrt sie ratlos an und seufzt dann tief. »So viele Worte, und letztlich sitzt du doch auch nur den ganzen Tag am Schreibtisch.«

»Oh, entschuldige mal, was machst du denn den ganzen Tag? Popos abwischen und Biobananensandwichs machen?«

»Es gibt auch noch andere Aspekte im Job einer Mutter, Frankie«, schnaubt Kate. »Ich habe die Verantwortung, drei menschliche Wesen so aufs Leben vorzubereiten, dass sie, wenn mir – was Gott verhüten möge – etwas zustößt oder wenn sie erwachsen werden, fähig sind, allein zu funktionieren und in der Welt selbstständig und erfolgreich zurechtzukommen.«

»Und du zerdrückst Biobananen«, fügt Frankie hinzu. »Nein, nein, warte, passiert das vor oder nach der Vorbereitung aufs Leben? Vorher bestimmt.« Sie nickt. »Ja, unbedingt erst Bananen matschen, dann aufs Leben vorbereiten. Kapiert.«

»Ich wundere mich doch nur, dass man hundert Wörter braucht, um einen Schreibtischjob zu beschreiben.«

»Ich glaube, es sind tausend.«

»Aber ich hab nur eines. Ein einziges Wort.«

»Hmm, ich weiß nicht. Ist Mitfahrdienst ein Wort oder sind es zwei? Joyce, was denkst du?«

Ich halte mich raus.

»Was ich sagen will, ist, dass das Wort ›Mum‹, ein winziges Wörtchen, mit dem man jede Frau mit Kind bezeichnet, es nicht schafft, all die Pflichten zu beschreiben, denen eine Mutter täglich nachgeht«, erwidert Kate leicht irritiert. »Wenn ich das in deiner Firma jeden Tag machen würde, wäre ich wahrscheinlich schon Geschäftsführerin.«

Mit einem lässigen Schulterzucken gibt Frankie zurück: »Sorry, aber ich glaube, das ist mir ziemlich egal. Für meine Kollegen kann ich natürlich nicht sprechen, aber ich persönlich möchte Bananensandwichs lieber nur für mich selber machen und mir ausschließlich meinen eigenen Popo abwischen.«

»Echt?« Kate zieht eine Augenbraue hoch. »Es überrascht mich, dass du dafür nicht irgendeinen armen Mann engagierst, den du unterwegs aufgelesen hast.«

»Nein, ich suche immer noch nach dem Einen, dem Richtigen«, antwortet Frankie mit einem Lächeln.

Das machen die beiden dauernd. Ihr sonderbares Bindungsritual würde vermutlich aus den meisten anderen Menschen ein für alle Mal Erzfeinde machen, denn sobald sie sich sehen, schmeißen sie sich alles Mögliche an den Kopf, ohne wirklich miteinander zu reden. Heute tritt etwas unvermittelt Schweigen ein, sie denken beide nach, und nach etwa zehn Sekunden versetzt Kate Frankie einen Tritt. Ach ja. Es wurden Kinder erwähnt. In meiner Anwesenheit.

Wenn man etwas Tragisches erlebt hat, macht man oft die seltsame Erfahrung, dass man in Gesellschaft diejenige ist, die dafür zu sorgen hat, dass die anderen sich wohlfühlen.

»Wie geht's Crapper?«, frage ich deshalb in die unbehagliche Stille hinein. Crapper ist Frankies Hund.

»Ich bin ganz zufrieden, seine Beine heilen gut. Aber er jault immer noch, wenn er ein Foto von dir sieht. Ich musste es vom Kaminsims nehmen, tut mir leid.«

»Macht nichts. Ich wollte dich sowieso schon bitten, es wegzutun. Kate, du kannst übrigens auch meine Hochzeitsbilder einmotten.«

Endlich das Thema Scheidung.

»Ach, Joyce«, sagt sie und schüttelt traurig den Kopf. »Das ist mein Lieblingsfoto von mir. Ich hab bei deiner Hochzeit so gut ausgesehen. Kann ich nicht einfach Conor rausschneiden?«

»Oder ihm ein Bärtchen malen«, ergänzt Frankie. »Oder noch besser, ihm eine Persönlichkeit verleihen.«

Schuldbewusst beiße ich mir auf die Lippen, um ein Lächeln zu unterdrücken, das sich in meine Mundwinkel einschleichen will. Ich bin es nicht gewöhnt, dass jemand so über meinen Exmann redet. Das ist respektlos, und ich weiß nicht, ob es mir gefällt. Andererseits ist es lustig. Zur Sicherheit wende ich aber erst mal den Blick ab und sehe zu den Kindern.

»Okay, ihr alle!« Der Turnlehrer klatscht in die Hände, um die Aufmerksamkeit seiner Schüler auf sich zu ziehen, und für einen Moment verstummt das Hopsen und Zirpen der Grillen. »Rollt die Matte aus, wir machen Rolle rückwärts. Hände flach auf den Boden, sodass die Finger auf die Schultern deuten, wenn ihr wieder zum Stehen kommt. Ungefähr so.«

»Na, seht euch mal unseren biegsamen kleinen Freund an!«, bemerkt Frankie.

Ein Kind nach dem anderen rollt rückwärts und kommt perfekt wieder zum Stehen. Nur Jayda kugelt ungeschickt seitwärts über den Kopf, tritt ein anderes Kind vors Schienbein und stemmt sich auf die Knie, ehe sie wieder aufspringt. In ihrer ganzen rosaroten Glitzerpracht wirft sie sich in Spice-Girls-Pose, reckt die Finger zum Peace-Zeichen und glaubt wahrscheinlich, dass niemand ihren Fehler bemerkt hat. Der Lehrer achtet nicht auf sie.

»Menschliche Wesen aufs Leben vorbereiten«, zitiert Frankie.

»Klar. Du wärst Geschäftsführerin, garantiert.« Dann wendet sie sich an mich und fragt mit deutlich sanfterer Stimme: »Und wie geht es dir so, Joyce?«

Ich habe lange darüber nachgedacht, ob ich es ihnen sagen soll – ob ich es überhaupt irgendjemandem sagen soll. Keine Ahnung, welche Reaktionen ich hervorrufe, wenn ich freimütig erzähle, was ich zurzeit erlebe – außer vielleicht, dass man mich in die Geschlossene einliefert. Ich weiß nicht mal, was ich mir davon verspreche. Aber nach der heutigen Erfahrung lasse ich mal die Seite meines Gehirns machen, die es gern in Worte fassen möchte.

»Wahrscheinlich klingt das total verrückt, aber ich hoffe, ihr habt ein bisschen Geduld mit mir.«

»Okay«, sagt Kate und nimmt meine Hand. »Sag, was immer du magst. Lass einfach alles raus.«

Frankie verdreht die Augen.

»Danke.« Langsam ziehe ich meine Hand zurück. »Ich sehe dauernd diesen Typen.«

Kate bemüht sich, die Information einzuordnen, sie irgendwie mit dem verlorenen Baby und der bevorstehenden Scheidung zu verknüpfen. Aber ich sehe, dass sie es nicht schafft.

»Ich hab das Gefühl, ihn zu kennen, obwohl ich gleichzeitig genau weiß, dass es nicht so ist«, fahre ich fort. »Inzwischen hab ich ihn dreimal gesehen, gerade heute wieder, als er hinter meinem Wikingerbus hergelaufen ist. Und wenn mich nicht alles täuscht, hat er meinen Namen gerufen. Obwohl ich mir das vielleicht auch eingebildet habe, woher soll er meinen Namen wissen? Außer wenn er mich kennt, aber ich bin ja eigentlich sicher, dass er mich nicht kennt. Was sagt ihr dazu?«

»Moment mal, ich stecke noch beim Wikingerbus fest«, versucht Frankie mich zu bremsen. »Du hast einen *Wikinger*bus?«

»Ich *habe* keinen Wikingerbus. Wir haben eine *Viking Splash Tour* gemacht, Dad und ich. Der Bus fährt sogar durchs Wasser. Man hat Helme mit Hörnern auf und brüllt, um die Leute zu erschrecken.« Zur Veranschaulichung beuge ich mich dicht zu ihnen und schwenke mit finsterer Miene die Faust vor ihrer Nase.

Aber meine Freundinnen starren mich nur mit leeren Gesichtern an.

Seufzend lasse ich mich wieder auf die Bank sinken. »Auf jeden Fall sehe ich ihn dauernd.«

»Okay«, sagt Kate langsam und wirft Frankie einen fragenden Blick zu.

Unbehagliches Schweigen tritt ein – wahrscheinlich machen sie sich Sorgen über meinen Geisteszustand. Mir geht es ja selbst nicht anders.

Schließlich räuspert sich Frankie und sagt: »Dieser Mann, Joyce – ist er jung, alt oder womöglich ein Wikinger aus deinem Zauberbus, der durchs Wasser fährt?«

»Ende dreißig, Anfang vierzig. Amerikaner. Wir waren zusammen beim Friseur. Da habe ich ihn zum ersten Mal gesehen.«

»Deine Haare sind übrigens toll«, sagt Kate und befühlt vorsichtig ein paar kurze Strähnen.

»Dad findet, ich sehe aus wie Peter Pan«, erzähle ich grinsend.

»Dann erinnert sich der Mann vielleicht vom Friseur an dich«, meint Frankie.

»Aber da hat es sich auch schon so komisch angefühlt. Als würde ich ihn kennen oder so.«

Frankie lächelt. »Willkommen in der Welt der Singles.« Sie

wendet sich an Kate, die eine ablehnende Grimasse schneidet. »Wann hat Joyce sich das letzte Mal einen kleinen Flirt gestattet? Sie ist doch schon eine Ewigkeit verheiratet.«

»Also bitte«, entgegnet Kate von oben herab. »Wenn du meinst, dass das aufhört, wenn man verheiratet ist, dann hast du dich aber gründlich geirrt. Kein Wunder, wenn du Angst vor der Ehe hast.«

»Ich habe keine Angst, es bekommt mir nur nicht. Weißt du, grade heute habe ich so eine Schminksendung angeschaut …«

»Ach, da geht es wieder los.«

»Halt den Mund und hör zu. Jedenfalls hat die Make-up-Expertin gesagt, weil die Haut um die Augen so empfindlich ist, muss man die Creme dort mit dem *Ring*finger auftragen, weil der *am wenigsten Kraft* besitzt.«

»Wow«, erwidert Kate trocken. »Damit hast du uns Verheiratete jetzt endgültig als Idioten entlarvt.«

Ich reibe mir die Augen. »Ich weiß, das klingt bescheuert, ich bin müde und wahrscheinlich bilde ich mir alles nur ein. Eigentlich sollte ich doch Conor im Kopf haben, aber ich denke kaum an ihn. So gar nicht. Keine Ahnung, ob das eine verzögerte Reaktion ist und ich nächsten Monat zusammenbreche, anfange zu trinken und jeden Tag in Schwarz rumlaufe …«

»Wie Frankie«, wirft Kate ein.

»Aber im Moment fühle ich mich bloß erleichtert«, fahre ich fort. »Ist das nicht schrecklich?«

»Ist es okay, wenn ich mich auch erleichtert fühle?«, fragt Kate.

»Fandest du Conor blöd?«

»Nein. Er war in Ordnung. Er war nett. Ich fand es nur blöd, dass du nicht glücklich warst.«

»Ich fand ihn aber blöd!«, mischt Frankie sich ein.

»Wir haben gestern kurz gesprochen«, berichte ich. »Es war ganz seltsam. Er wollte wissen, ob er die Espressomaschine haben kann.«

»Der Arsch«, schimpft Frankie.

»Mir liegt nichts an der Espressomaschine, die kann er gerne haben.«

»Das sind Psychospielchen, Joyce, sei bloß vorsichtig! Erst ist es die Espressomaschine, dann kommt das Haus, und schließlich will er deine Seele. Und irgendwann behauptet er dann, dass du den Smaragdring gestohlen hast, der seiner Großmutter gehört hat, obwohl du dich genau daran erinnerst, dass er dir gesagt hat, du kannst ihn haben, als du das erste Mal bei ihm zu Hause zum Essen warst.« Sie macht ein finsteres Gesicht.

Ich sehe hilfesuchend zu Kate.

»Das ist ihr bei der Trennung von Lee passiert.«

»Ah. Na ja, es wird bestimmt nicht wie bei deiner Trennung von Lee.«

Frankie grummelt.

»Christian ist gestern Abend mit Conor ein Bier trinken gegangen«, erzählt Kate. »Ich hoffe, das stört dich nicht.«

»Natürlich nicht. Die beiden sind befreundet. Geht es ihm einigermaßen?«

»Ja, anscheinend schon. Er ist traurig wegen dem ... du weißt schon ...«

»Wegen dem Baby. Du kannst das Wort ruhig in den Mund nehmen, das halte ich schon aus.«

»Er ist traurig wegen dem Baby und enttäuscht, dass eure Ehe nicht funktioniert hat, aber er glaubt, dass die Trennung das Richtige ist. In ein paar Tagen fliegt er wieder nach Japan. Er hat auch erzählt, dass ihr das Haus verkaufen wollt.«

»Ich möchte da nicht bleiben, und wir haben es zusammen gekauft, also ist es das Beste.«

»Aber bist du sicher? Wo willst du denn wohnen? Treibt dein Dad dich nicht in den Wahnsinn?«

Als Tragödienbetroffene und zukünftige Geschiedene macht man auch die Erfahrung, dass man bei wichtigen persönlichen Entscheidungen von seinen Mitmenschen behandelt wird, als hätte man von nichts eine Ahnung und wäre angewiesen auf die wohlmeinenden Warnungen und skeptischen Gesichter, mit denen sie einen voller Sorge auf alles Mögliche und Unmögliche aufmerksam machen.

»Seltsamerweise nicht, nein«, antworte ich wahrheitsgemäß und lächle unwillkürlich, als ich an ihn denke. »Eigentlich sogar genau das Gegenteil. Obwohl er es in dieser Woche bis jetzt nur einmal geschafft hat, mich Joyce zu nennen. Ich werde bei ihm bleiben, bis das Haus verkauft ist und ich eine andere Wohnung gefunden habe.«

»Diese Geschichte mit dem Mann ... mal abgesehen davon, wie geht es dir *wirklich*? Wir haben dich seit dem Krankenhaus nicht mehr gesehen und uns große Sorgen gemacht.«

»Ich weiß, und das tut mir auch leid.« Ich habe mich geweigert, sie zu sehen, als sie mich im Krankenhaus besuchen wollten, und Dad auf den Korridor geschickt, um ihnen zu sagen, sie sollten wieder nach Hause gehen, was er natürlich nicht getan hat. So saßen sie dann ein paar Minuten neben mir, während ich auf die rosa Wand starrte, und schließlich sind sie wieder gegangen. »Aber ich hab mich trotzdem gefreut, dass ihr gekommen seid.«

»Stimmt doch gar nicht.«

Ich denke darüber nach, wie es mir jetzt geht, wie es mir *wirklich* geht. Na ja, sie haben danach gefragt.

»Ich esse Fleisch. Und trinke Rotwein. Ich hasse Sardellen, und ich höre Klassik. Vor allem das *JK Ensemble* mit John Kelly auf Lyric FM, der keine Kylie spielt, und das ist mir gerade recht. Gestern Abend vor dem Schlafengehen habe ich ›*Mi restano le lagrime*‹ gehört, Händel, *Alcina*, dritter Akt, fünfte Szene, und kannte den Text auswendig, obwohl ich mich jetzt an kein Wort mehr erinnern kann. Ich weiß plötzlich eine Menge über irische Architektur und noch mehr über französische und italienische. Ich habe den *Ulysses* gelesen und kann bis zum Umfallen daraus zitieren, wo ich vorher noch nicht mal das Hörbuch durchgekriegt habe. Grade vorhin habe ich einen Brief an die Stadtverwaltung geschrieben, dass es nicht nur dem nationalen Erbe, sondern auch der geistigen Gesundheit der Bürger schadet, wenn sie noch so einen hässlichen modernen Klotz in einer Gegend hochziehen, in der ansonsten schlichte, ältere Gebäude stehen. Bisher dachte ich immer, mein Vater wäre der einzige Mensch, der *geharnischte* Briefe schreibt. Und das, wo ich vor zwei Wochen noch ganz heiß drauf gewesen wäre, solche Immobilien an den Mann zu bringen! Heute hab ich mich darüber aufgeregt, dass im historischen Viertel von Chicago ein hundertjähriges Gebäude abgerissen werden soll, und plane schon den nächsten Brief. Wahrscheinlich wundert ihr euch, woher ich überhaupt davon weiß. Tja, ich habe es in der neuesten Nummer der *Art and Architectural Review* gelesen. Die habe ich nämlich abonniert.« Ich muss kurz Luft holen, ehe ich fortfahre: »Fragt mich, was ihr wollt, egal was, und ich weiß die Antwort, ohne dass ich den leisesten Schimmer habe, woher.«

Fassungslos sehen Kate und Frankie einander an.

»Vielleicht kannst du dich jetzt besser konzentrieren, wo du dir nicht mehr ständig wegen Conor und deiner Ehe Sorgen machen musst«, meint Frankie.

Ich lasse mir die Möglichkeit durch den Kopf gehen, aber nicht lange. »Ich träume fast jede Nacht von einem kleinen Mädchen mit weißblonden Haaren. Bei jedem Mal ist sie ein bisschen größer. Und ich höre Musik – ein Lied, das ich nicht kenne. Wenn ich nicht von dem Mädchen träume, dann von Orten, an denen ich nie war, oder von Speisen, die ich nie probiert habe. Und ich bin umgeben von fremden Menschen, die ich aber, scheint's, gut kenne. Ein Picknick im Park mit einer rothaarigen Frau. Ein Mann mit grünen Füßen. Und Sprinkler, irgendwas mit Sprinklern.

Wenn ich aufwache, muss ich mir immer erst mal klarmachen, dass meine Träume nicht wirklich sind und dass die Wirklichkeit kein Traum ist. Das finde ich fast unmöglich, aber nur fast, weil mein Dad da ist, mit einem Lächeln im Gesicht und Würstchen in der Bratpfanne, weil er eine Katze namens Flauschi im Garten rumscheucht und aus irgendeinem unerfindlichen Grund Mums Foto in der Schublade versteckt. Und nach diesen ersten Morgenmomenten, in denen alles durcheinander ist, füllen all die anderen Dinge meine Gedanken vollkommen aus, zusammen mit diesem Mann, der mir nicht aus dem Kopf geht, der aber nicht Conor ist, wie man doch eigentlich erwarten müsste, nicht die Liebe meines Lebens, von der ich mich gerade getrennt habe. Nein, ich denke an einen Amerikaner, den ich nicht mal kenne.«

Meine Freundinnen sehen mich an, die Augen voller Tränen, das Gesicht eine Mischung aus Sympathie, Sorge und Verwirrung.

Ich erwarte nicht, dass sie etwas zu meinem seltsamen Lagebericht sagen – wahrscheinlich denken sie einfach, dass ich übergeschnappt bin –, deshalb sehe ich wieder eine Weile zu den turnenden Kids und beobachte, wie Eric auf den Schwebebalken klettert. Der Lehrer ruft ihm zu, er solle Flugzeugarme machen. Erics Gesicht ist ein Inbild nervöser Konzentration, während er langsamer wird und die Arme seitlich ausstreckt. Der Lehrer ermutigt ihn, und ein vorsichtiges stolzes Lächeln erscheint auf den Lippen des Jungen. Einen Moment sieht er zu seiner Mutter hinüber, ob sie ihm auch brav zuschaut, und in diesem Augenblick verliert er das Gleichgewicht, fällt und landet ungeschickt auf dem Hinterteil, den Balken zwischen den Beinen, das Gesicht eine Maske des Entsetzens.

Frankie schnaubt. Eric heult. Kate rennt zu ihrem Sohn. Sam produziert unermüdlich Spuckeblasen.

Ich verlasse eilig die Turnhalle.

Sechzehn

Auf dem Heimweg zu Dad versuche ich, im Vorbeifahren nicht zu meinem Haus hinüberzusehen. Aber meine Augen verlieren den Kampf mit meinen Gedanken, und ich sehe, dass Conors Auto am Straßenrand steht. Seit unserem letzten gemeinsamen Essen im Restaurant haben wir ein paar Mal miteinander gesprochen, unterschiedlich freundlich, das letzte Mal eher am unteren Rand der Skala. Der erste Anruf kam spät an dem Abend nach dem Restaurantbesuch – Conor wollte nachfragen, ob ich wirklich glaube, dass wir das Richtige machen. Seine verschwommene, sanfte Stimme klang mir ins Ohr, während ich auf dem Bett im Kabuff meiner Kindheit lag und an die Decke starrte, genau wie in unserer Anfangszeit, in der wir regelmäßig ganze Nächte miteinander telefonierten. Da war ich nun mit meinen dreiunddreißig Jahren nach einer gescheiterten Ehe bei meinem Vater untergeschlüpft, und am anderen Ende der Leitung befand sich mein ähnlich verunsicherter Mann … Es wäre so leicht gewesen, sich in diesem Moment an die schönen Zeiten unseres gemeinsamen Lebens zu erinnern und vor der Entscheidung zurückzuweichen. Aber meistens sind leichte Entscheidungen die falschen, und manchmal haben wir das Gefühl zurückzugehen, obwohl wir uns eigentlich nach vorn bewegen.

Der nächste Anruf war schon ein bisschen härter – verlegen und entschuldigend erwähnte er die uns bevorstehenden juristischen Schritte. Darauf folgte eine frustrierte Nachfrage, warum mein Anwalt noch nicht auf das Schreiben seines Anwalts geantwortet hatte. Beim nächsten Mal erzählte er mir dann, dass seine seit kurzem schwangere Schwester gern das Kinderbettchen haben wollte, was mich, nachdem wir aufgelegt hatten, so in eifersüchtige Wut versetzte, dass ich das Telefon schwungvoll in den Mülleimer beförderte. Beim letzten Mal teilte Conor mir dann mit, dass er alles eingepackt hatte und in ein paar Tagen nach Japan fliegen würde. Und ob er die Espressomaschine haben könnte.

Aber wenn ich auflegte, hatte ich immer das Gefühl, dass mein schwächliches Lebewohl kein echtes Lebewohl war, sondern mehr ein »bis bald«. Das Hintertürchen war noch offen, wir konnten unsere Trennung jederzeit wieder rückgängig machen – Conor war noch eine Weile in der Nähe, wir hatten noch nichts endgültig entschieden.

Aber jetzt halte ich an und starre zu dem Haus hinauf, in dem wir fast zehn Jahre gewohnt haben. Hat es nicht mehr verdient als ein paar halbherzige Abschiedsworte?

Ich klingle, aber niemand kommt. Durch das Türfenster kann ich die Kisten sehen, die nackten Wände, die leeren Oberflächen, alles bereit für die nächste Familie, die hier einziehen möchte. Ich stecke den Schlüssel ins Schlüsselloch und gehe hinein, möglichst geräuschvoll, damit Conor mich hört, falls er noch da ist. Gerade will ich seinen Namen rufen, als ich von oben leise Musik höre. Langsam gehe ich hinauf in das halb fertige Kinderzimmer und finde dort Conor, der tränenüberströmt auf dem Teppich kauert und die Maus beobachtet, die dem Käse nachläuft. Ich durchquere das Zimmer, gehe zu ihm und nehme ihn in den Arm. Eine Weile sitzen wir beide auf dem Boden, ich wiege ihn sanft, schließe die Augen und drifte weg.

Schließlich hört er auf zu weinen und schaut mich an. »Was?«

»Hmm?« Erschrocken fahre ich auf.

»Du hast was gesagt. Auf Lateinisch.«

»Nein.«

»Doch. Gerade eben.« Er wischt sich die Augen trocken. »Seit wann kannst du Latein?«

»Ich kann kein Latein.«

»Stimmt«, sagt er scharf. »Was bedeutet der einzige Satz, den du kannst?«

»Das weiß ich nicht.«

»Musst du aber, du hast ihn ja gerade gesagt.«

»Conor, ich kann mich echt an nichts erinnern.« Er starrt mich an, mit etwas wie Hass, und ich schlucke schwer.

In angespanntem Schweigen starrt mir ein Fremder entgegen.

»Okay.« Er steht auf und geht zur Tür. Keine Fragen mehr, kein Versuch mehr, mich zu verstehen. Es ist ihm nicht mehr wichtig. »Patrick ist jetzt mein Anwalt.«

Na toll. Sein Bruder, dieser Scheißkerl.

»Okay«, flüstere ich.

An der Tür bleibt er stehen und betrachtet mit zusammengebissenen Zähnen den Raum. Ein letzter Blick auf alles, auch auf mich, dann ist er verschwunden.

Das war also der endgültige Abschied.

Ich verbringe eine unruhige Nacht in Dads Haus. Bilder rasen mir durch den Kopf, so schnell und grell, dass sie meine Gedanken wie Blitze aufleuchten lassen, die gleich wieder verschwunden sind. Schwarz zu Schwarz.

Eine Kirche. Glocken läuten. Sprinkler. Ein Schwall Rotwein. Alte Gebäude mit Ladenfronten. Bunte Glasfenster.

Durchs Geländer ein Blick auf einen Mann mit grünen Füßen, der eine Tür hinter sich zuzieht. Ein Baby in meinem Arm. Ein Mädchen mit weißblonden Haaren. Ein Lied, das ich kenne.

Ein Sarg. Tränen. Eine schwarz gekleidete Familie.

Schaukeln im Park. Höher und immer höher. Meine Hand, die einen Kinderwagen schiebt. Ich schaukle, selbst noch ein Kind. Eine Wippe. Ein rundlicher kleiner Junge; ich schwebe höher in die Luft, er geht nach unten. Wieder Sprinkler. Lachen. Ich und der Junge in Schwimmsachen. Vororte. Musik. Glocken. Eine Frau im weißen Kleid. Straßen mit Kopfsteinpflaster. Kathedralen. Konfetti. Hände, Finger, Ringe. Rufen. Türenknallen.

Der Mann mit den grünen Füßen schließt die Tür.

Wieder Sprinkler. Ein rundlicher Junge, der mir lachend nachläuft. Ein Drink in meiner Hand. Mein Kopf über der Kloschüssel. Vorlesungssäle. Sonne und grünes Gras. Musik.

Der Mann mit den grünen Füßen draußen im Garten, einen Schlauch in der Hand. Das Mädchen mit den weißblonden Haaren spielt im Sand. Das Mädchen sitzt lachend auf der Schaukel. Wieder Glocken.

Durch das Geländer noch einmal der Blick auf den Mann mit den grünen Füßen, der die Tür schließt. Eine Flasche in der Hand.

Eine Pizzeria. Eisbecher.

Pillen in seiner Hand. Der Mann sieht mich an, ehe er die Tür zumacht. Meine Hand auf dem Türgriff. Die Tür geht auf. Eine leere Flasche auf dem Boden. Nackte Füße mit grünen Sohlen. Ein Sarg.

Sprinkler. Vor und zurück. Schaukeln. Das Lied, ein Summen. Lange blonde Haare bedecken mein Gesicht. Haare in meiner kleinen Hand. Ein Flüstern, ein Satz …

Nach Luft schnappend öffne ich die Augen, das Herz hämmert in meiner Brust. Unter mir sind die Laken feucht, ich bin völlig durchgeschwitzt. In der Dunkelheit taste ich nach der Nachttischlampe. Mit Tränen in den Augen greife ich nach meinem Handy und wähle mit zitternden Fingern.

»Conor?« Auch meine Stimme zittert.

Eine Weile murmelt er unzusammenhängendes Zeug, dann ist er endlich wach. »Joyce, es ist drei Uhr morgens!«, krächzt er.

»Ich weiß, es tut mir leid.«

»Was ist los? Geht's dir gut?«

»Ja, ja, alles in Ordnung, es ist nur, na ja, ich … ich hatte einen Traum. Oder vielleicht eher einen Albtraum oder vielleicht auch keins von beidem, da waren diese Bilder von … hmm … Orten und Leuten und Dingen und …« Ich unterbreche mich und versuche mich zu konzentrieren. »*Perfer et obdura; dolor hic tibi proderit olim?*«

»Was?«, fragt er verschlafen.

»Das lateinische Zeug, das du vorhin von mir gehört hast, war es das?«

»Ja, klingt so. Himmel, Joyce …«

»Sei geduldig und beharrlich, eines Tages wird der Schmerz dir von Nutzen sein«, platze ich heraus. »Das bedeutet es.«

Er schweigt einen Moment, dann seufzt er. »Okay, danke.«

»Jemand hat es mir gesagt, wenn nicht als Kind, dann heute Nacht.«

»Du musst es nicht erklären.«

Schweigen.

»Ich gehe jetzt wieder schlafen.«

»Okay.«

»Alles klar, Joyce? Soll ich jemanden für dich anrufen oder …?«

»Nein, nein, mir geht's gut. Alles okay.« Die Worte bleiben mir im Hals stecken. »Gute Nacht.«

Dann ist er weg.

Eine einzelne Träne rollt mir über die Wange, und ich wische sie weg, ehe sie mein Kinn erreicht. Fang nicht an, Joyce. Wag es nicht, jetzt anzufangen.

Siebzehn

Als ich am folgenden Morgen nach unten gehe, ertappe ich Dad dabei, wie er Mums Foto gerade wieder auf den Tisch in der Diele stellt. Im letzten Moment hört er mich kommen, holt schnell sein Taschentuch aus der Hosentasche und tut so, als würde er den Rahmen abstauben.

»Ah, da ist sie ja. Von den Toten auferstanden.«

»Na ja, ich war fast die ganze Nacht wach, weil alle fünfzehn Minuten die Klospülung gerauscht hat.« Ich küsse meinen Vater auf seinen fast kahlen Kopf und gehe in die Küche. Wieder steigt mir der seltsame Geruch in die Nase.

»Es tut mir wirklich leid, dass *meine* Prostata *deinen* Schlaf beeinträchtigt.« Er mustert mein Gesicht. »Was ist denn mit deinen Augen los?«

»Meine Ehe ist vorbei, deshalb habe ich beschlossen, die Nacht mit Heulen zu verbringen«, antworte ich trocken, Hände in die Hüften gestemmt, und schnuppere weiter.

Er wird ein bisschen weicher, streut aber trotzdem Salz in meine Wunde: »Ich dachte, du wolltest es so.«

»Ja, Dad, du hast vollkommen recht, die letzten Wochen waren traumhaft.«

Er geht zum Küchentisch, rauf, runter, runter, rauf, setzt sich an seinen üblichen Platz, auf den die Sonne fällt, setzt die Brille auf die Nasenwurzel und macht sich an sein Sudoku. Ich sehe ihm eine Weile zu, fasziniert von seiner Schlichtheit, und setze dann meine Schnüffelei fort.

»Hast du schon wieder deinen Toast anbrennen lassen?« Er hört mich nicht und kritzelt unbeirrt weiter. Ich untersuche den Toaster. »Er ist richtig eingestellt, ich verstehe nicht, warum dir dauernd was anbrennt.« Ich inspiziere das Innere des Geräts. Keine Krümel. Ich sehe im Mülleimer nach. Kein weggeworfener Toast. Wieder schnuppere ich, werde immer argwöhnischer und beobachte Dad verstohlen aus dem Augenwinkel. Er zappelt herum.

»Du bist wie diese Fletcher oder dieser *Monk*, die schnüffeln auch ständig überall rum. Aber du kannst damit aufhören, hier findest du keine Leiche«, sagt er, ohne von seinem Rätsel aufzublicken.

»Ja, aber ich finde *irgendwas*, oder?«

Ruckartig hebt er den Kopf. Schnell. Offensichtlich nervös. Aha. Ich kneife die Augen zusammen.

»Was ist denn los mit dir?«

Ich ignoriere ihn, renne kreuz und quer in der Küche herum, öffne Schränke, spähe hinein, suche.

Mit besorgtem Gesicht fragt Dad: »Hast du den Verstand verloren? Was machst du denn da?«

»Hast du deine Tabletten genommen?«, frage ich, als ich zum Arzneischränkchen komme.

»Welche Tabletten?«

Wenn er mir so antwortet, ist garantiert etwas im Argen.

»Deine Herzpillen, deine Gedächtnispillen, deine Vitaminpillen.«

»Nein, nein und ...« Er denkt eine Weile nach. »Und nein.«

Ich bringe sie ihm und stelle sie in Reih und Glied vor ihn auf den Tisch. Er entspannt sich ein wenig. Dann mache ich weiter mit meiner Schrankdurchsuchung und spüre, wie er wieder nervös wird. Ich will die Schranktür öffnen, hinter der das Müsli steht ...

»Wasser!«, ruft er, ich fahre hoch und knalle die Tür wieder zu.

»Alles in Ordnung mit dir?«

»Ja«, sagt er ruhig. »Ich brauche bloß ein Glas Wasser für meine Pillen. Gläser sind in dem Schrank da drüben.« Er deutet zum anderen Ende der Küche.

Argwöhnisch fülle ich ein Glas mit Wasser und bringe es ihm. Dann gehe ich zurück zum Müslifach.

»Tee!«, schreit Dad. »Komm, wir trinken ein Tässchen Tee. Setz dich hin, ich mach ihn schon. Du hast so viel durchgemacht und dich so großartig gehalten. So tapfer warst du. Wie ein kleiner Zinnsoldat. Also mach's dir gemütlich, ich koch uns ein Tässchen. Und dazu gibt's ein Stückchen Kuchen. Battenburg – den mochtest du schon als kleines Kind. Hast immer versucht, das Marzipan abzupopeln, wenn grade keiner hingeschaut hat, kleiner Gierkopp, der du warst.« Erneut versucht er mich wegzulocken.

»Dad!«, sage ich warnend.

Er hört auf rumzuhampeln und seufzt.

Ich mache die Schranktür auf und schaue hinein. Nichts Ungewöhnliches, nichts, was fehl am Platz wirkt, nur der Porridge, den ich morgens immer esse, und die Sugar Puffs, die ich nie anfasse. Dad sieht zufrieden aus, gibt eine Art Räuspern von sich und geht zurück zum Tisch. Moment mal. Ich mache die Schranktür nochmal auf und greife nach den Sugar Puffs, die ich nie esse und auch Dad nie essen sehe. Als ich sie anhebe, weiß ich, dass da keine Frühstücksflocken mehr drin sind. Ich spähe hinein.

»Dad!«

»Was denn, Liebes?«

»Dad, du hast es mir versprochen!« Ich halte ihm das Päckchen Zigaretten unter die Nase.

»Ich hab nur eine einzige davon geraucht, Liebes.«

»Du hast nicht nur eine einzige geraucht. Der Qualm, den ich jeden Morgen hier rieche, kommt nicht von verbranntem Toast. Du hast mich angelogen!«

»Eine am Tag wird mich wohl kaum umbringen.«

»Doch, genau das wird sie. Du hattest eine Bypassoperation, du sollst überhaupt nicht rauchen! Bei deinen Frühstückseskapaden drücke ich ein Auge zu, aber das hier ist nicht akzeptabel«, erkläre ich streng.

Dad rollt die Augen, hebt die Hand hoch und macht das internationale Zeichen für Blablabla.

»Das reicht, ich rufe deinen Arzt an.«

Er springt auf. »Nein, Liebes, tu das nicht!«

Ich marschiere hinaus in die Diele, und er rennt hinter mir her. Rauf, runter, runter, rauf. Geht rechts runter, wird links gebeugt.

»Ah, das kannst du mir nicht antun. Wenn die Zigaretten mich nicht umbringen, schafft es meine Tochter. Ein Dragoner, diese Frau.«

Ich hebe das Telefon ab, das neben Mums Foto steht, und wähle die Notrufnummer, die ich mir gemerkt habe. Die erste Nummer, die mir in den Sinn kommt, wenn ich dem wichtigsten Menschen in meinem Leben helfen muss.

»Wenn Mum wüsste, was du tust, würde sie durchdrehen – ach.« Ich halte jäh inne. »Deshalb versteckst du immer das Foto, richtig?«

Dad sieht auf seine Hände hinunter und nickt traurig. »Sie hat mir das Versprechen abgenommen, dass ich aufhöre. Wenn nicht für mich, dann wenigstens für sie. Ich wollte nicht, dass sie mich sieht«, fügt er leise hinzu, als könnte Mum uns hören.

»Hallo?«, meldet sich jemand am anderen Ende der Leitung. »Hallo? Bist du das, Dad?«, fragt eine junge Mädchenstimme mit amerikanischem Akzent.

»Oh.« Ich erwache aus meiner Trance. »Entschuldigung«, sage ich ins Telefon. »Hallo?« Dad betrachtet mich mit flehendem Blick.

»Oh, tut mir leid, ich hab eine Nummer aus Irland gesehen und gedacht, es wäre mein Vater«, erklärt die Stimme am anderen Ende.

»Kein Problem«, antworte ich verwirrt.

Jetzt steht Dad vor mir, die Hände wie zum Gebet gefaltet.

»Ich wollte eigentlich …« Dad schüttelt wild den Kopf, und ich halte inne.

»Tickets für die Vorstellung?«

»Für welche Vorstellung?«, frage ich stirnrunzelnd.

»Im Royal Opera House.«

»Entschuldigen Sie, mit wem spreche ich eigentlich? Ich bin ganz durcheinander.«

Dad verdreht die Augen und setzt sich auf die unterste Treppenstufe.

»Ich bin Bea.«

»Bea.« Fragend schaue ich Dad an, aber der zuckt nur die Achseln. »Bea wie weiter?«

»Und wer sind Sie?« Jetzt klingt ihre Stimme viel härter.

»Ich bin Joyce. Tut mir leid, Bea, aber ich fürchte, ich habe mich verwählt. Sie haben auf dem Display eine irische Nummer aus Irland angezeigt? Rufe ich etwa in Amerika an?«

»Nein, keine Sorge.« Jetzt, wo sie sich vergewissert hat, dass ich kein Stalker bin, wird ihr Ton wieder freundlicher. »Nur in London«, erklärt sie. »Ich habe die irische Nummer gesehen und gedacht, es wäre mein Dad. Er kommt heute Abend hierher zurück, um sich meine Vorstellung morgen anzusehen, und ich hab mir Sorgen gemacht, weil ich noch Studentin bin, und es ist alles so aufregend für mich, und ich dachte, er wäre … sorry, ich habe keine Ahnung, warum ich Sie damit belämmere, ich bin so schrecklich nervös«, lacht sie und holt dann tief Luft. »Theoretisch ist das eine Notfallnummer.«

»Komisch, ich hab nämlich auch meine Notfallnummer gewählt.«

Wir lachen beide.

»Wirklich seltsam«, meint dann auch das Mädchen.

»Ihre Stimme klingt so bekannt, Bea. Kenne ich Sie?«

»Ich glaube kaum. Außer meinem Dad, der ein Mann ist und

Amerikaner, kenne ich niemanden in Irland, wenn Sie also nicht mein Dad sind, der sich einen Scherz erlaubt …«

»Nein, nein, ich …« Plötzlich werden mir die Knie ganz weich. »Das klingt jetzt vielleicht wie eine blöde Frage, aber sind Sie zufällig blond?«

Dad schlägt die Hände über dem Kopf zusammen, und ich höre ihn ächzen.

»Ja! Warum, klingt meine Stimme blond? Vielleicht ist das nicht so gut!«, kichert sie.

Ich habe einen dicken Kloß im Hals und kann kaum sprechen. »War bloß geraten«, stoße ich mühsam hervor.

»Gut geraten«, sagt sie. »Tja, ich hoffe, alles ist okay. Sie haben doch gesagt, Sie haben Ihre Notrufnummer gewählt, oder?«

»Ja, danke, aber jetzt ist alles in Ordnung.«

Dad wirft mir einen erleichterten Blick zu.

Bea lacht. »Also, das war echt komisch, aber dann mach ich jetzt mal lieber Schluss. War nett, mit Ihnen zu plaudern, Joyce.«

»Danke gleichfalls, Bea. Viel Glück bei Ihrer Ballettaufführung.«

»Oh, das ist nett, danke.«

Wir verabschieden uns, und ich lege mit zitternder Hand auf.

»Du Dussel, hast du grade in Amerika angerufen?«, fragt Dad, setzt die Brille auf und drückt einen Knopf am Telefon. »Joseph, der ein Stück weiter die Straße runter wohnt, hat mir gezeigt, wie man das macht, als ich diese blöden Anrufe gekriegt habe. Da kann man sehen, wer angerufen hat, und auch, welche Nummer man selbst gewählt hat. Wie sich herausgestellt hat, war es Fran, die zufällig auf die Tasten von ihrem Handy gekommen ist. Letzte Weihnachten haben die Enkel ihr das Ding geschenkt, und sie hat nichts damit gemacht, außer mich zu unmöglichen Zeiten aus dem Schlaf zu klingeln. Hier ist die Nummer von grade. Fängt an mit 0044. Wo ist das?«

»Großbritannien.«

»Warum in aller Welt hast du diese Nummer gewählt? Wolltest du mich an der Nase rumführen? Jemine, das hätte ja schon gereicht für einen Herzanfall!«

»Tut mir total leid, Dad.« Zittrig lasse ich mich neben ihm auf der Treppenstufe nieder. »Ich habe keine Ahnung, warum ich diese Nummer im Kopf hatte.«

»Na ja, ich hab jedenfalls was draus gelernt«, meint er ein bisschen heuchlerisch. »Mit dem Rauchen ist es für mich ein für alle Mal vorbei. Schluss, Punkt, aus. Gib mir die Zigaretten, ich schmeiße sie weg.«

Benommen strecke ich ihm die Hand hin.

Er grabscht das Päckchen und stopft es in seine Hosentasche. »Ich hoffe, du zahlst mir den Anruf, dafür reicht meine Rente nämlich nicht.« Er kneift die Augen zusammen. »Was ist los mit dir?«

»Ich fliege nach London«, platze ich heraus.

»Was?« Ihm fallen fast die Augen aus dem Kopf. »Herr des Himmels, Gracie, ein Chaos nach dem anderen.«

»Ich muss Antworten finden auf … auf alles Mögliche. Dafür muss ich nach London. Komm doch mit«, schlage ich vor, stehe auf und stelle mich direkt vor ihn.

Aber er weicht zurück und legt die Hand schützend auf die Hosentasche mit den Zigaretten.

»Ich kann nicht«, wehrt er meinen Vorschlag nervös ab.

»Warum nicht?«

»Ich war noch nie in meinem ganzen Leben weg von hier!«

»Umso mehr Grund, es jetzt zu tun«, dränge ich. »Wenn du schon unbedingt rauchen musst, kannst du dir ruhig die Welt anschauen, bevor du dich umbringst.«

»Es gibt auch Telefonnummern, die ich anrufen kann, wenn man so mit mir spricht. Meinst du vielleicht, ich hab noch nie was davon gehört, dass Kinder ihre alten Eltern schikanieren?«

»Ach, spiel doch nicht das Opfer, du weißt, dass ich es gut mit dir meine. Komm mit nach London, Dad. Bitte.«

»Aber, aber …«, stammelt er und versucht mir mit ängstlich aufgerissenen Augen auszuweichen. »Ich kann doch den Monday Club nicht verpassen.«

»Wir fliegen morgen, dann sind wir bis Montag wieder zurück. Versprochen.«

»Aber ich hab keinen Pass.«

»Du brauchst bloß einen Ausweis mit Foto.«

Inzwischen sind wir zur Küche vorgerückt.

»Aber ich weiß nicht, wo ich übernachten soll.« Er geht durch die Tür.

»Wir buchen ein Hotelzimmer.«

»Das ist zu teuer.«

»Wir teilen uns ein Zimmer.«

»Aber ich kenne mich nicht aus in London.«

»Aber ich war schon öfter dort.«

»Aber … aber …« Er stößt gegen den Küchentisch, Ende der Fahnenstange, jetzt kann er nicht mehr weiter zurückweichen. Sein Gesicht ist angstverzerrt. »Ich bin noch nie geflogen.«

»Das ist kein Problem, du wirst Spaß haben da oben. Außerdem bin ich ja bei dir und rede die ganze Zeit mit dir, da bist du abgelenkt.«

Unsicher schaut er mich an.

»Was noch?«, frage ich sanft.

»Was soll ich einpacken? Was brauche ich da drüben? Früher hat deine Mutter immer für mich gepackt.«

»Ich helfe dir beim Packen«, verspreche ich lächelnd und schon ganz aufgeregt. »Das wird bestimmt lustig – du und ich in unserem ersten Überseeurlaub!«

Auch Dad sieht einen Moment aus, als würde er sich freuen, aber dann wird er plötzlich wieder ernst. »Nein, ich komme nicht mit. Ich kann nicht schwimmen. Wenn das Flugzeug abstürzt, muss ich doch schwimmen können. Ich will nicht übers Meer fliegen. Ich begleite dich woandershin, aber nicht übers Meer.«

»Dad, wir wohnen auf einer Insel, wenn wir hier weg wollen,

müssen wir wohl oder übel übers Meer. Außerdem gibt es im Flugzeug Schwimmwesten.«

»Ach wirklich?«

»Ja, du brauchst dir wirklich keine Sorgen zu machen«, versichere ich ihm. »Die zeigen dir, was man in einem Notfall machen muss, aber du kannst mir auch ruhig glauben, dass es keinen Notfall geben wird. Ich bin schon tausendmal geflogen, ohne das geringste Problem. Es wird dir gefallen, ganz bestimmt. Und stell dir doch mal vor, was du dann im Monday Club alles erzählen kannst. Die werden ihren Ohren nicht trauen und deine Geschichten den ganzen Abend immer wieder hören wollen.«

Langsam mogelt sich ein Lächeln auf Dads Lippen, und er meint: »Dann muss das Großmaul Donal zur Abwechslung endlich mal einem anderen zuhören. Ich denke, Maggie könnte tatsächlich einen Reisetermin für mich klarmachen.«

Achtzehn

»Fran ist da, Dad. Wir müssen los!«

»Moment noch, Liebes, ich schau nur nach, ob alles in Ordnung ist.«

»Alles ist wunderbar«, versichere ich ihm. »Du hast es doch schon fünfmal kontrolliert.«

»Man kann nie sicher genug sein. Dauernd hört man irgendwelche Geschichten von Fehlfunktionen am Fernseher und explodierenden Toastern, und dann kommen die Leute aus den Ferien zurück und finden statt ihrem Haus bloß noch ein qualmendes Aschehäufchen vor.« Zum x-ten Mal checkt er die Steckdosenschalter.

Fran hupt.

»Eines Tages werde ich die Frau erwürgen mit ihrem ständigen Getröte«, ruft er, und ich muss lachen.

»Dad«, sage ich sanft und nehme ihn an der Hand. »Wir müssen jetzt wirklich gehen. Dem Haus passiert schon nichts. Alle deine Freunde wohnen hier in der Nähe und haben ein Auge darauf. Wenn irgendwo ein verdächtiges Geräusch zu hören ist, haben sie augenblicklich ihre neugierigen Nasen an den Fensterscheiben, und bei Bedarf werden die nötigen Maßnahmen eingeleitet. Das weißt du genau.«

Er nickt und sieht sich mit Tränen in den Augen um.

»Wir werden einen Riesenspaß haben, ganz sicher. Worüber machst du dir Sorgen?«

»Über diese verdammte Flauschi-Katze. Dass sie sich in den

Garten schleicht und auf meine Pflanzen pisst. Dass das Unkraut meine armen Petunien und Löwenmäulchen erdrückt und dass niemand auf meine Chrysanthemen aufpasst. Was, wenn es Wind und Regen gibt? Ich hab sie noch nicht an Stöcke gebunden, die Blüten können schwer werden und womöglich abknicken. Weißt du, wie lange die Magnolie gebraucht hat, bis sie sich eingewöhnt hat? Ich hab sie gepflanzt, als du noch ganz klein warst, während deine Mutter sich die Sonne auf die Beine hat brennen lassen und über Mr Henderson, möge er in Frieden ruhen, gelacht hat, weil er nebenan durch die Vorhänge gelinst hat.«

Tröt, trööööt. Fran drückt erneut feste auf die Hupe.

»Es sind doch nur ein paar Tage, Dad. Der Garten übersteht das. Sobald du zurückkommst, kannst du dich wieder um ihn kümmern.«

»Na gut, okay.« Nach einem letzten Blick in die Runde macht er sich endlich auf den Weg zur Tür.

Ich sehe ihn an: der übliche Schaukelgang, sein dreiteiliger Sonntagsanzug mit Hemd und Krawatte, dazu frisch polierte Schuhe und die Tweedkappe, ohne die ihn noch nie jemand außerhalb des Hauses gesehen hat. Als stammte er direkt aus den Fotos, die hinter ihm an der Wand hängen. Am Dielentischchen zögert er und streckt die Hand nach Mums Foto aus.

»Weißt du, deine Mutter wollte immer, dass ich mal mit ihr nach London fahre.« Dann tut er so, als würde er einen Fleck auf dem Glas wegreiben, aber in Wirklichkeit streichelt er Mums Gesicht.

»Nimm sie doch mit, Dad.«

»Ach nein, das wäre doch albern«, meint er forsch, setzt aber nach kurzem Zögern unsicher hinzu: »Oder nicht?«

»Ich finde es eine gute Idee. Wir reisen zu dritt und haben eine Menge Spaß.«

Wieder treten ihm die Tränen in die Augen. Mit einem kleinen Nicken steckt er den Bilderrahmen in die Manteltasche und verlässt das Haus unter Frans neuerlichem Hupkonzert.

»Ah, da bist du ja, Fran«, ruft er ihr zu, während er den Gartenweg hinunterschaukelt. »Du bist spät dran, wir warten schon seit einer Ewigkeit.«

»Ich hab schon ein paar Mal gehupt, Henry – habt ihr mich nicht gehört?«

»Du hast gehupt?« Dad steigt ein. »Dann solltest du das nächste Mal vielleicht ein bisschen fester draufdrücken.«

Als ich den Schlüssel ins Schlüsselloch stecke, um abzuschließen, klingelt in der Diele das Telefon. Ich sehe auf meine Uhr. Wer um Himmels willen ruft denn morgens um sieben an?

Fran hupt schon wieder, und als ich mich ärgerlich umdrehe, sehe ich, wie Dad über Frans Schulter hinweggreift.

»So ungefähr Fran. Das nächste Mal hören wir dich bestimmt. Komm schon, Liebes, wir haben einen Flieger zu kriegen!«, ruft er und lacht schallend.

Ich ignoriere das klingelnde Telefon und eile mit unserem Gepäck zum Auto.

»Es geht niemand dran«, ruft Justin, während er panisch im Wohnzimmer auf und ab läuft. Er versucht die Nummer noch einmal. »Warum hast du mir das nicht gestern erzählt, Bea?«

Seine Tochter verdreht die Augen. »Weil ich nicht wusste, dass es so eine große Sache ist. Schließlich verwählen sich die Leute doch dauernd.«

»Aber sie hat sich nicht verwählt.« Abrupt bleibt er stehen und tippt ungeduldig mit dem Fuß auf den Boden, während er dem vergeblichen Klingeln lauscht.

»Doch, genau so war es.«

Anrufbeantworter. Verdammt! Soll ich was draufsprechen?

Er legt auf und wählt hektisch nochmal.

Genervt von seinem Theater setzt Bea sich auf einen Gartenstuhl und sieht sich in dem mit Planen abgedeckten Zimmer um. An den Wänden sind Dutzende Farbproben. »Wann ist Doris denn endlich fertig damit?«

»Erst wenn sie endlich angefangen hat«, blafft Justin und wählt schon wieder.

»Meine Ohren klingeln«, flötet Doris, die in diesem Moment in einem Overall mit Leopardenmuster in der Tür erscheint, grell geschminkt wie üblich. »Die hab ich gestern entdeckt, sind sie nicht toll?«, lacht sie. »Buzzy-Bea, ich freue mich so, dich zu sehen!« Sie läuft zu ihr und umarmt sie. »Wir sind so aufgeregt wegen deinem Auftritt heute Abend, das kannst du dir gar nicht vorstellen. Die kleine Buzzy-Bea ist erwachsen und tritt im *Royal Opera House* auf!« Ihre Stimme erreicht Kreischfrequenz. »Ach, wir sind so stolz auf dich, stimmt's, Al?«

Al kommt hinter ihr ins Zimmer, in der Hand einen Hähnchenschlegel. »Mhmm.«

Voller Abscheu mustert Doris ihn von oben bis unten und schaut dann wieder zu Bea. »Gestern ist das Bett fürs Gästezimmer angekommen, du hast also tatsächlich was, worauf du schlafen kannst, wenn du hier übernachten willst, ist das nicht enorm?« Ärgerlich sieht sie dann zu Justin hinüber und fährt fort: »Außerdem habe ich Farbe und Stoffproben mitgebracht, damit wir dein Zimmer planen können. Allerdings richte ich mich streng nach den Grundsätzen von Feng-Shui. Das lasse ich mir nicht ausreden.«

Bea erstarrt. »Oh, toll.«

»Wir werden garantiert Spaß haben!«

Justin funkelt seine Tochter an. »Das ist die Strafe, weil du wichtige Informationen zurückgehalten hast.«

»Was denn für Informationen? Was ist los?« Doris schlingt sich einen kirschrosa Schal um den Kopf und bindet ihn oben zu einer Schleife.

»Dad hat grade einen hysterischen Anfall«, erklärt Bea.

»Ich hab ihm schon tausendmal gesagt, er soll zum Zahnarzt gehen. Er hat einen Abszess, da bin ich ganz sicher«, meint Doris nüchtern.

»Ich hab es ihm auch gesagt«, stimmt Bea zu.

»Nein, das doch nicht. Es geht um die Frau«, protestiert Justin leidenschaftlich. »Erinnert ihr euch an die Frau, von der ich euch erzählt habe?«

»Sarah?«, fragt Al.

»Nein!«, antwortet Justin, als wäre das vollkommen absurd.

»Wer soll denn da noch mitkommen?«, entgegnet Al mit einem Schulterzucken. »Natürlich nicht Sarah, vor allem, nachdem du einem Bus nachgerannt bist und sie einfach stehen lassen hast.«

Justin windet sich. »Ich hab mich entschuldigt.«

»Bei ihrer Mailbox«, kichert Al. »Sie wird dich nie zurückrufen.«

Könnte ich ihr auch nicht übelnehmen.

»Die Déjà-vu-Frau?« Doris schnappt hörbar nach Luft, als auch bei ihr der Groschen fällt.

»Ja.« Justin fängt wieder an herumzuhibbeln. »Sie heißt Joyce, und gestern hat sie bei Bea angerufen.«

»Vielleicht auch *nicht*«, protestiert Bea, aber ihr Einwand stößt auf taube Ohren. »Gestern hat eine Frau namens Joyce angerufen, das stimmt. Aber ich bin ziemlich sicher, dass es auf der Welt mehr als eine Frau gibt, die Joyce heißt.«

Ohne ihren Einwand zu beachten, schnappt Doris erneut nach Luft. »Wie ist das möglich? Woher weißt du ihren Namen?«

»Ich hab gehört, wie jemand in einem Wikingerbus sie so genannt hat. Und gestern hat Bea einen Anruf gekriegt, auf ihrer Notfallnummer, die außer mir niemand kennt, und zwar von einer Frau aus Irland.« Justin macht eine Kunstpause, um die Dramatik zu unterstreichen. »Und sie hieß Joyce.«

Schweigen. Dann nickt Justin bedeutungsvoll mit dem Kopf. »Ja, ich weiß, Doris. Unheimlich, oder?«

Doris ist erstarrt, mit weit aufgerissenen Augen. »Allerdings. Mal abgesehen von dem Wikingerbus.« Sie wendet sich an Bea. »Du bist achtzehn Jahre alt und hast deinem Vater eine *Notfallnummer* gegeben?«

Justin stöhnt frustriert auf und fängt wieder an zu wählen.

Bea wird rot. »Bevor er rübergezogen ist, wollte Mum nicht, dass er zu bestimmten Zeiten anruft, wegen der Zeitverschiebung. Deshalb hab ich mir eine andere Nummer besorgt. Theoretisch ist es keine Notfallnummer, aber er ist der Einzige, dem ich sie gegeben habe, und wie es aussieht, hat er jedes Mal, wenn er anruft, irgendwelchen Ärger.«

»Stimmt doch gar nicht!«, wirft Justin ein.

»Na klar«, entgegnet Bea trocken, während sie in einer Zeitschrift blättert. »Und ich ziehe auch nicht mit Peter zusammen.«

»Richtig, du ziehst nicht mit ihm zusammen. Denn Peter ...« – er spuckt den Namen mit großer Verachtung aus – »... Peter verdient seinen Lebensunterhalt mit Erdbeerpflücken.«

»Ich liebe Erdbeeren«, bietet Al seine Unterstützung an. »Ohne Petey würde ich keine kriegen.«

»Peter ist IT-Berater!« Verwirrt streckt Bea die Hände von sich.

Diesen Moment nutzt Doris, um sich ebenfalls einzumischen. Sie wendet sich an Justin. »Süßer, du weißt ja, dass ich hinter dir stehe bei dieser Sache mit der Déjà-vu-Lady und so ...«

»Joyce. Sie heißt Joyce.«

»Wie auch immer, aber da war doch nichts außer einem Zufall. Und ich bin auch für Zufälle zu haben, aber das ist ... na ja, das ist ein ziemlich blöder Zufall.«

»Ich habe nicht nichts außer einem Zufall, Doris, und dieser Satz ist auf so vielen Ebenen grammatikalisch falsch, du würdest es nicht glauben. Ich habe einen *Namen* und eine *Telefonnummer*.« Er kniet sich vor Doris auf den Boden, nimmt ihr Gesicht in die Hände und drückt es zusammen, dass ihr Mund sich nach vorn stülpt. »Und das, Doris Hitchcock, das bedeutet, dass ich sehr wohl mehr habe als einen blöden Zufall!«

»Und es bedeutet außerdem, dass man dich als Stalker bezeichnen könnte«, fügt Bea sehr leise hinzu.

✳

Auf Wiedersehen! Wir hoffen, es hat Ihnen in Dublin gefallen.

Dad wird wieder nervös und zieht seine buschigen Augenbrauen hoch.

»Du musst der ganzen Familie sagen, dass ich nach ihnen gefragt habe, ja, Fran?«, sagt er.

»Aber natürlich, Henry. Es wird dir garantiert gefallen.« Im Rückspiegel sehen mich ihre Augen lächelnd und vielsagend an.

»Ich melde mich dann, wenn ich wieder da bin«, verspricht Dad und sieht konzentriert einem Flugzeug nach, das gerade in den Himmel aufsteigt und verschwindet. »Jetzt ist es über den Wolken«, stellt er fest und mustert mich unsicher.

»Der Teil ist immer am schönsten«, sage ich und lächle.

Tatsächlich entspannt er sich ein bisschen.

Im Drop-off-Bereich hält Fran an. Überall wimmelt es von Menschen, die wissen, dass sie nicht länger als eine Minute hier stehen dürfen, und deshalb in Lichtgeschwindigkeit ihr Gepäck ausladen, einander umarmen, den Taxifahrer bezahlen, andere Autos wegwinken. Dad steht da wie ein Fels in der Brandung und lässt alles auf sich wirken, während ich das Gepäck aus dem Kofferraum wuchte. Schließlich erwacht er aus seiner Starre und wendet sich Fran zu, offenbar plötzlich erfüllt von einer herzlichen Zuneigung für diese Frau, über die er sonst gar nicht genug meckern kann. Zur Überraschung aller Beteiligten umarmt er sie, ungeschickt, aber herzlich.

Wir gehen hinein, und im geschäftigen Treiben eines der belebtesten Flughäfen Europas klammert Dad sich fest an meinen Arm, während er mit der anderen Hand den Wochenendtrolley hinter sich herzieht, den ich ihm geliehen habe. Es hat mich einen ganzen Tag und eine ganze Nacht gekostet, ihn davon zu überzeugen, dass so ein Trolley etwas ganz anderes ist als die karierten Einkaufswägelchen, mit denen Fran und die anderen älteren Frauen in seiner Umgebung gern herumziehen. Wenn er sich hier umsieht, wird er rasch bemerken, wie häufig diese rollbaren Gepäckstücke benutzt werden, auch von Männern. Insgesamt macht er einen fröhlichen, wenn auch etwas verwirrten Eindruck. Wir gehen zu den Check-in-Automaten.

»Was machst du denn da? Holst du Pfundnoten für England?«

»Das ist kein Geldautomat, Dad, das ist der Check-in.«

»Sprechen wir nicht mit Menschen?«

»Nein, das erledigt alles diese Maschine für uns.«

»Ich würde dem Ding ja nicht trauen.« Er sieht über die Schulter zu dem Mann neben uns. »Entschuldigung, aber funktioniert Ihr Dingsbums da?«

»*Scusi?*«

Dad schaut irritiert. »Sie Kuh Sie?« Empört sieht er sich zu mir um. »Joyce, will der mich beleidigen?«

»*Mi dispiace tanto, signore, La prego di ignorarlo, è un vecchio sciocco e non sa cosa dice*«, entschuldige ich mich bei dem Italiener. Ich habe keine Ahnung, was ich gerade gesagt habe, aber der Mann erwidert mein Lächeln und fährt mit dem Check-in fort.

»Seit wann sprichst du Italienisch?«, fragt Dad erstaunt, aber ich habe keine Zeit, ihm zu antworten, bevor er mich energisch zum Schweigen bringt, weil gerade eine Ansage beginnt. »Könnte doch für uns sein, Gracie. Wir sollten uns beeilen.«

»Wir haben noch zwei Stunden bis zu unserem Flug.«

»Warum sind wir denn schon so früh da?«

»Das müssen wir.« Ich bin jetzt schon müde, und je müder ich werde, desto einsilbiger werden meine Antworten.

»Wer sagt das?«

»Die Sicherheitsbestimmungen.«

»Was für Sicherheitsbestimmungen?«

»Die Flughafensicherheitsbestimmungen. Hier entlang.« Ich deute mit einer Kopfbewegung zu den Metalldetektoren.

»Wo gehen wir jetzt hin?«, fragt er, als ich unsere Bordkarten aus der Maschine hole.

»Wir checken unser Gepäck ein.«

»Können wir die Sachen nicht mitnehmen?«

»Nein.«

»Hallo.« Die Frau am Schalter lächelt uns an, während sie meinen Pass und Dads Ausweis entgegennimmt.

»Hallo«, erwidert Dad fröhlich, und ein zuckersüßes Lächeln arbeitet sich durch die Runzeln seines oft so mürrischen Gesichts.

Ich verdrehe die Augen. Alter Charmeur.

»Wie viele Gepäckstücke möchten Sie einchecken?«

»Zwei.«

»Haben Sie die Taschen selbst gepackt?«

»Ja.«

»Nein«, ruft Dad dazwischen, knufft mich und runzelt die Stirn. »Du hast meine Tasche für mich gepackt, Gracie.«

»Ja, aber du warst dabei, Dad«, erkläre ich seufzend. »Wir haben deine Tasche zusammen gepackt.«

»Aber das hat sie nicht gefragt.« Er wendet sich wieder an die Frau. »Ist das okay?«

»Ja.« Sie macht unbeirrt weiter. »Hat jemand Sie gebeten, etwas für ihn ins Flugzeug mitzunehmen?«

»N…«

»Doch!«, unterbricht Dad mich erneut. »Gracie hat ein Paar Schuhe in meine Tasche gepackt, weil sie in ihre nicht mehr reingepasst haben. Wir sind bloß ein paar Tage fort, wissen Sie, und sie hat drei Paar Schuhe dabei. *Drei* Paar!«

»Befindet sich in Ihrem Handgepäck irgendetwas Spitzes, Scharfes oder Gefährliches – Scheren, Pinzetten, Feuerzeuge oder Ähnliches?«

»Nein«, antworte ich.

Dad windet sich, sagt aber nichts.

»Antworte doch, Dad«, verlange ich mit einem sanften Rippenstoß.

»Nein«, stößt er schließlich hervor.

»Gut gemacht«, zische ich aus dem Mundwinkel.

»Angenehmen Flug«, wünscht uns die Frau und gibt uns unsere Ausweise zurück.

»Danke. Ihr Lippenstift ist sehr hübsch«, fügt Dad noch hinzu, ehe ich ihn wegzerren kann.

Ich atme tief durch, als wir uns den Sicherheits-Checks nähern, und versuche mir ins Gedächtnis zu rufen, dass Dad zum ersten Mal auf einem Flughafen ist und dass ich die Fragen, die einem hier gestellt werden, auch komisch finden würde, wenn ich fünfundsiebzig wäre und sie noch nie gehört hätte.

»Bist du aufgeregt?«, frage ich, um etwas von meiner Strenge wettzumachen.

»Halb im Koma vor Aufregung, Liebes.«

Ich gebe auf und fülle mein Make-up und seine Pillen in einen der obligatorischen Plastikbeutel, und so schlängeln wir uns durch das Labyrinth der Sicherheitsabsperrungen.

»Ich komme mir vor wie ein kleines Mäuschen«, meint Dad. »Ob es wohl ein Stückchen Käse gibt, wenn wir am Ende ankommen?« Er lacht keuchend, dann stehen wir auch schon vor den Metalldetektoren.

»Tu einfach, was man dir sagt«, bitte ich ihn, während ich meinen Gürtel und meine Jacke ausziehe. »Und mach bitte keinen Ärger, ja?«

»Ärger? Warum sollte ich Ärger machen? Aber was tust du denn da, Gracie? Warum ziehst du dich aus, Gracie?«

Ich ächze leise.

»Sir, würden Sie bitte Ihre Schuhe, Ihren Gürtel, Ihren Mantel und Ihre Mütze ablegen?«

»Auf gar keinen Fall. Wollen Sie, dass ich auf Socken hier rumlaufe?«

»Dad, tu es einfach«, ermahne ich ihn.

»Wenn ich den Gürtel ausziehe, rutscht mir aber die Hose runter«, entgegnet er ärgerlich.

»Dann musst du sie eben mit den Händen festhalten«, zische ich.

»Herr des Himmels«, sagt er laut.

Der junge Sicherheitsmensch sieht sich zu seinen Kollegen um.

»Dad, tu es einfach«, beharre ich, schon etwas genervt. Die Schlange irritierter erfahrener Reisender, die bereits ganz selbstverständlich Schuhe, Gürtel und Mäntel abgelegt haben, staut sich hinter uns.

»Leeren Sie bitte Ihre Taschen.« Jetzt tritt ein älterer und wesentlich strenger wirkender Mann auf uns zu.

Dad macht ein unsicheres Gesicht.

»O mein Gott, Dad, das ist kein Scherz, bitte tu, was man dir sagt.«

»Kann ich meine Taschen vielleicht woanders ausleeren, wo sie es nicht sieht?«

»Nein, das müssen Sie hier machen.«

»Ich schau nicht hin«, verspreche ich verdutzt.

Klirrende Geräusche dringen an mein Ohr, während Dad nun gehorsam seine Taschen leert.

»Sir, man hat Sie doch darüber informiert, dass Sie diese Dinge nicht mit an Bord bringen dürfen.«

Ich drehe mich um und sehe, dass der Sicherheitsmann ein Feuerzeug und einen Zehennagelknipser in der Hand hält. Das Päckchen Zigaretten liegt mit Mums Bild auf dem Tablett. Außerdem eine Banane.

»Dad!«, rufe ich entsetzt.

»Halten Sie sich bitte raus.«

»Sprechen Sie gefälligst nicht so mit meiner Tochter. Ich wusste nicht, dass ich so was nicht mitnehmen kann. Die Frau am Schalter hat gesagt, keine Schere, keine Pinzette …«

»Okay, das verstehen wir, aber wir müssen Ihnen die Sachen leider abnehmen.«

»Aber das ist mein gutes Feuerzeug, das können Sie mir doch nicht wegnehmen! Und was soll ich ohne meinen Nagelknipser tun?«

»Wir kaufen dir einen neuen«, beruhige ich ihn mit zusammengebissenen Zähnen. »Jetzt tu, was der Mann dir sagt.«

»Na gut«, sagt er ärgerlich und wedelt resigniert mit den Händen, »dann behalten Sie den verdammten Kram eben.«

»Sir, würden Sie bitte Mütze, Mantel, Schuhe und Gürtel ablegen?«

»Er ist ein alter Mann«, sage ich leise zu dem Sicherheitsmann, damit uns keiner aus der Schlange hinter uns hören kann. »Er braucht einen Stuhl, um die Schuhe auszuziehen. Und er sollte eigentlich nicht ohne sie laufen, weil es Spezialschuhe sind. Können Sie ihn nicht einfach durchlassen?«

»Durch die Beschaffenheit seines rechten Schuhs sind wir gezwungen, ihn zu untersuchen«, beginnt der Mann zu erklären, aber Dad hört ihn und explodiert.

»Glauben Sie vielleicht, ich habe eine BOMBE IM SCHUH? Na sicher, welcher Idiot würde denn so was machen? Und glauben Sie, ich hab eine BOMBE auf dem Kopf unter meiner Kappe oder in meinem Gürtel? Ist meine Banane in Wirklichkeit ein REVOLVER oder was?« Wütend fuchtelt er mit der Banane vor den Sicherheitsleuten herum und tut, als würde er schießen. »Seid ihr denn alle verrückt geworden?«

Dann greift er nach seiner Kappe. »Vielleicht hab ich ja auch eine GRANATE unter meiner …«

Er bekommt nicht mehr die Gelegenheit, seinen Satz zu beenden, denn jetzt dreht auf einmal alles durch. Vor meinen Augen wird Dad abgeführt, während ich in einen kleinen zellenartigen Raum gebracht und zum Warten verdonnert werde.

Neunzehn

Nachdem ich fünfzehn Minuten mutterseelenallein in der mit einem Tisch und einem Stuhl spartanisch eingerichteten Verhörzelle gesessen habe, höre ich die Tür des Nebenraums auf- und wieder zugehen. Dann das Scharren von Stuhlbeinen und Dads Stimme, wie immer lauter als alle anderen. Ich rücke näher an die Wand und drücke mein Ohr dagegen.

»Mit wem sind Sie unterwegs?«

»Mit Gracie.«

»Sind Sie da sicher, Mr Conway?«

»Natürlich bin ich sicher! Sie ist meine Tochter, fragen Sie sie doch selbst!«

»Im Pass Ihrer Tochter steht, dass sie Joyce heißt. Lügt ihre Tochter, Mr Conway, oder lügen Sie selbst?«

»Ich lüge nicht. Ach, ich meinte Joyce, ich wollte Joyce sagen.«

»Ändern Sie Ihre Geschichte jetzt?«

»Welche Geschichte denn? Ich hab den falschen Namen gesagt, weiter nichts. Gracie ist meine Frau, und da komme ich immer durcheinander.«

»Wo ist Ihre Frau denn?«

»Sie hat uns verlassen. Aber sie ist in meiner Tasche. Ich meine, in meiner Tasche ist ein Foto von ihr. Jedenfalls war es in meiner Tasche, bevor die Jungs da draußen sie rausgeholt und auf das Tablett gelegt haben. Meinen Sie, ich kriege meinen Nagelschneider zurück? Der war nämlich nicht ganz billig.«

186

»Mr Conway, man hat Ihnen gesagt, dass sie keine scharfen oder spitzen Gegenstände und kein Feuerzeug mit an Bord nehmen dürfen.«

»Das weiß ich ja, aber meine Tochter, Gracie, ich meine Joyce, war gestern total sauer auf mich, weil sie die Zigaretten gefunden hat, die ich in der Sugar-Puffs-Schachtel versteckt habe, und ich wollte das Feuerzeug nicht aus der Tasche holen, damit sie nicht wieder an die Decke geht. Aber ich entschuldige mich dafür. Ich wollte das Flugzeug nicht in die Luft jagen oder so.«

»Mr Conway, bitte achten Sie etwas auf Ihre Ausdrucksweise. Warum haben Sie sich geweigert, die Schuhe auszuziehen?«

»Ich hab Löcher in den Socken!«

Eine Weile herrscht Stille.

»Ich bin fünfundsiebzig, junger Mann. Warum in aller Welt soll ich die Schuhe ausziehen? Haben Sie gedacht, ich will das Flugzeug mit einem Gummischuh in die Luft sprengen? Oder macht Ihnen die Einlage so zu schaffen? Womöglich haben Sie ja recht, denn man kann ja nie wissen, wie viel Schaden ein Mensch mit einer guten Einlegesohle anrichten kann …«

»Mr Conway, bitte halten Sie sich etwas zurück und vermeiden Sie besserwisserische Andeutungen, denn sonst können wir Sie nicht ins Flugzeug lassen. Aus welchem Grund wollten Sie Ihren Gürtel nicht abnehmen?«

»Weil ich sonst die Hose verloren hätte! Ich bin nicht wie diese *Kids* heutzutage, ich hab einen Gürtel nicht deswegen an, weil ich unbedingt *cool* sein will, wie man so schön sagt. Da, wo ich herkomme, zieht man einen Gürtel an, damit die Hose nicht runterrutscht. Und Sie würden mich noch für ganz andere Dinge verhaften, wenn ich keinen Gürtel anhätte, das können Sie mir ruhig glauben.«

»Sie sind nicht verhaftet, Mr Conway. Wir müssen Ihnen nur ein paar Fragen stellen. Ein Verhalten, wie Sie es heute gezeigt haben, ist in diesem Flughafen verboten, deshalb müssen wir herausfinden, ob Sie die Sicherheit unserer Passagiere gefährden.«

»Was meinen Sie damit – ›gefährden‹?«

Der Sicherheitsmann räuspert sich. »Nun, das bedeutet, dass wir untersuchen müssen, ob Sie Mitglied in einer kriminellen Vereinigung oder terroristischen Organisation sind, bevor wir Sie ins Flugzeug lassen können.«

Schallendes Gelächter von meinem Dad ist die Antwort.

»Sie werden sicher verstehen, dass wir niemanden an Bord nehmen, dem wir nicht vertrauen, denn ein Flugzeug ist ein sehr beengter Raum. Wir haben das Recht zu wählen, wen wir mitnehmen und wen nicht.«

»Von mir könnte in einem beengten Raum höchstens dann eine Bedrohung ausgehen, wenn ich ein gutes Curry aus meiner Stammkneipe intus hätte. Und terroristische Organisationen? Mitglied bin ich bloß im Monday Club, sonst nirgends. Treffen uns jeden Montag. Außer an Feiertagen, da verschieben wir uns auf Dienstag. Eine Truppe Mädels und Jungs von meinem Kaliber kommen da auf ein paar Pints und ein paar Lieder zusammen, weiter nichts. Obwohl, wenn Sie auf ein bisschen Tratsch aus sind – Donals Familie war ziemlich intensiv bei der IRA engagiert.«

Wieder räuspert sich der Mann, der ihn befragt.

»Donal?«

»Donal McCarthy. Ach, lassen Sie ihn in Ruhe, der ist siebenundneunzig, es ist ewig her, dass sein Dad da für die Freiheit gekämpft hat. Das einzig Rebellische, was er jetzt noch auf die Reihe kriegt, besteht darin, dass er mit seinem Stock aufs Schachbrett haut, und das auch nur, weil es ihn so frustriert, dass er nicht spielen kann. Arthritis in beiden Händen. Wäre ganz gut, er würde es auch in der Zunge kriegen, wenn Sie mich fragen. Reden ist alles, was er tut. Darüber kann Peter sich ohne Ende aufregen, aber die beiden sind auch noch nie miteinander ausgekommen, seit Peter Donals Tochter den Hof gemacht und ihr das Herz gebrochen hat. Sie ist zweiundsiebzig. Hat man so was Lächerliches schon gehört? Sie hat immer behauptet, er hätte ein Wanderauge, aber er hat schlicht und einfach geschielt. Sein Auge wandert, ohne dass er was davon mitkriegt. Das würde ich ihm nie zum Vorwurf machen, obwohl er wirklich jede Woche das Gespräch beherrscht. Ich kann's kaum erwarten, dass er zur Abwechslung auch mal zuhört.« Dad lacht und seufzt dann. Pause. »Meinen Sie, ich könnte eine Tasse Tee bekommen?«, fragt er schließlich.

»Wir brauchen nicht mehr lange, Mr Conway. Was ist denn der Grund Ihres Besuchs in London?«

»Ich fahre da hin, weil meine Tochter mich in letzter Minute hierhergeschleift hat. Gestern Morgen war sie ganz blass, als sie das Telefon aufgelegt hat. ›Ich fliege nach London‹, hat sie gesagt, als würde man so was einfach so von jetzt auf nachher entscheiden. Ah, vielleicht machen das die jungen Leute von heute, aber für mich ist das nichts. An so was bin ich überhaupt nicht gewöhnt. Ich bin noch nie geflogen, wissen Sie. Da sagt meine Tochter: ›Wäre es nicht toll, wenn wir beide einfach mal Urlaub machen?‹ Normalerweise würde ich sofort ablehnen, ich hab nämlich jede Menge im Garten zu tun. Lilien, Tulpen, Osterglocken und Hyazinthen müssen rechtzeitig zum Frühling gesetzt werden, aber sie sagt, leb doch mal ein bisschen, dafür sollte sie eins hinter die Ohren bekommen, weil ich nämlich viel mehr gelebt habe als sie. Aber wegen den ganzen, na ja, sagen wir mal Problemen in letzter Zeit hab ich beschlossen, mit ihr zu fahren. Und das ist doch kein Verbrechen, oder?«

»Was denn für Probleme, Mr Conway?«

»Ach, meine Gracie …«

»Joyce.«

»Ja, danke. Meine Joyce hat eine schwere Zeit hinter sich. Vor ein paar Wochen hat sie ihr Baby verloren, wissen Sie. Jahrelang hat sie versucht, schwanger zu werden, mit einem Kerl, der immer in diesen knallengen weißen Shorts Tennis spielt, und endlich sah alles so gut aus, aber dann hatte sie einen Unfall, ist gestürzt, wissen Sie, und hat das Kleine verloren. Ein bisschen von sich selbst hat sie auch verloren, wenn ich ehrlich sein soll. Letzte Woche dann auch noch ihren Ehemann, aber deswegen muss sie Ihnen jetzt nicht leid tun. Sie hat was verloren, das schon, aber sie hat jetzt auch was, was sie vorher nie hatte. Ich kann nicht richtig sagen, was es eigentlich ist, aber was immer es sein mag, ich glaube nicht, dass es was Schlechtes ist. Allgemein läuft es gerade nicht so gut für sie in letzter Zeit, und was wäre ich denn für ein Vater, wenn ich sie in diesem Zustand allein wegfahren lassen würde? Sie hat keinen Job, kein Baby, keinen Mann, keine Mutter und bald auch kein Haus mehr, und wenn sie zur Erholung mal nach London möchte, und sei es in letzter Minute, dann finde ich das absolut vertretbar, und keiner sollte ihr Steine in den Weg legen. Hier, nehmen Sie die blöde Kappe. Meine Joyce möchte nach London, und das sollten wir unterstützen. Sie ist ein gutes Mädchen, hat in ihrem ganzen Leben nichts Falsches getan. Momentan hat sie nichts außer mir und dieser Reise, jedenfalls wie ich das sehe. Also hier, nehmen Sie die Kappe. Wenn ich ohne meine Kappe und ohne meine Schuhe und ohne meinen Gürtel und ohne meinen Mantel ins Flugzeug muss, na gut, soll mir recht sein, aber meine Joyce fliegt nicht ohne mich nach London.«

Tja, wenn einem das nicht den Rest gibt.

»Mr Conway, Sie wissen doch sicher, dass Sie Ihre Sachen zurückbekommen, wenn Sie durch den Metalldetektor gegangen sind?«

»Was?«, ruft er. »Warum hat sie mir das denn nicht gesagt? Dann war der ganze Blödsinn ja für nichts! Ehrlich, manchmal könnte man denken, sie hat es auf Ärger abgesehen. Okay, Jungs, ihr könnt meine Sachen nehmen. Schaffen wir es noch auf unseren Flug, was meint ihr?«

Alle Tränen sind inzwischen getrocknet.

Endlich öffnet sich die Tür meiner Zelle, und mit einem kurzen Nicken werde ich wieder auf freien Fuß gesetzt.

✳

»Doris, du kannst den Herd in der Küche nicht verstellen. Sag es ihr, Al.«

»Warum denn nicht?«

»Schatz, erstens ist er schwer, und zweitens ist es ein Gasherd. Du bist nicht befugt, Küchengeräte mit Gasanschluss in der Gegend herumzuschieben«, erklärt Al und macht Anstalten, in einen Donut zu beißen.

Aber Doris entreißt ihm das Gebäck, und er leckt sich wehmütig die Marmelade von den Fingern, die dort kleben geblieben ist. »Ihr beiden scheint nicht zu verstehen, warum es feng-shui-mäßig betrachtet schlecht ist, wenn der Herd in Richtung Tür steht. Die Person, die am Herd steht, wird dann immer instinktiv die Tür im Blick haben. Es entsteht ein Gefühl des Unbehagens, und daraus kann sich leicht ein Unfall entwickeln.«

»Vielleicht wäre es sowieso sicherer für Dad, wenn wir den Herd ganz entfernen.«

»Jetzt lasst mich doch mal in Frieden«, ächzt Justin und nimmt auf einem neuen Küchenstuhl am neuen Küchentisch Platz. »Die Wohnung braucht weiter nichts als ein paar Möbel und ein bisschen Wandfarbe, und es besteht keinerlei Veranlassung, sie nach den Regeln von Yoda komplett umzumodeln.«

»Mit Yoda hat das überhaupt nichts zu tun«, schnaubt Doris. »Donald Trump richtet sich auch nach Feng-Shui.«

»Na dann«, sagen Al und Justin wie aus einem Munde.

»Ja, na dann. Wenn du wie Trump leben würdest, könntest du vielleicht die ganze Treppe hochgehen, ohne auf halbem Weg eine Mittagspause einlegen zu müssen«, faucht Doris ihren Ehemann an. »Nur weil du Reifen verkaufst, musst du ja nicht unbedingt welche um den Bauch tragen.«

Bea fällt die Kinnlade herunter, und Justin muss sich ein Lachen verbeißen.

»Los, Schätzchen, lass uns gehen, ehe es zu Gewaltanwendung kommt.«

»Wo wollt ihr hin? Kann ich mitkommen?«, fragt Al.

»Ich gehe zum Zahnarzt, und Bea hat Probe für heute Abend.«

»Dann viel Glück, Blondie«, sagt Al und zaust Bea die Haare. »Wir werden dir kräftig zujubeln.«

»Danke.« Zähneknirschend bringt sie ihre Haare wieder in Ordnung. »Ach, dabei fällt mir was ein. Wegen dieser Frau am Telefon, dieser Joyce?«

Was, was, was? »Raus mit der Sprache!«

»Sie weiß, dass ich blond bin.«

»Woher?«, fragt Doris überrascht.

»Sie hat behauptet, sie hätte nur geraten. Aber das stimmt nicht. Ehe sie aufgelegt hat, meinte sie nämlich noch: ›Viel Glück bei Ihrer Ballettaufführung‹.«

»Wie aufmerksam«, meint Al und zuckt die Achseln.

»Aber ich kann mich nicht erinnern, irgendwas vom Ballett erwähnt zu haben!«

Sofort schaut Justin zu Al, ein bisschen besorgter, weil es jetzt ja um seine Tochter geht, aber sein Adrenalinspiegel ist immer noch mächtig erhöht. »Was meinst du dazu?«

»Ich meine, du solltest vorsichtig sein, Bruderherz. Es könnte sich schlicht und einfach um ein irres Huhn handeln.« Damit steht er auf, reibt sich den Bauch und geht in die Küche. »Gar keine schlechte Idee. Huhn. Am besten gegrillt.«

Resigniert schaut Justin ihn an, wendet sich dann aber hoffnungsvoll an seine Tochter. »Klang sie denn wie ein irres Huhn?«

»Keine Ahnung«, antwortet Bea schulterzuckend. »Wie klingt denn ein irres Huhn?«

Justin, Al und Bea drehen sich alle zu Doris um.

»Was denn?«, kreischt die.

»Nein«, ruft Bea und schüttelt entschieden den Kopf. »So klang diese Joyce überhaupt nicht, kein bisschen.«

✳

»Was ist das denn, Gracie?«

»Eine Spucktüte.«

»Und das hier?«

»Da kannst du deine Jacke aufhängen.«

»Wofür ist das?«

»Das ist ein Tisch.«

»Wie kriege ich ihn runtergeklappt?«

»Indem du den Riegel oben rumdrehst.«

»Sir, bitte lassen Sie Ihr Tischchen hochgeklappt bis nach dem Start.«

Schweigen.

»Was machen die da draußen?«

»Sie laden das Gepäck ein.«

»Wofür ist der Hebel hier?«

»Damit kannst du die Rückenlehne nach hinten kippen.«

»Sir, würden Sie Ihre Rückenlehne bitte bis nach dem Start in aufrechter Stellung lassen?«

Schweigen.

»Was ist das?«

»Die Klimaanlage.«

»Und hier?«

»Da kannst du Licht anmachen.«

»Und der Knopf daneben?«

»Ja, Sir, kann ich Ihnen helfen?«

»Äh, nein, danke.«

»Das war der Knopf, mit dem man eine Flugbegleiterin rufen kann.«

»Oh, ist deshalb die kleine Frau drauf? Das wusste ich nicht. Kann ich ein bisschen Wasser kriegen?«

»Wir können erst nach dem Start Getränke servieren, Sir.«

»Oh, na gut. Das war vorhin eine tolle Vorführung. Als Sie die Sauerstoffmaske aufgesetzt haben, sahen Sie genau aus wie meine Freundin Edna. Sie hat sechzig Zigaretten am Tag geraucht, wissen Sie.«

Die Stewardess macht einen runden O-Mund.

»Jetzt fühle ich mich sicher, aber was machen wir, wenn wir über dem Land abstürzen?« Er hebt die Stimme, und die Leute in unserer Nähe sehen zu ihm herüber. »Dann sind die Schwimmwesten nicht viel wert, es sei denn, wir trillern mit den Pfeifen, während wir nach unten sausen und hoffen, dass jemand uns hört und rechtzeitig auffängt. Haben wir eigentlich keine Fallschirme?«

»Kein Grund zur Sorge, Sir, wir werden nicht über dem Festland abstürzen.«

»Natürlich. Das ist sehr beruhigend. Aber falls doch, sagen Sie dem Piloten doch bitte, er soll auf einen Heuhaufen oder so zuhalten.«

Ich atme tief durch und tue so, als würde ich ihn nicht kennen. Stattdessen verstecke ich mich hinter meinem Buch – *Das Goldene Zeitalter der niederländischen Malerei: Vermeer, Metsu und ter Borch* – und rede mir ein, dass die Reise nicht so eine schlechte Idee war, wie es mir im Moment vorkommt.

»Wo sind die Toiletten?«

»Ganz vorne links, aber Sie dürfen sie erst nach dem Start benutzen.«

Dads Augen werden groß. »Und wann ist das?«

»In ein paar Minuten.«

»In ein paar Minuten wird das hier« – er holt die Spucktüte aus der Sitztasche – »nicht für seinen vorgesehenen Zweck benutzt werden.«

»Es dauert wirklich nur noch ein paar Minuten, dann sind wir in der Luft, das verspreche ich Ihnen.« Die Stewardess macht sich rasch davon, damit mein Vater ihr nicht noch mehr Fragen stellen kann.

Ich seufze.

»Seufzen darfst du aber erst nach dem Start«, sagt Dad streng, und der Mann neben ihm fängt an zu lachen, tut dann aber so, als müsste er husten.

Dad schaut aus dem Fenster, und ich genieße den Augenblick der Stille.

»Oh, oh, oh«, ruft er plötzlich. »Wir bewegen uns, Gracie.«

Dann endlich ist es so weit, mit dem üblichen Ächzen werden die Räder eingefahren, und wir sind in der Luft. Auf einmal ist Dad ganz still. Er hat sich seitwärts gesetzt, den Kopf direkt am Fenster, und sieht gebannt hinaus. Wir fliegen in die Wolken, zuerst nur dünne Fetzen, aber dann sind wir auf einmal auf allen Seiten von Weiß umgeben. Dad staunt Bauklötze, sein Kopf bewegt sich ruckartig hin und her, weil er möglichst viele Fenster im Auge behalten will, und plötzlich ist alles blau und still über der flauschigen Wolkenwelt. Dad bekreuzigt sich. Er drückt die Nase ans Fenster, die Sonne scheint auf sein Gesicht, und ich mache ein mentales Foto für meine Halle der Erinnerungen.

Mit einem lauten »Pling« wird das Leuchtzeichen für die Sicherheitsgurte ausgeschaltet, eine Stimme kündigt an, dass jetzt elektronische Geräte und Toiletten wieder benutzt werden dürfen und dass in Kürze ein Imbiss und Getränke serviert werden. Dad klappt sein Tischchen herunter, greift in die Tasche und zieht das Bild von Mum heraus. Ordentlich stellt er es auf den Tisch, dem Fenster zugewandt. Dann kippt er die Rückenlehne nach hinten und beobachtet zusammen mit seiner Frau, wie das endlose Meer weißer Wolken immer weiter unter uns verschwindet. Den ganzen Rest des Flugs spricht keiner von uns ein Wort.

Zwanzig

»Also, ich muss schon sagen, das war absolut fabelhaft. Wirklich fabelhaft«, sagt Dad und schüttelt dem Piloten begeistert die Hand.

Wir stehen an der Tür des Flugzeugs, die soeben geöffnet worden ist, mit einer Schlange irritierter Passagiere im Nacken. Sie benehmen sich wie Windhunde beim Hunderennen, wenn beim Startschuss das Türchen ihres Käfigs geöffnet wird und sie endlich dem falschen Karnickel nachlaufen dürfen. Alles, was ihnen im Weg steht, ist – Dad. Der übliche Fels in der Brandung.

»Und die *Verpflegung*«, schwärmt Dad weiter die Crew an, »einfach köstlich, ganz köstlich.«

Er hat ein Schinkenbrötchen gegessen und eine Tasse Tee dazu getrunken.

»Ich kann gar nicht glauben, dass ich oben am Himmel gegessen habe«, lacht er. »Wirklich gut gemacht, ganz wunderbar, finde ich. Herrgott nochmal.« Erneut schüttelt er die Hand des Piloten, als würde er JFK begegnen.

»Okay, Dad, wir sollten jetzt lieber weitergehen. Wir halten alle anderen auf.«

»Ach wirklich? Na dann, vielen Dank nochmal, Leute. Und tschüss. Vielleicht sehen wir uns ja auf dem Rückweg wieder«, ruft er über die Schulter zurück, als ich ihn schließlich wegzerre.

Wir gehen durch den Tunnel, der das Flugzeug mit dem Terminal verbindet, und Dad sagt jedem, dem wir begegnen, freundlich Hallo und tippt sich an die Mütze.

»Du musst nicht unbedingt jeden grüßen.«

»Es ist nett, wichtig zu sein, Gracie, aber es ist noch wichtiger, nett zu sein. Vor allem in einem fremden Land«, sagt der Mann, der seit einem Jahrzehnt nicht mehr aus der Provinz Leinster herausgekommen ist.

»Hörst du bitte auf, so zu schreien?«

»Ich kann nichts dafür. Meine Ohren fühlen sich komisch an.«

»Dann versuch entweder zu gähnen oder halte dir Nase zu und drück. Das hilft.«

Mit knallrotem Gesicht, aufgeblasenen Wangen und den Fingern über der Nase stellt er sich neben das Gepäckband, holt tief Luft und drückt. Heraus kommt ein Pups.

Ruckend setzt sich das Gepäckband in Bewegung, und die Menge stürzt sich darauf wie Fliegen auf den Kadaver. Leute bauen sich vor uns auf und behindern uns die Sicht, als hinge ihr Leben davon ab, dass sie noch in dieser Sekunde ihrer Tasche habhaft werden.

»Da ist dein Trolley«, rufe ich und mache einen Schritt nach vorn.

»Ich hol ihn, Liebes.«

»Nein, lass mich. Sonst machst du dir noch den Rücken kaputt.«

»Weg da, Liebes, ich kann das selbst.« Schon überschreitet er die gelbe Linie und greift nach dem Köfferchen, merkt aber rasch, dass ihm die Kraft, die er einmal hatte, nicht mehr in alter Frische zur Verfügung steht. Wild an der Tasche zerrend, geht er neben dem Band her. Normalerweise würde ich ihm sofort zur Hilfe eilen, aber sein Anblick ist so komisch, dass ich lachen muss. Ich höre nur, wie Dad, während er verzweifelt mit seinem Trolley Schritt zu halten versucht, immer wieder »Entschuldigen Sie, entschuldigen Sie« stammelt, wenn er an Leuten vorbeikommt, die ebenfalls jenseits der gelben Linie stehen. So umkreist er einmal das gesamte Gepäckband, und als er zu der Stelle zurückkommt, wo ich immer noch stehe und mich vor Lachen krümme, hat endlich jemand ein Einsehen und hebt dem keuchenden und grummelnden alten Mann das Köfferchen vom Band.

Mit puterrotem Gesicht und schwer atmend zieht er es zu mir.

»Ich lass dich deinen Koffer selbst holen«, verkündet er und zieht die Kappe verlegen ein Stück weiter in die Stirn.

Ich warte auf den Rest des Gepäcks, während Dad um das Band herumschlendert und sich »ein bisschen mit London vertraut macht«. Nach dem Vorfall am Dubliner Flughafen hat die Stimme des Navigationssystems in meinem Kopf ständig genörgelt, ich solle *augenblicklich* eine Kehrtwendung machen. Aber irgendwas in mir ist wild entschlossen weiterzumachen, und vollkommen überzeugt davon, dass diese Reise jetzt genau das Richtige ist. Allerdings frage ich mich jetzt plötzlich, was ich eigentlich vorhabe. Während ich meinen Koffer vom Band hole, fällt mir plötzlich auf, dass ich überhaupt keinen Plan habe. Ein aussichtsloses Unternehmen, weiter nichts. Allein mein Instinkt hat mich, ausgelöst von einem verwirrenden Gespräch mit einem Mädchen namens Bea, dazu gebracht, mit meinem fünfundsiebzigjährigen Vater, der Irland sein Leben lang noch nie verlassen hat, nach London zu fliegen. Auf einmal kommt mir das, was mir eben noch als das einzig Richtige erschien, vollkommen irrational vor.

Was bedeutet es, wenn man fast jede Nacht von einer Person träumt, die man im wirklichen Leben noch nie gesehen hat, und dann eine Zufallsbegegnung am Telefon mit ihr stattfindet? Ich habe Dads Notfallnummer gewählt, und dieses Mädchen hat auf die Notfallnummer ihres Vaters geantwortet. Was sagt mir das? Was soll ich daraus lernen? Ist es einfach ein Zufall, den jeder normal denkende Mensch ignorieren würde, oder habe ich recht, wenn ich denke, dass noch etwas anderes dahintersteckt? Ich hoffe so, dass diese Reise einiges klärt. Aber während ich Dad betrachte, der auf der anderen Seite der Halle ein Plakat ansieht, fange ich an, panisch zu werden. Ich habe keine Ahnung, was ich mit ihm machen soll.

Plötzlich fährt Dads Hand an seinen Kopf, dann an die Brust und er kommt mit manischem Blick auf mich zugelaufen. Ich greife nach seinen Pillen.

»Gracie!«, japst er.

»Hier, schnell, nimm.« Meine Hand zittert, als ich ihm die Tabletten und die Wasserflasche hinhalte.

»Was machst du denn da?«

»Na ja, du sahst aus …«

»Wie sah ich aus?«

»Als hättest du einen Herzanfall!«

»Weil ich auch einen kriege, wenn wir nicht schleunigst hier rauskommen.« Er packt mich am Arm und will mich wegziehen.

»Was ist los? Wo willst du hin?«

»Nach Westminster.«

»Was? Warum? Nein! Dad, wir müssen erst mal ins Hotel und unser Gepäck abladen.«

Er bleibt stehen, fährt herum und streckt mir beinahe aggressiv sein Gesicht entgegen. Mit vor lauter Adrenalin ganz zittriger Stimme stößt er hervor: »Die *Antiquitäten-Roadshow* veranstaltet heute von halb zehn bis halb fünf einen Wertbestimmungstag in einem Gebäude namens Banqueting House. Wenn wir uns jetzt auf den Weg machen, können wir uns noch anstellen. Wenn ich die Sendung schon nicht im Fernsehen ansehen kann, weil ich in London bin, will ich den weiten Weg wenigstens nicht umsonst gemacht haben und mir nicht auch noch die Chance entgehen lassen, alles in Fleisch und Blut zu sehen. Womöglich kriegen wir sogar Michael Aspel zu Gesicht! *Michael Aspel*, Gracie. Herr des Himmels, machen wir, dass wir hier wegkommen.«

Vor lauter Aufregung sind seine Pupillen riesig wie im Drogenrausch, er saust durch die Schiebetüren – nichts zu verzollen

außer einem hoffentlich vorübergehenden Wahnsinnsanfall! –
und biegt selbstsicher nach links ab.

Im Empfangsbereich kommen von allen Seiten Männer in
Anzügen mit Pappschildern auf mich zu. Ich winke ab, seufze
und warte. Schließlich erscheint Dad, in Höchstgeschwindigkeit
schaukelnd, den Trolley im Schlepptau.

»Du hättest mir ruhig sagen können, dass das nicht der richtige Weg war«, sagt er, rauscht an mir vorbei und eilt in die entgegengesetzte Richtung.

Dad hetzt mit dem Köfferchen über den Trafalgar Square, und
ein Schwarm Tauben flattert vor Schreck hoch in die Luft. Jetzt
interessiert er sich nicht mehr dafür, London kennenzulernen,
jetzt geht es nur noch um Michael Aspel und die Schätze älterer
Damen. Nachdem wir aus der U-Bahn-Station ans Tageslicht
gelangt und ein paar Mal falsch abgebogen sind, haben wir das
Banqueting House schließlich vor uns, einen ehemaligen Königspalast aus dem siebzehnten Jahrhundert. Obgleich ich sicher bin, dass ich noch nie hier war, kommt er mir total bekannt
vor.

Beim Schlangestehen mustere ich eine einzelne Schublade,
die der alte Mann vor uns in Händen hält. Hinter uns rollt eine
Frau eine Teetasse aus mehreren Lagen Zeitungspapier, um sie
jemandem in der Schlange zu zeigen. Überall um mich herum
wird aufgeregt, freundlich und höflich geplaudert, und die Sonne scheint, während wir darauf warten, in den Empfangsbereich
des Banqueting House vorgelassen zu werden. Übertragungs-
wagen stehen herum, Kamera- und Sound-Leute kommen und
gehen, die endlose Schlange wird gefilmt, und eine Frau mit einem Mikrofon sucht sich Menschen aus der Menge zum Inter-
viewen. Viele Leute in der Schlange haben Klappstühle dabei,
Picknickkörbe mit Scones und Sandwichs, Thermoskannen mit
Tee und Kaffee, und als Dad sich mit knurrendem Magen umschaut, komme ich mir vor wie eine Rabenmutter, die ihr Kind

nicht ordentlich versorgt hat. Außerdem habe ich ein bisschen Angst, dass wir es nicht durch die Tür schaffen.

»Dad, ich will dich nicht beunruhigen, aber ich glaube wirklich, wir müssten irgendwas dabeihaben.«

»Wie meinst du das?«

»Irgendeinen Gegenstand. Außer uns haben alle irgendeinen Gegenstand dabei, den sie schätzen lassen wollen.«

Dad sieht sich um und nimmt es erst jetzt richtig wahr. Sein Gesicht wird lang.

»Vielleicht machen sie für uns eine Ausnahme«, füge ich hastig hinzu, aber ich habe selbst große Zweifel daran.

»Wie wäre es mit unseren Koffern?« Er blickt auf unser Gepäck hinab.

Ich verbeiße mir ein Lachen. »Die hab ich bei TK Maxx gekauft, ich glaube nicht, dass sie für die Leute hier interessant sind.«

Dad lacht. »Ich könnte ihnen meine Unterwäsche geben, was meinst du, Gracie? Die hat auch schon ein paar Jährchen auf dem Buckel.«

Ich verziehe das Gesicht, und er macht eine wegwerfende Handbewegung.

Langsam und schlurfend bewegt sich die Schlange vorwärts. Dad plaudert mit jedem über sein Leben und seine aufregende Reise mit seiner Tochter. Nachdem wir anderthalb Stunden angestanden haben, sind wir bereits zweimal zum Tee eingeladen worden, und Dad hat von dem Gentleman hinter uns einen Tipp bekommen, wie er die Minze im Garten daran hindern kann, den Rosmarin zu überwuchern. Vor uns, direkt hinter der Tür, sehe ich, wie ein älteres Paar weggeschickt wird, weil sie nichts mitgebracht haben. Auch Dad beobachtet die beiden und sieht mich mit besorgtem Blick an. Wir sind als Nächste an der Reihe.

»Äh …« Ich schaue mich rasch um.

Um den Menschenstrom zu bewältigen, stehen beide Eingangstüren weit offen. Direkt hinter der einen Tür steht ein hölzerner Papierkorb, der als Schirmständer dient, mit ein paar vergessenen und höchstwahrscheinlich kaputten Regenschirmen. Als gerade niemand hinsieht, kippe ich ihn um, sodass die Schirme und ein paar Bällchen zerknülltes Papier herausfallen. Gerade rechtzeitig kicke ich das Zeug in die Ecke, denn schon ruft eine Stimme: »Der Nächste bitte!«

Ich trage den Holzkorb zum Empfangstresen, und Dad fallen bei meinem Anblick fast die Augen aus dem Kopf.

»Willkommen im Banqueting House«, begrüßt uns die Dame hinter dem Schreibtisch.

»Danke«, erwidere ich mit einem unschuldigen Lächeln.

»Wie viele Objekte haben Sie mitgebracht?«, fragt sie.

»Oh, nur eines«, antworte ich und hebe den Papierkorb auf den Tisch.

»Oh, wow, fantastisch.« Sie fährt mit den Fingern über das Holz, und Dad sieht mich an, auf eine Art, die mir sofort klarmacht, wer hier der Vater ist und wer das Kind, falls ich das vergessen haben sollte. »Waren Sie schon einmal bei einer Schätzung?«

»Nein.« Dad schüttelt entschieden den Kopf. »Aber ich sehe sie mir immer im Fernsehen an. Ich bin ein großer Fan. Schon damals, als noch Hugh Scully die Sendung moderiert hat.«

»Wundervoll«, lächelt sie. »Wenn Sie in die Halle kommen, werden Sie gleich sehen, dass es mehrere Warteschlangen gibt. Bitte stellen Sie sich in die entsprechende Reihe.«

»In welche gehören wir denn mit diesem Ding?«, fragt Dad und betrachtet unser Mitbringsel, als hätte es einen schlechten Geruch.

»Nun, was ist es denn?«, erkundigt sie sich lächelnd.

Dad sieht mich ratlos an.

»Wir hatten gehofft, Sie könnten uns das sagen«, antworte ich höflich.

»Ich würde vorschlagen, Sie gehen zu ›Vermischtes‹. Weil das der meistbesuchte Tisch ist, sitzen dort vier Experten, also geht es so schnell wie möglich vorwärts. Wenn Sie an der Reihe sind, zeigen Sie einfach Ihren Gegenstand vor, dann wird Ihnen alles Nähere erklärt.«

»An welchem Tisch sitzt denn Michael Aspel?«

»Leider gehört Michael Aspel nicht zu unseren Experten, er ist der Moderator, und deshalb hat er keinen eigenen Tisch. Aber wir haben zwanzig andere Fachleute, die Ihnen gern Rede und Antwort stehen.«

Dad macht ein niedergeschlagenes Gesicht.

»Sie haben die Chance, dass Ihr Gegenstand für die Fernsehsendung ausgewählt wird«, fügt die Frau schnell hinzu, als sie Dads Enttäuschung bemerkt. »Der Experte zeigt das Objekt dem Fernsehteam, und dort wird entschieden, was aufgenommen wird, je nach Seltenheit, Qualität und natürlich auch dem Wert, den die Experten festgelegt haben. Wenn Ihr Objekt ausgewählt wird, werden Sie in unseren Warteraum geführt und geschminkt, bevor Sie sich mit dem Experten vor laufender Kamera etwa fünf Minuten über Ihren Gegenstand unterhalten. Dabei lernen Sie dann natürlich Michael Aspel kennen. Und das Aufregende ist, dass wir die Sendung zum ersten Mal live auf den Bildschirm bringen, und zwar in, lassen Sie mich nachsehen …« – sie blickt auf ihre Uhr – »… in einer Stunde.«

Dad macht große Augen. »Aber fünf Minuten? Um über dieses Ding zu sprechen?«, platzt er heraus, und die Frau lacht.

»Bedenken Sie, dass wir vor der Sendung die Objekte von zweitausend Leuten anschauen müssen«, meint sie mit vielsagendem Blick, an mich gewandt.

»Ja, das verstehen wir. Wir sind ja auch hauptsächlich hier, um den Tag zu genießen, richtig, Dad?«

Er hört mich nicht, so konzentriert hält er Ausschau nach Michael Aspel.

»Ich wünsche Ihnen viel Spaß«, sagt die Frau noch und ruft dann den nächsten Teilnehmer auf.

Als wir ins Gewusel der Halle treten, sehe ich mich in dem

doppelt kubischen Raum mit der Kassettendecke um und weiß, was mich erwartet: neun von Charles dem Ersten in Auftrag gegebene riesige Deckengemälde.

»Hier, bitte, Dad«, sage ich und drücke ihm den Papierkorb in die Hand. »Ich schaue mich ein bisschen in dem wunderschönen Gebäude um, während du den Müll bewunderst, den die Leute reinschleppen.«

»Das ist kein Müll, Gracie. Ich hab mal in einer Sendung einen Mann mit einer Sammlung von Wanderstöcken gesehen, die sechstausend Pfund gebracht haben.«

»Wow, in dem Fall solltest du ihnen unbedingt deinen Schuh zeigen.«

Er versucht alles, um nicht zu lachen. »Na, geh schon und schau dich um, wir treffen uns dann hier wieder.« Er schlendert davon, noch bevor er seinen Satz vollendet hat. So brennt er darauf, mich loszuwerden.

»Viel Spaß!«, rufe ich ihm nach.

Er grinst breit und schaut sich so glücklich in der Halle um, dass ich sofort noch ein mentales Foto von ihm mache.

Während ich in den Räumen des von dem großen Feuer verschonten Teils des Whitehall-Palasts umherwandere, überschwemmt mich das Gefühl, schon einmal hier gewesen zu sein, mit solcher Macht, dass ich mich in ein stilles Eckchen zurückziehe und verstohlen mein Handy heraushole.

»Management, Chefetage der Corporate Treasury und Investor Relations, Frankie am Apparat.«

»Meine Güte, du hast nicht gelogen. Das sind ja wirklich tausend Wörter.«

»Joyce, hi!« Ihre Stimme klingt gedämpft, und hinter ihr höre ich das hektische Stimmengewirr des Aktienhandels im Büro des Irish Financial Services Centre.

»Hast du einen Moment Zeit für mich?«

»Einen Moment, ja. Wie geht es dir?«

»Gut. Ich bin in London. Mit Dad.«

»Was? Mit deinem Dad? Joyce, ich hab dir schon so oft gesagt, es ist nicht höflich, deinen Vater zu fesseln und zu knebeln. Was machst du denn da?«

»Ich hab einfach spontan den Entschluss gefasst herzufliegen.« Aus welchem Grund? Keine Ahnung. »Momentan sind wir bei der *Antiquitäten-Roadshow*. Frag nicht weiter.«

Ich lasse die stillen Räume hinter mir und betrete die Galerie der Haupthalle. Unter mir sehe ich Dad, der im Gewimmel herumschlendert, unseren Papierkorb fest im Arm. Unwillkürlich muss ich lächeln, als ich ihn sehe.

»Waren wir schon mal zusammen im Banqueting House?«

»Hilf mir bitte auf die Sprünge. Wo ist das, was ist das und wie sieht es aus?«

»Es liegt am Ende von Whitehall, Richtung Trafalgar Square, ein ehemaliger Königspalast aus dem siebzehnten Jahrhundert, entworfen von Inigo Jones im Jahr 1619. Charles der Erste wurde auf einem Schafott vor dem Gebäude hingerichtet. Ich bin jetzt in einem Raum, in dem es an der Kassettendecke neun Deckengemälde gibt.« Wie sieht es aus? Ich schließe die Augen. »Aus dem Gedächtnis sehe ich eine Balustrade an der Dachlinie. Die der Straße zugewandte Fassade hat zwei Arten von Säulen unter einer Galerie, korinthische über ionischen, eine mit Bossenwerk verzierte Basis, und alles fügt sich zu einem ausgesprochen harmonischen Ganzen zusammen.«

»Joyce?«

»Ja?« Ich komme jäh zurück in die Gegenwart.

»Liest du mir aus dem Reiseführer vor?«

»Nein.«

»Als wir das letzte Mal in London waren, waren wir bei Madame Tussaud, einen Abend im G-A-Y und bei einer Party in der Wohnung von einem Mann namens Gloria. Es passiert dir grade wieder, richtig? Das, was du uns neulich erzählt hast.«

»Ja.« Ich lasse mich auf einen Stuhl in der Ecke sinken, spüre ein Seil unter mir und springe schnell wieder auf. Rasch entferne ich mich von der antiken Sitzgelegenheit und schaue mich unruhig nach den Überwachungskameras um.

»Hat es etwas mit deinem Amerikaner zu tun, dass du jetzt in London bist?«

»Ja«, flüstere ich.

»Ach, Joyce …«

»Nein, Frankie, hör mir zu. Hör mir zu, dann wirst du es verstehen. Hoffe ich jedenfalls. Gestern habe ich in Panik Dads Arzt angerufen, eine Nummer, die praktisch in mein Hirn eingebrannt ist, wie es sich gehört. Da kann ich mich doch eigentlich nicht verwählt haben, oder?«

»Stimmt.«

»Stimmt eben nicht. Ich hatte plötzlich eine Nummer in England dran, und zwar ein Mädchen namens Bea. Sie hat eine irische Nummer auf dem Display gesehen und gedacht, ihr Vater ruft an. Aus dem kurzen Gespräch, das ich mit ihr geführt habe, entnehme ich, dass ihr Vater Amerikaner ist, aber in Dublin war und gestern Abend nach London geflogen ist, um sie heute in einer Aufführung zu sehen. Und sie ist blond. Ich glaube, Bea ist das kleine Mädchen, das ich im Traum dauernd auf der Schaukel und im Sandkasten sehe, in allen möglichen Altersstufen.«

Frankie schweigt.

»Ich weiß, ich klinge irre, aber es passiert wirklich. Und ich kann es nicht erklären.«

»Ich weiß, ich weiß«, sagt sie hastig. »Ich kenne dich fast mein ganzes Leben – so etwas würdest du nie erfinden. Aber selbst wenn ich dich ernst nehme, denk bitte daran, dass du eine traumatische Zeit hinter dir hast. Was du gerade erlebst, könnte auf den Stress zurückzuführen sein.«

»Daran habe ich auch schon gedacht.« Ich stöhne und lege den Kopf in die Hände. »Ich brauche Hilfe.«

»Dass du übergeschnappt bist, nehmen wir als letzte Erklärungsmöglichkeit. Lass mich mal kurz nachdenken.« Es klingt, als würde sie es aufschreiben. »Du hast also dieses Mädchen gesehen, Bea …«

»Ich weiß nicht sicher, ob es Bea ist.«

»Okay, sagen wir einfach mal, es ist Bea. Du hast sie aufwachsen sehen?«

»Ja.«

»Bis zu welchem Alter?«

»Von der Geburt an, bis … ich weiß nicht …«

»Teenager, zwanzig, dreißig?«

»Teenager.«

»Okay, wer ist sonst noch da in den Szenen mit Bea?«

»Eine Frau. Mit einer Kamera.«

»Aber dein Amerikaner nicht?«

»Nein. Dann hat er wahrscheinlich nichts mit dem Ganzen zu tun, oder?«

»Wir sollten nichts ausschließen. Wenn du also Bea und die Frau mit der Kamera siehst, bist du dann Teil der Szene oder siehst du sie von außen?«

Ich schließe die Augen und denke angestrengt nach, sehe, wie meine Hände die Schaukel anschubsen, wie ich die Hand des Mädchens festhalte, wie ich das Mädchen und ihre Mutter im Park fotografiere, fühle das Wasser aus den Sprinklern auf meiner Haut kitzeln … »Nein, ich gehöre dazu. Sie können mich sehen.«

»Okay.« Frankie schweigt.

»Was, Frankie, was?«

»Ich überlege. Warte mal einen Moment. Okay. Du siehst also ein Kind und eine Mutter, und beide sehen dich.«

»Ja.«

»Würdest du sagen, dass du in deinen Träumen durch die Augen des Vaters siehst, wie dieses Mädchen heranwächst?«

Ich bekomme eine Gänsehaut.

»O mein Gott«, flüstere ich. Der Amerikaner?

»Ich verstehe das mal als ein Ja«, sagt Frankie. »Okay, hier haben wir eine Spur. Ich weiß nicht, wohin sie führt, aber es ist etwas Seltsames, und ich kann eigentlich kaum glauben, dass ich überhaupt darüber nachdenke. Aber was soll's, ich habe ja nur eine Million anderer Dinge zu tun. Was träumst du sonst noch?«

»Es ist alles total schnell, Bilder, die aufblitzen und gleich wieder weg sind.«

»Versuch dich zu erinnern.«

»Sprinkler im Garten. Ein kleiner dicker Junge. Eine Frau mit langen roten Haaren. Ich höre Glocken. Sehe alte Gebäude mit Ladenfronten. Eine Kirche. Einen Strand. Ich bin bei einer Beerdigung. Dann im College. Dann bei der Frau und einem kleinen Mädchen. Manchmal lächelt sie und hält meine Hand, manchmal schreit sie mich an und knallt Türen.«

»Hmm … sie muss deine Frau sein.«

Ich vergrabe den Kopf in den Händen. »Frankie, das klingt total absurd.«

»Na und? Seit wann ergibt das Leben einen Sinn? Machen wir weiter.«

»Ich weiß nicht, die Bilder sind alle so abstrakt. Ich weiß einfach nicht, was sie bedeuten sollen.«

»Du solltest jedes Mal, wenn du so was aufleuchten siehst oder plötzlich etwas weißt, was du gar nicht wissen kannst, sofort einen Stift nehmen und es möglichst genau aufschreiben. Das wird dir garantiert helfen, das Rätsel zu lösen.«

»Danke.«

»Abgesehen von dem Gebäude, in dem du dich jetzt aufhältst, was für Dinge weißt du auf einmal sonst noch?«

»Hmm … meistens sind es Gebäude.« Ich schaue mich um und dann zur Decke hinauf. »Und Kunst. Im Flughafen habe ich mit einem Mann Italienisch geredet. Und Latein. Neulich hab ich mit Conor Lateinisch gesprochen.«

»O Gott.«

»Ich weiß. Ich glaube, er würde mich gern einliefern.«

»Tja, das werden wir aber nicht zulassen. Noch nicht. Okay, also Gebäude, Kunst, Sprachen. Wow, Joyce, das ist ja, als hättest du ein ganzes Collegestudium als Crashkurs gemacht. Wo ist die kulturbanausige Frau geblieben, die wir kennen und lieben?«

Ich grinse. »Immer noch da.«

»Okay, eines noch. Mein Chef hat mich für heute Nachmittag zu einem Meeting gerufen. Worum geht es da?«

»Frankie, ich bin doch nicht unter die Hellseher gegangen.«

Die Tür zur Galerie geht auf, und ein etwas hektisch wirkendes junges Mädchen mit einem Headset kommt hereingelaufen. Sie hält die Frauen an, die ihr begegnen, und fragt nach mir.

»Joyce Conway?«, fragt sie auch mich, atemlos.

»Ja.« Mein Herz klopft wie verrückt. Wenn nur meinem Dad nichts zugestoßen ist! Bitte nicht, lieber Gott!

»Heißt Ihr Vater Henry?«

»Ja.«

»Er möchte, dass Sie zu ihm ins grüne Zimmer kommen.«

»Er möchte *was*?«

»Dass Sie ins grüne Zimmer kommen, er ist schon dort. Er geht in ein paar Minuten mit seinem Objekt live mit Michael Aspel auf Sendung, und er möchte, dass Sie bei ihm sind, weil Sie mehr über den Gegenstand wissen, sagt er. Wir müssen uns beeilen, und Sie müssen noch geschminkt werden.«

»Live bei Michael Aspel …« Ich breche ab, das Telefon immer noch in der Hand. »Frankie«, sage ich benommen, »schalt BBC an, schnell. Du wirst gleich sehen, wie ich mich in großem Stil in die Scheiße reite.«

Einundzwanzig

Halb gehend, halb rennend folge ich dem Mädchen mit dem Headset zum grünen Zimmer, wo ich keuchend und nervös ankomme und Dad auf einem Schminkstuhl vor einem erleuchteten Spiegel vorfinde. Papiertücher in den Kragen gesteckt, Teetasse und Untertasse in der Hand, so lässt er sich die Kartoffelnase für die Nahaufnahmen pudern.

»Ah, da bist du ja, Liebes«, sagt er würdevoll. »Hört mal alle her, das hier ist meine Tochter, und sie wird uns alles über das wunderschöne Objekt sagen, das Michael Aspels Aufmerksamkeit auf sich gezogen hat.« Er kichert und nippt an seinem Tee. »Da drüben gibt's Jaffa Cakes, falls du welche willst.«

Bösartiger Mann.

Ich schaue mich im Raum um, sehe interessierte, nickende Köpfe und zwinge mich zu lächeln.

Justin windet sich unbehaglich auf seinem Stuhl im Wartezimmer des Zahnarztes, seine geschwollene Backe pocht, er ist eingeklemmt zwischen zwei alten Ladys, die sich angeregt über eine Bekannte namens Rebecca unterhalten. Rebecca soll unbedingt einen Mann namens Timothy verlassen.

Seid still, seid still, seid endlich still!

In der Ecke steht ein Fernseher aus den Siebzigern, mit einem Spitzendeckchen und falschen Blumen, und gerade wird die *Antiquitäten-Roadshow* angekündigt. Justin stöhnt. »Hat jemand etwas dagegen, wenn ich einen anderen Sender einstelle?«

»Ich möchte mir lieber das hier anschauen«, sagt ein höchstens siebenjähriger Junge.

»Wie nett«, sagt Justin, lächelt ihn voller Hass an und blickt hilfesuchend zur Mutter des Knaben.

Aber die zuckt nur mit den Schultern. »Er sieht das gerne.«

Justin gibt ein frustriertes Grunzen von sich.

»Entschuldigung«, unterbricht Justin endlich die beiden Frauen rechts und links von ihm. »Könnte eine von Ihnen vielleicht mit mir den Platz tauschen? Dann können Sie ungestörter plaudern.«

»Nein, nein, keine Sorge, das Gespräch ist nichts Privates, glauben Sie mir. Sie können gerne zuhören.«

Ihr Mundgeruch schleicht sich leise unter seine Nüstern, kitzelt ihn wie mit einem Staubwedel und saust mit einem fiesen Grinsen wieder davon.

»Ich habe nicht gelauscht. Aber Ihr Mund war buchstäblich in meinem Ohr, und ich bin nicht sicher, ob Charlie oder Graham oder Rebecca das so gut gefallen würde.« Er dreht schnell die Nase weg.

»Ach, Ethel«, lacht die andere. »Er denkt, wir reden über echte Leute!«

Wie dumm von mir.

Justin wendet seine Aufmerksamkeit wieder dem Fernseher in der Ecke zu, auf den die anderen sechs Leute im Raum fasziniert starren.

»… und willkommen zu unserer ersten Live-Spezial-Sendung der *Antiquitäten-Roadshow* …«

Wieder seufzt Justin laut.

Der kleine Junge kneift die Augen zusammen und stellt den Apparat mit der Fernbedienung lauter, die er fest im Griff hat.

»… aus dem Banqueting House in London.«

Oh, da war ich schon. Ein schönes Beispiel, wie korinthische und ionische Säulen zusammen ein harmonisches Ganzes bilden können.

»Seit halb zehn heute Vormittag sind über zweitausend Menschen hierhergeströmt. Erst vor ein paar Minuten haben wir die Türen geschlossen, damit wir Ihnen zu Hause nun die schönsten Stücke zeigen können. Unsere ersten Gäste kommen aus ...«

Ethel beugt sich über Justin und stützt den Ellbogen auf seinen Oberschenkel. »Jedenfalls, Margaret ...«

Justin konzentriert sich auf den Fernseher, um den Impuls zu unterdrücken, die beiden mit den Köpfen zusammenzuschlagen.

»Also, was haben wir denn hier?«, fragt Michael Aspel. »Sieht für mich aus wie ein Designer-Papierkorb«, erklärt er, während die Kamera an den Gegenstand auf dem Tisch heranfährt.

Justins Herz beginnt wild zu klopfen.

»Soll ich jetzt umschalten, Mister?«, fragt der Junge und fängt an, mit Höchstgeschwindigkeit durch die Kanäle zu zappen.

»Nein!«, brüllt Justin, unterbricht Margarets und Ethels Unterhaltung und wedelt mit den Armen in der Luft herum, als könnte er so die Wellen festhalten und verhindern, dass das Programm sich ändert. Er fällt vor dem Fernseher auf die Knie, mitten auf dem Teppich. Ethel und Margaret bleibt vor Schreck die Sprache weg. »Zurück, zurück, zurück!«, schreit Justin den Jungen an.

Die Unterlippe des Kleinen fängt an zu zittern, und er sieht hilfesuchend zu seiner Mutter hinüber.

»Sie brauchen ihn doch nicht gleich so anzuschreien«, sagt sie und drückt den Kopf des Jungen schützend an ihre Brust.

Ohne weiteres Federlesen entreißt Justin dem Jungen die Fernbedienung und schaltet sich, so schnell er kann, durch die Programme. Als er bei einer Nahaufnahme von Joyce landet, die unsicher von links nach rechts schaut, als wäre sie zur Fütterungszeit im Käfig eines bengalischen Tigers gelandet, hält er an.

Im Irish Financial Services Centre rennt Frankie auf der Suche nach einem Fernseher durch die Büros. Schließlich findet sie einen, umgeben von Dutzenden Anzugträgern und -trägerinnen, die wie gebannt auf die über den Bildschirm sausenden Zahlen starren.

»Entschuldigung! Darf ich bitte mal durch?«, ruft sie, während sie sich einen Weg nach vorn bahnt. Sie stürzt zum Fernseher und fängt an, unter dem Protestgeschrei der umstehenden Männer und Frauen an den Knöpfen herumzufingern.

»Dauert nur eine Minute, der Markt wird sicher nicht gleich zusammenbrechen!« Sie schaltet hin und her, und endlich findet sie Joyce und Henry live auf BBC.

Sie schnappt nach Luft und schlägt sich die Hand vor den Mund. Dann lacht sie und schüttelt anfeuernd die Fäuste. »Zeig's ihnen, Joyce!«

Die Gruppe um sie herum trottet davon, um sich einen anderen Bildschirm zu suchen, nur ein einziger Mann scheint sich über den Programmwechsel zu freuen und bleibt.

»Oh, das ist ja ein hübsches Stück«, kommentiert er, lehnt sich lässig an den Schreibtisch und verschränkt die Arme vor der Brust.

»Hmm …«, sagt Joyce gerade. »Wir haben ihn gefunden … wir haben diesen schönen … bemerkenswerten … äh, hölzernen Korb vor unserem Haus stehen. Na ja, eigentlich nicht *draußen*«, verbessert sie sich rasch, als sie die Reaktion des Gutachters sieht. »Ich meine, *drinnen*. Wir haben ihn in den Wintergarten gestellt, damit er vor dem Wetter geschützt ist, wissen Sie. Für Regenschirme.«

»Ja, möglicherweise ist der Korb tatsächlich für so etwas benutzt worden«, meint der Sachverständige. »Woher haben Sie ihn?«

Ein paar Sekunden klappt Joyce den Mund auf und zu, dann kommt Henry ihr zu Hilfe. Er stellt sich aufrecht hin, die Hände über dem Bauch gefaltet, das Kinn vorgereckt. Seine Augen glitzern, er ignoriert den Experten und richtet seine Antwort, für die er sich eines ausgesucht eleganten Akzents befleißigt, direkt an

Michael Aspel, mit einer Ehrerbietung, als stünde er dem Papst gegenüber.

»Nun, Michael, ich habe den Korb von meinem Ur-Ur-Groß-vater Joseph Conway bekommen, der Farmer in Tipperary war. Er hat ihn meinem Großvater Shay vererbt, der ebenfalls Farmer war. Mein Großvater hat ihn dann meinem Vater Paddy-Joe wei-tergegeben, der auch Farmer war, in Cavan, und als er starb, habe ich das Objekt übernommen.«

»Verstehe. Und haben Sie eine Ahnung, woher ihr Ur-Ur-Großvater den Korb hatte?«

»Wahrscheinlich hat er ihn den Engländern gestohlen«, scherzt Henry, aber er lacht als Einziger. Joyce gibt ihrem Vater einen Rippenstoß, Frankie prustet, und auf dem Boden vor dem Fernseher im Zahnarztwartezimmer in London wirft Justin den Kopf in den Nacken und lacht schallend.

»Nun ja, ich frage das, weil Sie da wirklich ein fabelhaftes Objekt besitzen. Es handelt sich dabei um ein sehr seltenes Jar-dinière-Pflanzgefäß aus der viktorianischen Ära in England …«

»Ich liebe Gartenarbeit, Michael«, unterbricht Henry den Experten. »Sie auch?«

Michael lächelt ihn höflich an, und der Sachverständige fährt fort: »Es weist auf allen vier Seiten in dem viktorianischen ebo-nisierten Holz wunderschöne handgearbeitete Schnitzereien im Schwarzwaldstil auf.«

»English Country oder French Décor, was meinen Sie?«, fragt Frankies Arbeitskollege.

Aber sie ignoriert ihn und konzentriert sich auf Joyce.

»Im Innern scheint noch die original lackierte Zinnverklei-dung zu sein. Alles in bestem Zustand, kunstvolle Schnitzereien in soliden Holzpaneelen. Hier sehen wir, dass zwei Seiten ein Blumenmotiv aufweisen, während auf den beiden anderen figür-lich gearbeitet wurde, mit Löwenkopf und Greifen. Sensationell, wirklich, ein wunderschönes Stück, das sich auch neben der Ein-gangstür hervorragend ausnehmen würde.«

»Und ein paar Pfund wert, was?«, fragt Henry. Von seinem schicken Akzent hat er sich inzwischen verabschiedet.

»Dazu kommen wir gleich«, bremst ihn der Sachverständige. »Zwar ist das Objekt in gutem Zustand, aber es scheint ursprünglich einmal Füße gehabt zu haben, höchstwahrscheinlich aus Holz. Es gibt keine Risse oder Einkerbungen an den Seiten, das abnehmbare Zinnband und die ringförmigen Griffe sind vollkommen intakt. Wenn man all das in Betracht zieht – was meinen Sie, wie viel das Objekt wert ist?«

»Frankie!«, hört Frankie ihren Chef rufen. »Was höre ich da – Sie manipulieren die Monitore?«

Hastig steht Frankie auf, dreht sich um, blockiert den Fernseher mit ihrem Körper und versucht, auf das vorherige Programm zurückzuschalten.

»Ah«, ruft ihr Kollege bedauernd. »Sie waren grade dabei, den Wert anzusagen. Das ist immer der beste Teil.«

»Gehen Sie bitte beiseite«, ordnet der Chef stirnrunzelnd an.

Frankie setzt sich in Bewegung, und hinter ihr kommen die Börsenzahlen zum Vorschein. Sie lächelt strahlend, dass man alle ihre Zähne sieht, und sprintet an ihren Schreibtisch zurück.

Im Wartezimmer des Zahnarztes klebt Justin förmlich am Fernseher und an Joyce' Gesicht.

»Ist das eine Freundin von Ihnen, junger Mann?«, erkundigt sich Ethel.

Justin studiert weiter Joyce' Gesicht und antwortet lächelnd: »Ja, und sie heißt Joyce.«

Margaret und Ethel quittieren die Bemerkung mit Oh und Ah.

Auf dem Bildschirm wendet sich Joyce' Vater – jedenfalls nimmt Justin an, dass es ihr Vater ist – jetzt zu Joyce und zuckt die Achseln.

»Was würdest du sagen, Liebes? Wie viel Kohle ist drin in dem Körbchen?«

Joyce lächelt etwas gezwungen. »Ich habe wirklich nicht die leiseste Ahnung.«

»Wie hört sich ein Betrag zwischen eintausendfünfhundert und eintausendsiebenhundert Pfund an?«, fragt der Gutachter.

»Pfund Sterling?«, hakt der alte Mann entgeistert nach.

Justin lacht.

Jetzt zoomt die Kamera auf die Gesichter von Joyce und ihrem Vater. Beide sind so baff, dass keiner ein Wort herausbringt.

»Na, das ist mal eine beeindruckende Reaktion«, meint Michael lachend. »Gute Nachrichten von diesem Tisch hier. Gehen wir jetzt weiter zu unserem Porzellantisch und sehen wir, ob unsere anderen Sammler aus London ebenso viel Glück haben.«

»Justin Hitchcock!«, verkündet die Sprechstundenhilfe in diesem Moment.

Schweigen. Alle schauen einander an.

»Justin!«, wiederholt die Frau etwas lauter.

»Das ist bestimmt er hier auf dem Boden«, vermutet Ethel. »Juuhuu!«, jodelt sie und versetzt ihm einen Fußtritt mit ihrem Gesundheitsschuh. »Sind Sie Justin?«

»Da ist aber jemand verliebt, oho, oho!«, flötet Margaret, und Ethel macht schmatzende Kussgeräusche.

»Louise«, sagt Ethel zu der Sprechstundenhilfe. »Kann ich vielleicht reingehen, während der junge Mann zum Banqueting House läuft und die Lady sucht? Ich hab lange genug gewartet.« Sie streckt das linke Bein aus und verzieht schmerzgepeinigt das Gesicht.

Unterdessen steht Justin auf und klopft sich die Teppichflusen von der Hose. »Ich weiß sowieso nicht, warum Sie in Ihrem Alter hier rumwarten. Sie sollten Ihre Zähne einfach hier lassen und wiederkommen, wenn der Arzt mit ihnen fertig ist.«

Als er das Wartezimmer verlässt, fliegt ihm eine uralte Ausgabe von *Homes and Gardens* an den Kopf.

216

Zweiundzwanzig

»Eigentlich gar keine schlechte Idee«, meint Justin und bleibt mitten auf dem Korridor zum Behandlungszimmer stehen, während ein neuerlicher Adrenalinschub seinen Körper durchströmt. »Genau das werde ich machen«, sagt er zu der Sprechstundenhilfe.

»Sie wollen Ihre Zähne hierlassen?«, erkundigt sie sich trocken und mit einem starken Liverpooler Akzent.

»Nein, ich gehe zum Banqueting House«, entgegnet er und fängt vor Aufregung schon an, von einem Bein aufs andere zu hüpfen.

»›Großartig, Dick. Kann Anne auch mitkommen? Aber vergessen wir nicht, zuerst Tante Fanny zu fragen.‹ Wir sind doch hier nicht bei ›Fünf Freunde‹.« Wütend funkelt sie ihn an, was seine freudige Erregung dämpft. »Es ist mir vollkommen gleich, was mit Ihnen los ist, aber diesmal lasse ich Sie nicht so leicht entkommen. Los jetzt. Dr. Montgomery wird es gar nicht gefallen, wenn Sie wieder nicht erscheinen«, drängt sie ihn weiter.

»Okay, okay, warten Sie. Meinem Zahn geht's gut«, behauptet er, streckt die Hände aus und zuckt die Achseln, als wäre alles halb so schlimm. »Kein Problem. Keine Schmerzen. Ich kann sogar beißen.« Zum Beweis klappert er mit den Zähnen. »Sehen Sie, alles wieder gut. Was will ich hier überhaupt? Mir tut nichts weh.«

»Ihre Augen tränen.«

»Das sind die Gefühle.«

»Das sind die Wahnideen. Kommen Sie endlich«, beharrt sie und führt ihn weiter den Korridor entlang.

Dr. Montgomery begrüßt ihn mit dem Bohrer in der Hand. »Hallo, Clarisse«, sagt er und lacht herzhaft. »Ich mach nur Witze. Haben Sie schon wieder versucht abzuhauen, Justin?«

»Nein. Na ja, doch. Hmm, nein, eigentlich wollte ich nicht abhauen, mir ist nur plötzlich klar geworden, dass ich dringend weg muss und …«

Während seiner Erklärung schafft es Dr. Montgomery, unterstützt von seiner Assistentin, Justin in den Behandlungsstuhl zu bugsieren, und als er mit seinen Ausführungen fertig ist, merkt er, dass er bereits das Lätzchen umhat und nach hinten gekippt worden ist.

»Blablabla, mehr hab ich leider nicht verstanden, Justin«, fasst Dr. Montgomery fröhlich zusammen.

Er seufzt.

»Wollen Sie sich heute nicht mit mir anlegen?«, fragt Dr. Montgomery, während er sich die Gummihandschuhe überstreift.

»Solange Sie nicht von mir verlangen, dass ich huste.«

Dr. Montgomery lacht, und Justin öffnet widerstrebend den Mund.

Das rote Licht an der Kamera erlischt, und ich packe Dads Arm.

»Komm, wir müssen jetzt gehen«, dränge ich ihn.

»Nein, noch nicht«, entgegnet Dad in weithin hörbarem Flüsterton. »Da drüben ist Michael Aspel. Ich kann ihn neben dem Porzellantisch stehen sehen, groß, charmant, noch attraktiver, als ich gedacht habe. Er sieht sich nach einem Gesprächspartner um.«

»Michael Aspel ist hier in seinem gewohnten Lebensraum und sehr damit beschäftigt, eine Live-Sendung zu präsentieren.« Ich grabe meine Fingernägel in Dads Arm. »Ich glaube nicht, dass es zu seinen obersten Prioritäten gehört, sich ausgerechnet jetzt mit dir zu unterhalten.«

Dad macht ein etwas verletztes Gesicht, aber sicher nicht wegen meiner Fingernägel. Doch dann reckt er das Kinn in die Luft, und ich weiß aus jahrelanger Erfahrung, dass sein Kinn und sein Stolz mit einem unsichtbaren Faden verbunden sind. Und schon macht er sich bereit, sich Michael Aspel zu nähern, der allein neben dem Tischchen steht, einen Finger im Ohr.

»Er hat bestimmt Probleme mit dem Ohrenschmalz, genau wie ich«, wispert Dad. »Er sollte mal das Zeug benutzen, das du für mich besorgt hast. Plopp! Schon ist es draußen.«

»Das ist ein Ohrhörer, Dad. Damit er die Leute im Regieraum hören kann.«

»Nein, ich glaube, es ist ein Hörgerät. Wenn wir zu ihm rübergehen, sollten wir auf alle Fälle schön laut und deutlich sprechen. Damit hab ich Erfahrung.«

Ich stelle mich ihm in den Weg und sehe ihn so einschüchternd an, wie es mir möglich ist. Dad verlagert sein Gewicht auf den linken Fuß, und gleich ist er mit mir auf Augenhöhe.

»Dad, wenn wir nicht jetzt gleich hier verschwinden, sperrt man uns wieder in eine Zelle.«

Aber Dad lacht nur. »Ach, übertreib doch nicht, Gracie.«

»Ich bin Joyce, verdammt, Dad«, zische ich.

»Na gut, Joyce verdammt, du brauchst dir ja nicht gleich ins Hemd zu machen.«

»Anscheinend verstehst du den Ernst der Lage nicht ganz. Wir haben einen viktorianischen Papierkorb im Wert von siebzehnhundert Pfund aus einem Königspalast gestohlen und darüber live im Fernsehen berichtet.«

Dad schaut mich an, die buschigen Augenbrauen fast bis zum Haaransatz hochgezogen. Zum ersten Mal seit langem kann ich seine Augen sehen. Sie sehen alarmiert aus. Und in den Ecken ziemlich wässrig und gelb. Aber ich nehme mir vor, ihn erst danach zu fragen, wenn wir wieder einigermaßen in Sicherheit sind und nicht mehr jeden Moment mit dem Gesetz in Konflikt geraten können. Oder mit der BBC.

Das Mädchen, dem ich vorhin auf der Suche nach Dad nachgelaufen bin, starrt mich mit großen Augen von der anderen Seite des Raums an. Mein Herz rast in Panik, ich sehe mich hektisch um. Leute starren uns an. Sie wissen Bescheid.

»Okay, wir müssen gehen. Ich glaube, man hat uns durchschaut.«

»Ist doch nicht so schlimm. Wir stellen den Kübel einfach zurück.« Aber er hört sich an, als wäre es *total* schlimm. »Wir haben das Ding ja nicht mit nach draußen genommen – also ist es kein Verbrechen.«

»Okay, jetzt oder nie. Greif es dir, damit wir's zurückbringen können, und machen wir, dass wir hier rauskommen.«

Ich lasse die Augen über die Menge schweifen, um mich zu vergewissern, dass uns keine großen starken Männer folgen, die schon kampflustig mit den Fingergelenken knacken und ihre Baseballschläger schwingen. Nur das Mädchen mit dem Headset, und mit der kann ich es bestimmt aufnehmen. Falls ich es nicht schaffe, kann Dad ihr immer noch mit seinem harten Spezialschuh einen Schlag auf den Schädel verpassen.

Endlich tut Dad, was ich ihm sage, greift sich den Kübel vom Tisch und versucht ihn unter seinem Mantel verschwinden zu lassen. Was ein ziemlich sinnloses Unterfangen ist, denn das Ding passt nicht mal zu einem Drittel darunter, und als ich ihm einen strafenden Blick zuwerfe, holt er ihn wieder hervor. So bahnen wir uns einen Weg durch die Menge, ignorieren die Glückwünsche und freundlichen Worte der Umstehenden, die anscheinend glauben, wir hätten im Lotto gewonnen. Als ich mich umwende, sehe ich, dass sich auch das Mädchen mit dem Headset einen Weg durch die Menge bahnt.

»Schnell, Dad, schnell.«

»Ich tu, was ich kann.«

Wir schaffen es zur Tür der Halle, lassen die Menschenmenge

hinter uns und halten zielsicher auf den Haupteingang zu. Ehe ich die Tür hinter uns zumache, schaue ich mich noch einmal um. Jetzt spricht das Mädchen aufgeregt in ihr Headset und versucht zu rennen, wird aber von zwei Männern in braunen Overalls aufgehalten, die einen Schrank durch den Raum tragen. Ich entreiße Dad das Gefäß, und sofort gewinnen wir an Tempo. Unten an der Treppe schnappen wir uns noch schnell unser Gepäck aus der Garderobe, und dann schaukeln wir rauf, runter, runter, rauf, durch den Korridor, über den Marmorboden.

Als Dad gerade die Hand auf den überdimensionierten Goldknauf der Eingangstür legt, hören wir den Ruf: »Stopp! Warten Sie!«

Abrupt halten wir inne und sehen uns ängstlich an. »Lauf!«, gebe ich Dad mit lautlosen Mundbewegungen zu verstehen. Er seufzt dramatisch, rollt die Augen, belastet das rechte Bein, beugt das linke, als wollte er mich daran erinnern, dass er schlecht gehen und noch schlechter laufen kann.

»Wo wollen Sie beide denn so eilig hin?«, fragt der Mann und kommt auf uns zu.

Langsam wenden wir uns um, und ich mache mich bereit, unsere Ehre zu verteidigen.

»Sie war's«, sagt Dad und deutet mit dem Daumen auf mich.

Mir fällt die Kinnlade herunter.

»Ich fürchte, es waren Sie beide«, lächelt der Mann. »Sie haben Ihre Mikros mitgenommen, und die sind ziemlich wertvoll.« Eifrig macht er sich daran, hinten an Dads Hose rumzufingern, und schließlich hakt er erfolgreich den Akku ab. »Hätte Sie in Schwierigkeiten bringen können, wenn Sie damit weggelaufen wären«, lacht er.

Dad sieht erleichtert aus, aber ich frage nervös: »Waren die Dinger die ganze Zeit über eingeschaltet?«

»Hmm«, macht er, betrachtet den Akku und knipst den Schalter auf »off«. »Allerdings.«

»Wer hat uns dann gehört?«

»Keine Sorge, Sie waren nicht auf Sendung, solange das nächste Stück vorgestellt wird.«

Unwillkürlich stoße ich einen Seufzer der Erleichterung aus.

»Aber im Haus konnte jeder Sie hören, der gerade Kopfhörer aufhatte«, erklärt er, während er nun auch Dads Mikro entfernt.

»Ach ja, und natürlich die Regie.«

Jetzt bin ich an der Reihe, und es gibt einen peinlichen Kuddelmuddel, als er den Akku von meinem Hosenbund entfernen will und energisch an meinem String zerrt, der mit in die Klammer geraten ist.

»Au!«, jaule ich, dass es durch den ganzen Korridor hallt.

»Tut mir leid.« Der Mann wird knallrot, während ich meine Kleidung wieder in Ordnung bringe. »Das sind die Tücken meines Jobs.«

»Ach, halb so schlimm«, grinst Dad.

Als er wieder in die Halle zurückkehrt, stellen Dad und ich den Kübel schnell neben die Eingangstür, stopfen die kaputten Schirme wieder hinein und verlassen den Tatort.

»Und, Justin, irgendwas Neues?«, fragt Dr. Montgomery.

Justin, der zurückgekippt in dem Stuhl hängt, mit zwei gummibehandschuhten Händen und einem Spuckesauger im Mund, weiß nicht, wie er antworten soll, und entschließt sich, einmal zu blinzeln, weil er das schon mal im Fernsehen gesehen hat. Aber weil er plötzlich unsicher ist, was das Signal bedeutet, blinzelt er lieber noch einmal, um für Verwirrung zu sorgen.

Dr. Montgomery kriegt sein Geblinzel jedoch nicht mit und schmunzelt: »Ihnen hat's wohl die Sprache verschlagen, was?«

Justin verdreht die Augen.

»Irgendwann werde ich mal echt gekränkt reagieren, wenn die Leute mich mit Nichtachtung strafen, obwohl ich ihnen direkte Fragen stelle.« Wieder lacht er in sich hinein und beugt sich über Justin, sodass dieser eine hervorragende Aussicht in seine Nasenlöcher bekommt.

»Arrrrch«, stößt Justin hervor und zuckt zusammen, als die kalte Spitze der Zahnsonde die schmerzende Stelle berührt.

»Ich sage es frei heraus – das haben Sie sich selbst zuzuschreiben«, meint Dr. Montgomery. »Das Loch, das Sie mich letztes Mal nicht anschauen lassen wollten, hat sich infiziert, und jetzt ist das Gewebe drum herum entzündet.«

Er stupst noch ein bisschen mit seiner Sonde herum.

»Aaaah.« Justin macht gurgelnde Geräusche.

»Ich sollte ein Buch über Zahnarztsprache schreiben. Jeder Patient macht eine ganze Reihe von Geräuschen, die ich nicht verstehe. Was meinen Sie, Rita?«

Offenbar ist Rita mit den glänzenden Lippen an dieser Frage nicht interessiert.

Justin gurgelt unartikulierte Schimpfworte.

»Na, na«, tadelt Dr. Montgomery, und für einen Moment verschwindet sein Lächeln. »Werden Sie doch nicht ausfällig.«

Erschrocken konzentriert Justin sich auf den Fernseher, der in einer Ecke des Raums an der Wand hängt. Das rote Banner von Sky News unten auf dem Bildschirm behauptet, dass es brandneue Nachrichten gibt, und obgleich der Ton leise gestellt und das Bild zu weit entfernt ist, um lesen zu können, was diese Neuigkeiten sein mögen, ist es doch eine willkommene Ablenkung von Dr. Montgomerys faden Witzen. Außerdem beschwichtigt es Justins Drang, aus dem Stuhl zu springen, das erstbeste Taxi zu nehmen und sich direkt zum Banqueting House fahren zu lassen.

Der Reporter steht gerade vor Westminster, aber da Justin nichts versteht, hat er keine Ahnung, worüber der Mann spricht, obwohl er sein Gesicht genau beobachtet und versucht, ihm von den Lippen abzulesen. Unterdessen nähert sich Dr. Montgomery mit etwas, das aussieht wie eine Spritze. Justin reißt die Augen auf, aber dann wird er plötzlich von etwas auf dem Bildschirm abgelenkt. Seine Pupillen weiten sich und machen seine Augen ganz schwarz.

Dr. Montgomery lächelt und hält Justin das Ding vors Gesicht.

»Keine Angst, Justin. Ich weiß, wie sehr Sie Spritzen hassen, aber wir brauchen sie für die Betäubung. Wir müssen noch eine zweite Füllung in einem anderen Zahn machen, damit sich dort nicht ein zweiter Abszess bildet. Es tut nicht weh, ist nur ein komisches Gefühl.«

Justins Augen werden noch größer, während er unverwandt auf den Fernseher starrt. Er versucht aufzustehen. Die Spritze ist ihm ausnahmsweise völlig egal. Aber er muss sich irgendwie verständlich machen. Da er den Mund aber weder öffnen noch schließen kann, stößt er tiefe, kehlige Laute aus.

»Okay, keine Panik. Nur noch eine Minute. Ich bin fast fertig.«

Er beugt sich wieder über Justin, sodass er diesem die Sicht auf den Fernseher blockiert, und Justin rödelt herum und versucht an ihm vorbeizuspähen.

»Meine Güte, Justin, hören Sie auf damit, bitte. Die Nadel wird Sie schon nicht umbringen. Aber ich vielleicht schon, wenn Sie nicht endlich aufhören, so herumzukaspern.« Kicherkicher.

»Ted, vielleicht sollten wir lieber abbrechen«, sagt seine Assistentin, und Justin sieht sie dankbar an.

»Hat er vielleicht einen Anfall?«, fragt Dr. Montgomery und sagt dann sehr laut zu Justin, als wäre der auf einmal schwerhörig: »Haben Sie einen Anfall oder was?«

Justin verdreht die Augen und gibt weiter gepresste Kehllaute von sich.

»Fernseher? Was meinen Sie denn?« Dr. Montgomery schaut zu Sky News hinauf und nimmt endlich die Finger aus Justins Mund.

Zu dritt starren sie jetzt auf den Fernseher, die beiden anderen konzentrieren sich auf die Nachrichten, während Justin den Hintergrund beobachtet: Joyce und ihr Vater sind vor die Kamera geraten, hinter sich Big Ben. Offenbar merken sie nichts davon, denn sie lassen sich nicht in ihrer hitzigen Diskussion stören und gestikulieren weiter aufgeregt mit den Händen.

»Schauen Sie sich diese Idioten da hinten an«, lacht Dr. Montgomery.

Plötzlich drückt der alte Mann seiner Tochter den Griff seines Trolleys in die Hand und stürmt in die andere Richtung davon. Joyce bleibt allein mit zwei Koffern zurück und wirft frustriert die Hände in die Luft.

»Ja, danke, das ist wirklich eine sehr erwachsene Reaktion«, rufe ich Dad nach, der gerade abgedampft ist und mir seinen Koffer hinterlassen hat. Und wieder mal in die falsche Richtung läuft. Seit wir das Banqueting House verlassen haben, macht er das dauernd, weigert sich aber, es zuzugeben, und weigert sich auch, ein Taxi zum Hotel zu nehmen, weil er nämlich unbedingt sparen will.

Wenigstens ist er noch in Sichtweite. Ich setze mich auf meinen Koffer und warte, dass er seinen Irrtum einsieht und zurückkommt. Inzwischen ist es Abend, und ich möchte nur noch ins Hotel und ein Bad nehmen. Da klingelt mein Handy.

»Hi, Kate.«

Hysterisches Lachen antwortet mir.

»Was ist los mit dir?«, erkundige ich mich. »Wie schön, dass jemand gute Laune hat.«

»Ach, Joyce«, ruft sie, nach Atem ringend, und ich stelle mir vor, wie sie sich die Tränen aus den Augen wischt. »Du bist einfach die beste Medizin, echt!«

»Was meinst du denn damit?« Im Hintergrund höre ich Kinder lachen.

»Tu mir den Gefallen und heb die rechte Hand.«

»Warum?«

»Tu's einfach. Das ist ein Spiel, das meine Kinder mir beigebracht haben«, giggelt sie.

»Okay«, willige ich seufzend ein und hebe die rechte Hand.

Jetzt quietschen die Kinder vor Lachen.

»Sag ihr, sie soll mit dem rechten Fuß wippen«, ruft Jayda.

»Okay«, lache ich. Immerhin hat mich die allgemeine gute Laune angesteckt. Ich wackle mit dem rechten Fuß, und wieder prusten am anderen Ende der Leitung alle los. Ich höre sogar, wie Kates Ehemann im Hintergrund brüllt vor Lachen, und auf einmal wird mir wieder unbehaglich. »Kate, was soll das Ganze eigentlich?«

Aber Kate kann vor lauter Lachen nicht antworten.

»Sag ihr, sie soll mal hopsen!«, kreischt Eric.

»Nein.« Jetzt bin ich irritiert.

»Für Jayda hat sie's aber gemacht«, jammert der Kleine, und ich ahne, dass er gleich in Tränen ausbrechen wird.

Also hopse ich pflichtschuldig ein paar Mal rauf und runter.

Gleich kreischen sie wieder los vor Vergnügen.

»Ist vielleicht zufällig jemand in deiner Nähe, den du nach der Uhrzeit fragen kannst?«, keucht Kate.

»Was redet ihr denn da?«, frage ich stirnrunzelnd und blicke mich um. Hinter mir ist Big Ben, und als ich mich wieder umdrehe, sehe ich in der Ferne das Kamerateam. Und höre sofort auf zu hopsen.

»Was in aller Welt macht die Frau denn da?«, fragt Dr. Montgomery und geht näher an den Fernseher. »Soll das vielleicht irgendein Tanz sein?«

»Hönn hi hie heen?«, fragt Justin, der die Wirkung der Betäubung jetzt deutlich spürt.

»Natürlich kann ich sie sehen«, antwortet der Zahnarzt. »Ich glaube, sie macht uns den Hokey Cokey. Linkes Bein zurück«, beginnt er zu singen. »Rechtes Bein nach vorn. Zurück. Vor. Zurück. Vor. Und schütteln!« Er tanzt im Zimmer herum. Rita verdreht genervt die Augen.

Justin ist zwar sehr erleichtert, dass er sich nicht nur eingebildet hat, Joyce zu sehen, fängt aber an, ungeduldig im Stuhl herumzurutschen. *Ich muss zu ihr!*

Dr. Montgomery wirft ihm einen komischen Blick zu, schiebt

ihn energisch in den Stuhl zurück und stopft ihm wieder die In-strumente in den Mund. Justin gurgelt und macht Kehllaute.

»Es nützt nichts, wenn Sie mir das erklären, Justin, Sie bleiben jetzt hier, bis ich das Loch ordentlich geflickt habe. Gegen den Abszess müssen Sie Antibiotika nehmen, und beim nächsten Mal ziehe ich den Zahn entweder oder wir machen eine Wurzelbe-handlung. Je nachdem, in welcher Stimmung ich grade bin«, fügt er hinzu und lacht albern. »Und wer immer diese Joyce sein mag, Sie können sich bei ihr bedanken, dass sie Ihre krankhafte Angst vor Spritzen kuriert hat. Sie haben es nicht mal gemerkt, als ich sie Ihnen verpasst habe.«

»I ha hu hehehe.«

»Oh, schön, junger Mann. Ich habe auch schon Blut gespen-det. Ein gutes Gefühl, nicht wahr?«

»Aaa. Hi ha he hu.«

Dr. Montgomery wirft den Kopf in den Nacken und lacht laut. »Ach, seien Sie nicht albern, die verraten einem nie, wer das Blut bekommt. Außerdem wird es in seine Komponenten zerlegt, Blutplättchen, rote Blutkörperchen und was noch alles.«

Justin gurgelt.

Wieder lacht der Zahnarzt. »Welche Muffins hätten Sie denn gern?«

»Aa.«

»Banane?« Dr. Montgomery denkt nach. »Ich persönlich mag Schokolade ja lieber. Absaugen, Rita, absaugen, bitte.«

Völlig verwirrt steckt Rita das Röhrchen in Justins Mund.

Dreiundzwanzig

Schließlich schaffe ich es, ein schwarzes Taxi heranzuwinken, und ich schicke den Fahrer in Richtung des energischen alten Mannes, der leicht identifizierbar wie ein betrunkener Seemann mit horizontalen Schaukelbewegungen durch den vertikalen Strom der Menge schwankt. Wie ein Lachs schwimmt er strom-aufwärts, bahnt sich einen Weg gegen den Strom der anderen Passanten in die entgegengesetzte Richtung. Aber nicht, weil er es so toll findet und absichtlich anders sein will – er merkt nicht mal, dass er ein Außenseiter ist.

Ihn so zu sehen erinnert mich an eine Geschichte, die er mir erzählt hat, als ich noch so klein war, dass mir mein Dad riesig erschien wie die Eiche im Nachbarsgarten, die über die Mau-er ragte und Eicheln auf unseren Rasen fallen ließ. Das tat sie immer in den Monaten, in denen man nicht draußen spielen konnte und den Nachmittag stattdessen damit verbrachte, aus dem Fenster in die graue Welt hinauszustarren. Draußen musste man dann auch Handschuhe tragen, die an einer Kordel aus den Mantelärmeln hingen. Der heulende Wind blies die mächtigen Äste der Eiche hin und her, wuuusch machten die Blätter, von links nach rechts, genau wie mein Dad, ein wackliger Kegel am Ende der Kegelbahn. Aber weder mein Vater noch die Eiche kippte jemals um. Im Gegensatz zu den Eicheln, die wie pa-nische, unversehens aus dem Flugzeug geschubste Fallschirm-springer oder aufgeregt auf die Knie fallende Windanbeter von den Zweigen hüpften.

Als mein Dad noch stämmig wie eine Eiche war, erzählte er mir oft die Geschichte von dem Lachs, wenn ich in der Schule schikaniert worden war, weil ich mal wieder am Daumen gelutscht hatte. Dieser Lachs hatte Haselnüsse gegessen, die in den Brunnen der Weisheit gefallen waren. Dadurch besaß er nun das ganze Wissen der Welt, und dieses Wissen würde an den weitergegeben werden, der als Erster etwas von diesem Lachs aß. So versuchte der Dichter Finneces sieben Jahre lang, den Lachs zu fangen, und als er ihn endlich erwischte, gab er seinem Lehrling Fionn die Anweisung, ihn zuzubereiten. Als aber ein Fettspritzer von dem brutzelnden Fisch auf seinem Daumen landete, steckte Fionn ihn rasch in den Mund, um den Schmerz zu stillen. Und so gewann er ein unglaubliches Wissen und eine unglaubliche Weisheit. Den Rest seines Lebens brauchte er, wenn er mal nicht weiterwusste, nur den Daumen in den Mund zu stecken und daran zu lutschen, und schon konnte er über das Wissen verfügen.

Diese Geschichte erzählte Dad mir damals, als ich noch am Daumen lutschte und er so groß war wie eine Eiche. Damals, als Mums Gähnen sich anhörte wie ein Lied. Als wir alle noch zusammen waren. Als ich noch keine Ahnung hatte, dass es einmal anders sein würde. Als wir im Garten unter der Trauerweide saßen und miteinander plauderten. Dort versteckte ich mich gern, aber Dad fand mich immer. Damals, als nichts unmöglich war und ich ganz selbstverständlich davon ausging, dass wir drei für immer zusammenbleiben würden.

Jetzt beobachte ich den großen Lachs der Weisheit, wie er gegen den Strom schwimmt, hin und her wippend zwischen den Fußgängern, die ihm auf dem Gehweg entgegenkommen.

Da blickt Dad auf, sieht mich, streckt zwei Finger in die Höhe und geht weiter.

Ach je.

»Dad!«, rufe ich aus dem Fenster. »Komm, steig ein.«

Er ignoriert mich, hält eine Zigarette an die Lippen und inhaliert so lange und intensiv, dass seine Backen sich nach innen ziehen.

»Dad, sei doch nicht so. Steig ein, wir fahren ins Hotel.«

Aber er geht weiter, sieht starr geradeaus, so stur wie eh und je. Dieses Gesicht habe ich schon so oft gesehen – wenn er mit Mum gestritten hat, weil er ihrer Meinung nach zu lange und zu häufig im Pub war, bei Diskussionen im Monday Club über die politische Lage, im Restaurant, wenn ihm das Fleisch nicht zu einem Stück Holzkohle gebraten serviert wird, obwohl er es ausdrücklich so verlangt hat. Dieser rechthaberische Ausdruck, das Kinn trotzig nach vorn gereckt, wie die Küste von Cork und Kerry. Ein trotziges Kinn, ein verärgerter Kopf.

»Schau mal, wir müssen uns ja nicht mal unterhalten. Im Auto kannst du schon anfangen, mich zu ignorieren. Im Hotel sowieso. Wenn du dich dann besser fühlst, brauchst du die ganze Nacht nicht mit mir zu reden.«

»Das würde dir gefallen, was?«, schnaubt er.

»Soll ich ehrlich sein?«

Er schaut mich fragend an.

»Ja.«

Er bemüht sich, nicht zu lächeln. Kratzt sich mit seinen gelb verfärbten Zigarettenfingern im Mundwinkel, damit ich nicht sehe, wie sie nach oben zucken. Der Rauch steigt ihm in die Augen, und ich denke daran, wie gelb sie sind und wie strahlend blau sie waren, wenn ich als kleines Mädchen mit baumelnden Beinen, das Kinn in die Hand gestützt, am Küchentisch beobachtet habe, wie er ein Radio, einen Wecker oder einen Stecker auseinander-montiert hat. Durchdringende blaue Röntgenaugen, wachsam, geschäftig. Die Zigarette zwischen die Lippen geklemmt, seitlich herunterhängend wie bei Popeye, und der Rauch stieg auf und hat seine Augen gelb gefärbt. Die Farbe des Alters, wie altes vergilbtes Zeitungspapier, eingetaucht in Zeit.

Damals habe ich ihm zugesehen, wagte nicht zu sprechen, wagte kaum zu atmen, denn ich hatte Angst, den Bann zu brechen, mit dem er den Gegenstand belegt hatte, den er gerade reparierte. Wie der Chirurg, der ihn vor zehn Jahren am Herzen operiert und den Bypass gelegt hat, so saß er am Tisch, jung und gesund, verband Drähte miteinander und beseitigte Blockaden. Unter seinen aufgerollten Hemdsärmeln sah ich die von der Gartenarbeit gebräunten Armmuskeln, die sich im Rhythmus seiner flinken Finger bewegten. Immer war eine Spur von Schmutz unter seinen Fingernägeln. An der rechten Hand waren Zeigefinger und Mittelfinger gelb vom Nikotin. Gelb, aber ruhig und absolut zuverlässig. Ungleich, aber ruhig und zuverlässig.

Schließlich bleibt er doch stehen, wirft die Zigarette auf den Boden und tritt sie mit seinem wuchtigen Schuh aus. Das Taxi stoppt. Ich werfe ihm den Rettungsring zu, und wir ziehen ihn aus dem Strudel des Trotzes hinein ins Boot. Immer ein Draufgänger, immer ein Glückspilz. Wenn er ins Wasser fiel, kam er trocken wieder heraus, mit Fischen in der Tasche. Stumm sitzt er jetzt neben mir im Taxi. Und seine Klamotten, sein Atem und seine Finger stinken nach Rauch. Ich beiße mir auf die Lippen, sage nichts und mache mich darauf gefasst, mir den Daumen zu verbrennen.

Er stellt einen neuen persönlichen Rekord im Schweigen auf. Zehn, vielleicht sogar fünfzehn Minuten. Aber schließlich quellen doch Worte aus seinem Mund, als hätten sie schon ungeduldig hinter den geschlossenen Lippen Schlange gestanden. Wenn sie nicht herausgelassen werden, ballen sie sich zusammen wie paranoide Fettzellen. Aber jetzt öffnen sich die Lippen, und die Worte sprudeln nur so heraus.

»Vielleicht hast du ein Maxi gekriegt, aber ich hoffe, du weißt, dass ich auch nicht auf dem Feld rumstehe.« Er reckt das Kinn, und das zieht den unsichtbaren Faden an seinem Stolz in die Höhe. Offensichtlich ist er zufrieden mit der Wörtersammlung, die er da gerade gemixt hat.

»Wie bitte?«

»Du hast mich genau verstanden.«

»Ja, aber …«

»Maxi – *Taxi*. Geld, *Feld*«, erklärt er. »Das alte Tschitti tschitti.«

Ich bemühe mich, aus seinen mysteriösen Erklärungen schlau zu werden.

»Bäng bäng, Reim-Slang«, vollendet er seine Rede. »Er weiß genau, was ich meine«, sagt er mit einer Kopfbewegung zu unserem Fahrer.

»Er kann dich nicht hören.«

»Warum? Ist er dumm?«

»Was?«

»Taub und stumm.«

»Nein«, entgegne ich und bin auf einmal schrecklich müde. »Wenn das rote Licht aus ist, kann der Fahrer einen nicht hören.«

»Genau wie bei Joes Hörgerät«, antwortet Dad. Er beugt sich vor und drückt auf den Schalter hinten im Wagen. »Können Sie mich jetzt hören?«

»Ja, Kumpel!«, ruft der Fahrer und sieht ihn im Rückspiegel an. »Laut und deutlich.«

Als er keine Antwort bekommt, schaut der Fahrer mit besorgt gerunzelter Stirn noch einmal in den Spiegel, behält dabei zum Glück aber auch die Straße im Auge.

Dad kichert. Ich vergrabe das Gesicht in den Händen.

»Das machen wir immer mit Joe«, erzählt Dad schelmisch. »Manchmal dauert es den ganzen Tag, bis er merkt, dass wir ihm das Gerät abgeschaltet haben. Er denkt dann halt, dass niemand was zu ihm sagt. Alle halbe Stunde oder so schreit er: ›Himmel, ist ja ganz schön still hier drin!‹« Dad lacht und legt den Schalter wieder um. »Na, wie isses?«, fragt er freundlich.

»Alles klar, Paddy«, antwortet der Fahrer.

Ich erwarte schon halb, dass Dad mit seiner knorrigen Faust durch den Schlitz im Fenster auf den Fahrer losgeht. Aber nein, stattdessen lacht er laut und herzlich.

232

»Ich möchte heute Abend gern mal allein sein. Können Sie mir vielleicht sagen, wo es in der Nähe von meinem Hotel 'ne anständige Toilette gibt, damit ich ohne meinen Teepott losziehen kann?«

Der junge Taxifahrer betrachtet Dads unschuldiges Gesicht im Spiegel, diesen Mann, der es immer gut meint und niemanden beleidigen möchte. Aber er sagt nichts, sondern fährt schweigend weiter.

Ich schaue weg, um Dad die Peinlichkeit zu ersparen, aber ich fühle mich überlegen und hasse mich dafür. Ein paar Augenblicke später stehen wir vor einer Ampel, und der Taxifahrer öffnet die Luke und steckt einen Zettel durch.

»Da ist 'ne Liste, Kumpel. Ich würde das Erste vorschlagen, das finde ich persönlich am besten. Da gibt's um die Zeit jetzt auch was Leckeres zum Pressen, wenn Sie verstehen, was ich meine.« Er lächelt und zwinkert.

»Danke.« Dads Gesicht hellt sich auf, und er studiert den Zettel, als wäre es das Kostbarste, was er je bekommen hat. Dann faltet er ihn zusammen und steckt ihn stolz in die Brusttasche. »Wissen Sie, die Kleine hier, die ist echt 'ne ganz Schicke, wenn Sie wissen, was *ich* meine. Passen Sie auf, dass sie Ihnen auch was rüberwachsen lässt.«

Der Fahrer lacht und hält vor unserem Hotel. Ich sehe es mir durchs Autofenster an und bin angenehm überrascht. Für fünfzig Pfund pro Nacht ein Dreisternehotel mitten im Herzen der Stadt, nur zehn Minuten Fußmarsch von den großen Theatern, von Oxford Street, Picadilly und Soho. Genug, um uns beide von Schwierigkeiten fernzuhalten. Oder mittenrein zu bringen.

Dad steigt aus und zieht sein Köfferchen hinter sich her zu den Drehtüren. Ich beobachte ihn, während ich auf mein Wechselgeld warte. Die Türen drehen sich so schnell, dass ich sehen kann, wie er versucht, den richtigen Moment zum Hineingehen abzupassen. Wie ein Hund, der Angst hat, ins kalte Wasser zu springen, schiebt er sich langsam vorwärts, hält inne, bewegt sich ruckartig wieder ein Stück nach vorn, bleibt wieder stehen. Schließlich rennt er los, sein Koffer bleibt draußen stecken, verkeilt die Drehtüren, und Dad ist im Innern gefangen.

Trotzdem lasse ich mir Zeit mit dem Aussteigen. Hinter mir höre ich Dad ans Glas klopfen, aber ich ignoriere ihn und beuge mich nochmal ins Beifahrerfenster.

»Hilfe! Hilfe!«, höre ich Dad schreien.

»Wie hat er mich genannt?«, erkundige ich mich beim Fahrer und ignoriere die Rufe hinter mir.

»'ne ganz Schicke?«, fragt er grinsend zurück. »Ach, das wollen Sie gar nicht wissen.«

»Sagen Sie's mir trotzdem«, beharre ich, ebenfalls lächelnd.

»Das bedeutet Zicke«, erklärt er schließlich mit einem Lachen und fährt los. Mit offenem Mund bleibe ich am Straßenrand zurück.

Auf einmal merke ich, dass das Geklopfe aufgehört hat, drehe mich um und sehe, dass Dad endlich befreit worden ist. Schnell gehe ich hinein.

»Ich kann Ihnen keine Kreditkarte geben, aber mein Wort«, sagt Dad gerade langsam und laut zu der Frau an der Rezeption. »Und mein Wort ist so gut wie meine Ehre.«

»Schon okay, bitte sehr«, gehe ich dazwischen und schiebe der jungen Frau meine Kreditkarte hin.

»Warum können die Menschen heutzutage nicht mehr einfach mit Papier bezahlen?«, nörgelt Dad und beugt sich über die Theke. »Die Jugend von heute bringt sich doch nur in Schwierigkeiten, Schulden über Schulden, weil sie dieses wollen und jenes brauchen, aber keiner will dafür arbeiten, also benutzen sie diese Plastikdinger. Tja, das ist aber kein Geld für umsonst, das können Sie mir ruhig glauben.« Er nickt entschieden. »Mit so einem Dings kann man nur verlieren.«

Niemand antwortet.

Die dunkelhäutige Rezeptionistin lächelt ihn höflich an und tippt etwas in ihren Computer. »Sie teilen sich ein Zimmer?«

»Ja«, antworte ich voller Grauen.

»Mit zwei Klarinetten, hoffe ich?«

Die Frau runzelt die Stirn.

»Betten«, erkläre ich leise. »Er meint Betten.«

»Ja, zwei Einzelbetten.«

»Mit Bad?« Er lehnt sich noch weiter vor, um ihr Namensschildchen lesen zu können. »Angela, ja?«, fragt er.

»Aakaanksha. Und ja, Sir, alle Zimmer sind mit Bad und Toilette«, antwortet sie höflich.

»Oh.« Dad macht ein beeindrucktes Gesicht. »Tja, dann hoff ich mal, dass der Aufzug funktioniert, weil ich nämlich nicht heiraten möchte. Das schaffe ich nicht mit meinen Krücken.«

Ich kneife die Augen fest zusammen.

»Heiraten, Hochzeitskleid, Schleppe, *Treppe*. Krücken, *Rücken*«, erklärt er im gleichen Ton, in dem er mir als Kind Kinderreime aufgesagt hat.

»Aha. Sehr gut, Mr Conway.«

Ich nehme den Schlüssel, mache mich auf den Weg zum Aufzug und achte nicht auf sein Stimmchen, das ständig eine Frage wiederholt, während er mir durchs Foyer folgt. Ich drücke auf den Knopf für den dritten Stock, und die Tür schließt sich.

Das Zimmer ist Standard und sauber, was für mich völlig ausreicht. Unsere Betten stehen weit genug voneinander entfernt für meinen Geschmack, es gibt einen Fernseher und eine Minibar, die Dads Aufmerksamkeit fesseln, während ich mir ein Bad einlaufen lasse.

»Ich hätte nichts gegen ein Tröpfchen fein«, verkündet er schließlich und verschwindet auch schon mit dem Kopf in der Minibar.

»Du meinst Wein.«

»Ja, Wein ist fein.«

Schließlich ist es so weit, dass ich mich ins warme wohlige Badewasser sinken lassen kann, Seifenschaum steigt um mich auf, kitzelt mich in der Nase und bedeckt meinen Körper, fließt über und treibt auf den Boden, wo sich die Bläschen mit einem leisen Knacken auflösen. Genüsslich lege ich mich zurück und schließe die Augen, spüre die Blasen überall auf meinem Körper, wie sie bei der Berührung mit meiner Haut zerplatzen. Aber dann klopft es plötzlich an die Badezimmertür.

Ich versuche es zu ignorieren.

Gleich geht es wieder los, ein bisschen lauter diesmal.

Aber ich reagiere immer noch nicht.

TOCK! TOCK!

»Was ist denn?«, rufe ich.

»Oh, entschuldige, ich dachte, du wärst eingeschlafen oder so, Liebes.«

»Ich bin in der Badewanne.«

»Das weiß ich. Da muss man vorsichtig sein in den Dingern. Wenn du einschläfst, kannst du leicht ins Wasser rutschen und ertrinken. Ist einem von Amelias Cousins passiert. Du kennst doch Amelia. Besucht manchmal Joseph, ein Stück die Straße runter. Aber nicht mehr so oft wie früher, wegen dem Badeunfall.«

»Dad, ich bin dir sehr dankbar für deine Fürsorge, aber mir geht's gut.«

»Okay.«

Schweigen.

»Eigentlich ist aber noch was anderes, Gracie. Ich frage mich nämlich, wie lange du noch da drin bleiben willst.«

Ich packe die kleine gelbe Quietschente, die am Wannenrand sitzt, und würge sie.

»Liebes?«, fragt er mit seinem Stimmchen.

Ich halte die Ente unters Wasser und versuche sie zu ertränken. Aber als ich sie loslasse, kommt sie sofort wieder an die Oberfläche und starrt mich mit ihren dummen kleinen Äuglein an. Ich atme tief ein und langsam wieder aus.

»Ungefähr zwanzig Minuten, Dad. Ist das in Ordnung?«

Schweigen.

»Äh, Liebes, es ist bloß, dass du schon zwanzig Minuten da drin bist, und du weißt ja, wie das ist mit meiner Prostata …«

Den Rest höre ich nicht mehr, weil ich aus der Wanne steige, anmutig wie ein Piranha zur Futterzeit. Meine Füße quietschen auf den Fliesen, Wasser spritzt in alle Richtungen.

»Alles klar da drin, Shamu?« Dad lacht schallend, so witzig findet er es, mich mit dem Killerwal zu vergleichen.

Rasch hülle ich mich in ein Handtuch und mache die Tür auf.

»Ah, Willy ist also frei«, grinst er.

Ich verbeuge mich und strecke den Arm in Richtung Toilette. »Ihr Streitwagen erwartet Sie, Sir.«

Verlegen schlurft er hinein und schließt die Tür hinter sich. Ich höre, wie der Riegel vorgeschoben wird.

Nass und fröstelnd sehe ich mir die Halbliterflaschen mit Rotwein in der Minibar durch, hole eine heraus und betrachte das Etikett. Sofort habe ich ein Bild im Kopf, so deutlich, dass ich das Gefühl habe, mein Körper wäre an diesen Ort versetzt worden.

Ein Picknickkorb mit einer Weinflasche, ein identisches Etikett, eine rot-weiß karierte Decke auf dem Gras. Ein kleines blondes Mädchen tanzt und wirbelt umher. Auch der Wein wirbelt, wirbelt im Glas. Ihr Lachen. Vogelgezwitscher. Von fern Kinderstimmen, Hundegebell. Ich liege auf dem karierten Tuch, barfuß, die Hose über die Knöchel aufgerollt. *Behaarte* Knöchel. Die Sonne brennt heiß auf meine Haut, das kleine Mädchen tanzt und dreht sich vor der Sonne, blockiert das grelle Licht, wirbelt in eine andere Richtung, und nun sticht das gleißende Licht mir mit voller Wucht in die Augen. Eine Hand erscheint vor mir, hält mir ein Glas Rotwein entgegen. Ich schaue in das dazugehörige Gesicht. Rote Haare, Sommersprossen, ein liebevolles Lächeln. Für mich.

»Justin!«, ruft sie. »Hallo – Erde an Justin!«

Das kleine Mädchen lacht und dreht sich, der Wein wirbelt im Glas, die langen roten Haare wehen in der leisen Brise …

Plötzlich ist alles verschwunden. Ich bin wieder im Hotelzimmer, stehe vor der Minibar, und meine Haare tropfen auf den Teppich. Dad mustert mich neugierig, die Hände ausgestreckt, als wüsste er nicht, ob er mich berühren soll oder lieber nicht.

»Erde an Joyce!«, ruft er.

Ich räuspere mich. »Bist du fertig?«

Dad nickt, und seine Augen folgen mir ins Bad. An der Tür drehe ich mich um. »Übrigens habe ich für heute Abend Karten für eine Ballettaufführung reservieren lassen. In einer Stunde müssen wir los.«

»Okay, Liebes«, antwortet er und nickt. Dann sieht er mir mit seinem typischen besorgten Blick nach, während ich im Bad verschwinde. Ich kenne diesen Ausdruck schon aus Kindheitstagen, ich habe ihn als Erwachsene gesehen und unendliche Male zwischendurch. Es ist, als hätte ich zum ersten Mal die Stützräder von meinem Fahrrad abgemacht – und nun rennt er neben mir her, hält mich krampfhaft fest, voller Angst vor dem, was passieren wird, wenn er mich loslässt.

Vierundzwanzig

Schwer atmend hält Dad meinen Arm fest, während wir gemächlich zum Covent Garden schlendern. Mit der freien Hand klopfe ich meine Taschen nach seinen Herzpillen ab.

»Dad, auf dem Rückweg nehmen wir ein Taxi, das lasse ich mir nicht wieder ausreden.«

Dad bleibt stehen, starrt geradeaus und atmet.

»Alles in Ordnung? Ist es das Herz? Sollen wir uns hinsetzen? Ein bisschen ausruhen? Oder lieber ins Hotel zurück?«

»Halt den Mund und dreh dich um, Gracie. Schließlich kann mir nicht nur mein Herz den Atem rauben, weißt du.«

Ich folge seiner Aufforderung, und da steht das Royal Opera House vor mir, die Säulen für die Abendvorstellung angestrahlt. Ein roter Teppich führt zum Eingang, eine Menschenmenge strömt durch die Tür.

»Du musst dir ein bisschen Zeit lassen, Liebes«, sagt Dad, während er den Anblick in sich aufnimmt. »Stürz dich doch nicht immer gleich kopfüber auf alles, wie ein Stier aufs rote Tuch.«

Da ich die Plätze erst so spät reserviert habe, sitzen wir ganz oben in dem riesigen Saal. Natürlich eine eher ungünstige Perspektive, aber ich bin ja froh, dass wir überhaupt noch Karten bekommen haben. Die Sicht auf die Bühne ist nicht optimal, aber man kann sehr gut in die gegenüberliegenden Logen sehen. Mit Hilfe des Opernglases, das neben dem Sitz befestigt ist, beobachte ich interessiert die Menschen, die sich allmählich dort niederlassen. Keine Spur von meinem Amerikaner. *Erde an Jus-*

tin? Wieder höre ich die Stimme der Frau in meinem Kopf und frage mich, ob Frankies Theorie, dass ich die Welt durch seine Augen sehe, wohl richtig ist.

Dad ist vollkommen fasziniert. »Wir haben die besten Plätze im ganzen Saal, Liebes, schau doch!« Vor lauter Begeisterung beugt er sich so weit über die Brüstung, dass ihm um ein Haar die Kappe vom Kopf fällt. Ich packe ihn am Arm und ziehe ihn zurück. Behutsam holt er Mums Foto aus der Tasche und stellt es auf den mit Samt beschlagenen Balkonrand. »Wirklich die allerbesten Plätze«, wiederholt er mit Tränen in den Augen.

Über das Lautsprechersystem werden die Zuspätkommenden um Beeilung gebeten, und endlich erstirbt die Kakophonie im Orchestergraben, das Licht verlöscht, und der Zauber beginnt. Der Dirigent klopft aufs Pult, und schon beginnt das Orchester mit der Ouvertüre zu Tschaikowskis Ballett. Abgesehen davon, dass Dad hörbar schnaubt, als der Haupttänzer in Strumpfhosen auf der Bühne erscheint, läuft alles glatt, und wir sind beide hingerissen von *Schwanensee*. Ich wende den Blick ab von der Feier zur Mündigkeit des Prinzen und betrachte die Leute in den Logen. Licht fällt auf ihre Gesichter, sie blicken fasziniert auf die Tänzer, und ihre Augen tanzen mit ihnen. Es ist, als hätte man eine Spieluhr geöffnet, und nun strömen Musik und Licht heraus, verzaubern die Zuschauer, schlagen sie in den Bann. Durchs Opernglas studiere ich weiter die Menschen, von links nach rechts, eine Reihe unbekannter Gesichter, aber dann … ich reiße die Augen auf, denn da ist plötzlich ein bekanntes Gesicht! Der Mann aus dem Friseursalon, von dem ich aus Beas Lebenslauf im Programm weiß, dass er ihr Vater ist und Hitchcock heißt. *Justin Hitchcock?* Er beobachtet die Bühne, beugt sich noch weiter über die Brüstung als mein Vater, als wollte er sich gleich hinunterstürzen.

Dad knufft mich in die Seite. »Würdest du mal aufhören, ständig in der Gegend rumzuglotzen? Konzentrier dich lieber auf die Bühne. Er will sie umbringen.«

Gehorsam wende ich mich wieder der Aufführung zu und versuche, meine Aufmerksamkeit auf den Prinzen zu richten, der da mit seiner Armbrust rumhüpft. Aber es geht nicht. Eine magnetische Anziehungskraft lenkt meinen Blick zurück zu der Loge, denn es interessiert mich brennend, mit wem Mr Hitchcock dort sitzt. Mein Herz pocht so laut, dass ich erst jetzt merke, dass es nicht zu Tschaikowskis Musik gehört. Neben Justin sitzt die Frau mit den langen roten Haaren und den Sommersprossen, die in meinen Träumen die Kamera hält. Auf der anderen Seite wird sie flankiert von einem freundlich wirkenden Herrn, und hinter ihnen drängeln sich ein junger Mann, der unbehaglich an seiner Krawatte zupft, eine Frau mit einem roten Lockenkopf und ein großer dicker Mann zusammen. Ich blättere durch meine Erinnerung wie durch einen Stapel Fotos. Ist das der rundliche Junge aus der Sprinklerszene und von der Wippe? Vielleicht. Aber die anderen beiden kenne ich nicht. Rasch richte ich die Augen wieder auf Justin Hitchcock und lächle. Sein Gesicht ist für mich wesentlich spannender als das Geschehen auf der Bühne.

Auf einmal verändert sich die Musik, das Licht, das auf seinem Gesicht reflektiert, flackert, und sein Ausdruck wechselt. Sofort ist mir klar, dass Bea auf die Bühne gekommen ist, und auch ich wende mich wieder dorthin. Da ist sie auch schon, inmitten eines Schwanenschwarms, der sich graziös und in völligem Gleichklang bewegt, gekleidet in ein weißes, eng anliegendes Oberteil und einen langen, fedrig ausgezackten Tutu. Ihre langen blonden Haare sind zu einem Knoten hochgesteckt und von einem akkuraten Kopfputz bedeckt. Ich erinnere mich an das Bild von ihr im Park, ein kleines Mädchen, das im Tutu herumwirbelt, und großer Stolz erfüllt mich. Wie weit sie es gebracht hat. Wie erwachsen sie geworden ist. Tränen steigen mir in die Augen.

»Oh, schau doch, Justin«, flüstert Jennifer neben ihm.

Er schaut. Er kann die Augen nicht von seiner Tochter abwenden, die dort unten mit dem Schwanenschwarm tanzt, perfekt synchron, keine falsche Bewegung. Sie sieht so erwachsen aus, so ... wie ist das nur passiert? Es kommt ihm vor wie gestern, dass sie im Park gegenüber von ihrem Haus für ihn und Jennifer herumgehüpft ist, ein kleines Mädchen im Tutu, mit Träumen und Flausen im Kopf, und jetzt ... Seine Augen werden feucht, und er sieht Jennifer an, um den Augenblick mit ihr zu teilen, aber sie greift nach Laurence' Hand. Schnell schaut er weg, wieder zu seiner Tochter. Eine Träne rollt ihm über die Wange, und er greift in die Brusttasche nach seinem Taschentuch.

Im letzten Moment, ehe sie mir vom Kinn tropft, fängt mein Taschentuch die Träne ab.

»Warum weinst du denn?«, fragt Dad laut und reibt an meinem Kinn herum, als sich der Vorhang zur Pause senkt.

»Ich bin so stolz auf Bea.«

»Auf wen?«

»Ach, nichts ... ich finde die Geschichte nur so schön. Wie gefällt es dir?«

»Ich glaube, die Jungs haben sich Socken in ihre Strumpfhosen gestopft.«

Ich lache und wische mir über die Augen. »Meinst du, Mum gefällt es auch?«

Er lächelt und sieht auf das Foto hinunter. »Muss wohl so sein, sie hat sich kein einziges Mal umgedreht, seit es angefangen hat. Im Gegensatz zu dir, die du keine Sekunde stillsitzen kannst. Wenn ich gewusst hätte, dass du so scharf auf Ferngläser bist, hätte ich dich schon lange mal zum Vögelbeobachten mitgenommen.« Er seufzt und schaut sich um. »Die Jungs vom Monday Club werden mir das alles nicht glauben. Donal McCarthy, nimm dich in Acht«, kichert er.

»Vermisst du Mum?«

»Es ist zehn Jahre her, Liebes.«

Es tut mir weh, dass er das Thema so beiläufig abtut. Ärgerlich verschränke ich die Arme vor der Brust und sehe weg.

Dad beugt sich zu mir und knufft mich. »Und jeden Tag vermisse ich sie ein bisschen mehr als am Tag davor.«

Oh. Sofort habe ich ein schlechtes Gewissen.

»Es ist wie mein Garten, Liebes. Alles wächst. Auch die Liebe. Und wenn die Liebe jeden Tag größer wird, wie kann man da erwarten, dass das Vermissen irgendwann nachlässt? Alles entwickelt sich, auch unsere Fähigkeit, damit fertigzuwerden. Ich denke, das ist die Richtung, in die wir gehen.«

Ich kann nur ehrfürchtig den Kopf schütteln und darüber staunen, was er manchmal von sich gibt. Philosophische Erkenntnisse und auch andere Dinge. Und das von einem Mann, der mich seinen »Teepott« genannt hat: »Teepott, kocht er? – Tochter.«

»Und ich dachte immer, du werkelst einfach nur gern herum«, entgegne ich lächelnd.

»Ach, Rumwerkeln ist nicht zu verachten. Weißt du, dass Thomas Berry mal gesagt hat, wenn man im Garten arbeitet, hat man aktiv teil an den tiefsten Mysterien des Universums? Man lernt eine Menge beim Herumwerkeln.«

»Was zum Beispiel?«, frage ich und versuche mein Lächeln zu unterdrücken.

»Na ja, in einem Garten gibt es Unkraut, Liebes. Es wächst da ganz von selbst. Schleicht sich an und erstickt die Pflanzen, die von derselben Erde leben. Wir haben alle unsere Dämonen, unseren Selbstzerstörungsknopf. Sogar im Garten. So hübsch er auch sein mag. Wenn man da nicht rumwerkelt, bemerkt man ihn nur nicht.«

Er mustert mich, ich schaue weg und räuspere mich, obwohl ich keinen Grund dazu habe.

Manchmal wäre es mir lieber, mein Vater würde einfach nur über Männer in Strumpfhosen lachen.

»Justin, wir gehen zur Bar, kommst du mit?«, fragt Doris.

»Nein«, antwortet er, trotzig wie ein Kind, und verschränkt die Arme.

»Warum nicht?«, fragt Al und quetscht sich neben ihn.

»Ich hab einfach keine Lust.« Er nimmt das Opernglas und fängt an, damit herumzuspielen.

»Aber dann bleibst du ganz alleine hier.«

»Na und?«

»Mr Hitchcock, soll ich Ihnen vielleicht was zu trinken mitbringen?«, fragt Beas Freund Peter zuvorkommend.

»Mr Hitchcock war mein Vater, du kannst mich ruhig Al nennen. You can call me Al – wie in dem Lied von Paul Simon«, scherzt er und knufft ihn spielerisch in die Schultern. Der arme Junge taumelt ein paar Schritte zurück.

»Okay, gerne, Al, aber ich hab eigentlich Justin gemeint.«

»Mich kannst du gerne Mr Hitchcock nennen«, sagt Justin grimmig und sieht Peter an, als würde ihm ein schlechter Geruch in die Nase steigen.

»Wir müssen ja nicht bei Laurence und Jennifer sitzen.«

Laurence. Laurence von Zu-eng-in-Arabien mit der Elephanto-sis, der …

»O doch, Al, mach dich nicht lächerlich«, unterbricht Doris.

Al seufzt. »Na ja, dann gib Petey wenigstens eine Antwort – sollen wir dir was zu trinken mitbringen?«

Ja. Aber Justin bringt es nicht über die Lippen und schüttelt stattdessen schmollend den Kopf.

»Okay, in einer Viertelstunde sind wir wieder da.«

Al gibt ihm einen aufmunternden brüderlichen Klaps auf die Schulter, dann verziehen sich alle und lassen Justin in seiner Loge allein, damit er in Ruhe grübeln kann. Laurence und Jennifer, Bea und Peter, Chicago und London und Dublin – wie ist er eigentlich in dieser vertrackten Situation gelandet?

Zwei Minuten später hat er schon keine Lust mehr, sich selbst zu bemitleiden, späht durchs Opernglas und beginnt, die Menschengrüppchen zu beobachten, die in der Pause sitzen geblieben sind. Er entdeckt ein Paar, das sich streitet und wütend anfaucht. Eines, das nach einem leidenschaftlichen Kuss aufsteht, zu den Mänteln greift und in Richtung Ausgang verschwindet. Er entdeckt eine Mutter, die ihren Sohn ausschimpft. Eine Gruppe Frauen, die zusammen lachen. Ein Pärchen, das stumm und nachdenklich dasitzt. Oder sich vielleicht schlicht nichts mehr zu sagen hat. Ersteres wäre ihm lieber. Er schwenkt das Opernglas zu den gegenüberliegenden Logen. Gähnende Leere, anscheinend schlürfen alle ihre vorbestellten Drinks an der nahen Bar. Er reckt den Hals nach weiter oben.

Wie kann man von da überhaupt noch was sehen?

Hier sitzen auch noch ein paar Grüppchen, die meisten plaudern. Langsam bewegt er das Glas von rechts nach links. Dann hält er inne. Reibt sich die Augen. Das bildet er sich bestimmt nur ein. Mit zusammengekniffenen Augen späht er wieder durch das Glas. Nein, das ist sie, wirklich und wahrhaftig! Zusammen mit dem alten Mann. Allmählich hat jede Szene in seinem Leben etwas von den Wimmelbildern aus *Wo ist Walter?*.

Auch sie schaut durchs Opernglas und betrachtet die Menge unter sich. Dann hebt sie das Opernglas, bewegt es langsam nach rechts und … sie erstarren beide wie vom Donner gerührt und blicken sich durch ihre Gläser an. Vorsichtig hebt er den Arm. Und winkt.

Ganz langsam tut sie das Gleiche. Der alte Mann neben ihr setzt die Brille auf und starrt mit zusammengekniffenen Augen in Justins Richtung, wobei sich sein Mund die ganze Zeit öffnet und schließt.

Justin streckt die Hände hoch, er möchte ihr signalisieren, sie soll warten. *Bleib sitzen, ich komme zu dir.* Dann streckt er den Zeigefinger in die Höhe, als hätte er grade eine Idee gehabt. *Eine Minute, bin gleich da*, versucht er per Zeichensprache zu sagen.

Sie streckt den Daumen nach oben und lächelt.

Sofort lässt er das Opernglas fallen und steht auf, orientiert sich sicherheitshalber aber nochmal genau, wo sie sitzt. Unglücklicherweise öffnet sich in diesem Augenblick die Logentür und Laurence kommt herein.

»Justin, ich dachte, wir könnten uns vielleicht mal einen Moment unterhalten«, sagt er und trommelt nervös mit den Fingern auf die Sitzlehne zwischen ihnen.

»Nein, Laurence, jetzt nicht, tut mir leid.« Justin versucht sich an ihm vorbeizuzwängen.

»Ich verspreche dir, dass es nicht lange dauern wird, wirklich nur ein paar Minuten, solange wir hier allein sind. Um die Luft ein bisschen zu klären, weißt du?« Er macht den obersten Knopf seines Jacketts auf, streicht die Krawatte glatt und schließt den Knopf wieder.

»Ja, ich weiß das wirklich sehr zu schätzen, Mann, wirklich, aber ich hab es grade total eilig.« Er drängelt weiter, aber Laurence weicht nicht von der Stelle.

»Eilig?«, wiederholt er mit ungläubig hochgezogenen Augenbrauen. »Aber die Pause ist doch gleich vorbei und … ah!«, unterbricht er sich. »Verstehe. Na ja, ich dachte einfach, ich probier's mal. Wenn du für so ein Gespräch noch nicht bereit bist, kann ich das auch verstehen.«

»Nein, nein, das ist es nicht.« Panisch schaut Justin durch sein Opernglas zu Joyce hinauf. Sie ist noch da. »Es ist nur, dass ich eine dringende Verabredung habe. Ich muss los, Laurence.«

In diesem Moment kommt Jennifer herein. Ihr Gesicht ist wie versteinert.

»Also ehrlich, Justin. Laurence benimmt sich wie ein Gentleman und möchte endlich mal ein Gespräch mit dir führen wie unter *Erwachsenen*. Etwas, was du vollkommen verlernt zu haben scheinst. Obwohl ich gar nicht weiß, warum mich das überrascht.«

»Nein, nein, schau, Jennifer.« *Früher hab ich dich immer Jen genannt. Jetzt gehen wir so förmlich miteinander um, Lichtjahre entfernt von dem Tag im Park, an dem wir alle so glücklich waren, so glücklich und verliebt.* »Ich habe jetzt gerade einfach keine Zeit für so was. Du verstehst das nicht, aber ich muss gehen.«

»Kommt nicht in Frage! Das Ballett fängt in ein paar Minuten wieder an, und deine Tochter wird auf der Bühne sein. Erzähl mir jetzt nicht, du läufst auch vor ihr davon, aus irgendeiner seltsamen Form von männlichem Stolz heraus.«

Jetzt betreten Doris und Al die Loge. Allein mit seiner Körperfülle sorgt Al dafür, dass es eng wird, und jetzt ist der Weg zur Tür endgültig blockiert. In der Hand hält er eine Cola und eine Riesenpackung Chips.

»Sag es ihm, Justin.« Doris verschränkt die Arme vor der Brust und trommelt mit ihren langen grellrosa Fingernägeln auf ihre dünnen Arme.

Justin stöhnt. »Was soll ich ihm sagen?«

»Erinnere ihn bitte an die Herzprobleme in eurer Familie, damit er es sich wenigstens zweimal überlegt, ehe er sich dieses Zeug da reinpfeift.«

»Was denn für Herzprobleme?« Justin greift sich an den Kopf, denn von der anderen Seite redet Jennifer immer noch ununterbrochen auf ihn ein, als wäre sie Charlie Browns Lehrerin. Er versteht nur Bahnhof.

»Dein Vater ist an einem Herzanfall gestorben«, ruft Doris ungeduldig.

Justin erstarrt.

»Der Arzt hat aber nicht gesagt, dass mir das notwendigerweise auch passieren muss«, verteidigt sich Al.

»Aber er hat dich darauf hingewiesen, dass du gute Chancen hast. Weil so was in eurer Familie schon vorgekommen ist.«

Justin hört seine eigene Stimme, als käme sie von weit her. »Nein, nein, ich glaube ehrlich nicht, dass du dir deswegen Sorgen machen musst, Al.«

»Siehst du?« Triumphierend sieht Al seine Frau an.

»Der Arzt hat aber was anderes gesagt, Schätzchen. Wir müssen vorsichtiger sein, wenn so was in der Familie liegt.«

»Nein, so was liegt aber nicht in der …« Justin bricht ab. »Hört mal, ich muss jetzt wirklich gehen.« Wieder versucht er sich aus der Loge zu drängen.

»Nein, du gehst nicht«, ruft Jennifer und stellt sich ihm in den Weg. »Du gehst nirgendwohin, bevor du dich nicht bei Laurence entschuldigt hast.«

»Ist schon in Ordnung, Jen«, meint Laurence hilflos.

Ich *nenne sie Jen, nicht* du!

»Nein, das ist überhaupt nicht in Ordnung, Schatz.«

Ich *bin ihr Schatz, nicht* du!

Von allen Seiten dringen Stimmen auf Justin ein, bla, bla, bla, er versteht kein Wort. Ihm ist heiß, er schwitzt, allmählich wird ihm schwindlig.

Plötzlich verlöschen die Lichter, die Musik setzt ein, und es bleibt ihm nichts anderes übrig, als sich zu setzen, neben die wutschnaubende Jennifer, den beleidigten Laurence, den stummen Peter, die besorgte Doris und den hungrigen Al, der inzwischen ungehemmt und lautstark seine Chips mampft, direkt neben Justins linkem Ohr.

Seufzend blickt er zu Joyce hinauf.

Hilfe.

Anscheinend hat sich die Meinungsverschiedenheit in Mr Hitchcocks Loge geklärt, aber als das Licht ausgeht, stehen sie alle noch. Als es wieder heller wird, sitzen sie mit versteinerten Gesichtern nebeneinander, nur der dicke Mann hinten scheint sich an seiner Riesentüte Chips zu freuen. In den letzten Minuten habe ich Dad ignoriert und mich stattdessen auf meinen Crashkurs im Lippenlesen konzentriert. Wenn ich richtig verstanden habe, ging es in dem Gespräch unter anderem um Ben Stiller und gegrillte Bananen.

Tief in meinem Innern hämmert mein Herz wie eine Djembe-Trommel, und die dumpfen Schläge reichen tief in meinen Brustkorb hinein. Ich spüre es im Hals, ein lautes Pochen, und alles nur, weil er mich gesehen hat, weil er zu mir kommen wollte. Ich bin erleichtert, dass es etwas gebracht hat, meinem Instinkt zu folgen, so flüchtig er auch gewesen sein mag. Ich brauche ein paar Minuten, bis ich mich wieder auf etwas anderes als nur auf Justin konzentrieren kann, aber als meine Nerven sich etwas beruhigt haben, wende ich meine Aufmerksamkeit wieder dem Geschehen auf der Bühne zu, wo Bea mir den Atem raubt und mich mit ihrer Leistung zu Tränen rührt. Ich schniefe und schnüffle wie eine stolze Tante. Auf einmal steht mir klar vor Augen, dass im Moment die einzigen Menschen, die diese wundervollen Erinnerungen an den Tag im Park ihr Eigen nennen, Bea, ihre Mutter und ihr Vater sind – und ich.

»Dad, kann ich dich was fragen?«, flüstere ich und lehne mich zu ihm.

»Er hat dem Mädchen grade gesagt, dass er sie liebt, aber sie ist die Falsche«, erklärt er mir und rollt mit den Augen. »So ein Volltrottel. Das Schwanenmädchen war weiß, und diese hier ist schwarz. Die sehen sich nicht mal ähnlich.«

»Sie könnte sich ja für den Ball umgezogen haben. Niemand hat jeden Tag das Gleiche an.«

Dad mustert mich von oben bis unten. »Letzte Woche hast du genau an einem einzigen Tag was anderes angehabt als deinen Bademantel. Überhaupt – was ist eigentlich los mit dir?«

»Hmm, es ist so, dass ich, äh, dass etwas passiert ist, und na ja …«

»Jesses, spuck's aus, bevor ich noch mehr verpasse.«

Ich gebe das Geflüster an seinem Ohr auf und wende mich ihm direkt zu. »Ich habe etwas bekommen, oder besser gesagt, jemand hat etwas ganz Besonderes mit mir geteilt. Es ist total unerklärlich und ergibt keinen Sinn, es kommt mir mystisch vor, so à la Heilige Maria von Knock, weißt du.« Mit einem nervösen Lachen halte ich inne, als ich sein Gesicht sehe.

Nein, er weiß überhaupt nicht, was ich meine. Vielmehr ärgert er sich, weil ich die Erscheinung der Jungfrau Maria im County Mayo von 1879 als ein Beispiel für irgendwelchen Unsinn benutzt habe.

»Okay, vielleicht war das ein schlechter Vergleich. Was ich

meine, ist, dass es anders ist als alles, was ich jemals erlebt habe. Ich verstehe selbst nicht, warum.«

»Gracie«, sagt Dad und reckt das Kinn in die Höhe. »Knock hat wie der Rest von Irland im Lauf der Jahrhunderte viel Leid erfahren, Invasion, Vertreibung, Hungersnot, und Unser Herr hat Seine Mutter, die Heilige Jungfrau, geschickt, um Seine geschundenen Kinder zu trösten.«

»Nein«, entgegne ich und schlage die Hände vors Gesicht. »Ich meine doch nur, dass ich mir überhaupt nicht erklären kann, warum mir das alles passiert. Dass ich einfach diese ... diese *Sache* bekommen habe.«

»Hm. Tja, schadet diese *Sache* irgendjemandem? Wenn nicht, und wenn du sie einfach so gekriegt hast, würde ich nämlich aufhören, von einer ›Sache‹ zu reden, und allmählich mal anfangen, sie ein ›Geschenk‹ zu nennen. Schau doch nur, wie die da unten tanzen. Der Typ glaubt tatsächlich, dass sie das Schwanenmädchen ist. Dabei kann er doch ihr Gesicht sehen. Oder ist es bei ihm wie bei Superman, wenn er die Brille abnimmt, und auf einmal ist er ganz anders, obwohl jedem sonnenklar ist, dass er der gleiche Mensch ist?«

Ein Geschenk. So habe ich es noch nie gesehen. Ich schaue zu Beas Eltern hinüber, die vor Stolz strahlen, und ich denke an Bea vor der Pause, wie sie in ihrem Schwanenschwarm umhergeschwebt ist. Ich schüttle den Kopf. Nein. Es schadet niemandem.

»Na dann«, sagt Dad und zuckt die Achseln.

»Aber ich verstehe nicht, *warum* und *wie* und ...«

»Was ist das nur mit euch jungen Leuten heutzutage?«, zischt er mich an, so laut, dass der Mann neben mir sich umdreht. Ich entschuldige mich flüsternd.

»Zu meiner Zeit war etwas einfach nur so, wie es eben war. Nicht diese ganze hundertfache Analysiererei. Keine Collegekurse, in denen die Leute ein Diplom kriegen für Warum und Wie und Weil. Manchmal musst du all diese Worte einfach vergessen,

Liebes, und einen Kurs machen mit dem Thema ›Danke‹. Schau dir diese Geschichte hier an«, fährt er fort und deutet hinunter auf die Bühne. »Beschwert sich irgendjemand darüber, dass hier eine *Frau* in einen *Schwan* verwandelt worden ist? Hast du in deinem ganzen Leben schon mal so was Absurdes gehört?«

Lächelnd schüttle ich den Kopf.

»Bist du in letzter Zeit jemandem begegnet, der in einen Schwan verwandelt worden ist?«

Ich lache und flüstere: »Nein.«

»Und trotzdem: Diese Geschichte ist berühmt, in der ganzen weiten Welt, und das seit Jahrhunderten. Hier sitzen Ungläubige, Atheisten, Intellektuelle, Zyniker, *er hier* …« – Dad macht eine Kopfbewegung zu dem Mann, den unser Gespräch gestört hat – »… alle möglichen und unmöglichen Leute sind heute Abend hier, um zu sehen, wie der Knabe in den Strumpfhosen dieses Schwanenmädchen kriegt, damit sie endlich aus ihrem See rauskommt. Nur mit der Liebe eines Menschen, der noch nie zuvor geliebt hat, kann der Zauber gelöst werden. Warum? Wen interessiert das denn, zum Henker? Meinst du, die Frau mit den Federn hat vor, sich zu erkundigen, *warum*? Nein. Sie wird sich bedanken, weil sie nicht mehr in diesem See bleiben muss, sondern hübsche Kleider anziehen und Spaziergänge machen kann, statt jeden Tag für den Rest ihres Lebens in diesem stinkigen Wasser nach aufgeweichtem Brot picken zu müssen.«

Ich bin sprachlos.

»Aber *pssst* jetzt, wir verpassen ja die Hälfte. Jetzt will sie sich umbringen, siehst du? Wenn das nicht dramatisch ist.« Damit stützt er die Ellbogen auf die Brüstung und beugt sich darüber, das linke Ohr zur Bühne geneigt, gebannt lauschend.

Fünfundzwanzig

Während die Leute aufstehen und applaudieren, beobachtet Justin, wie Joyce' Vater ihr in ihren roten Mantel hilft, den er schon von ihrem Zusammenstoß auf der Grafton Street kennt. Dann bewegt sie sich auf den nächsten Ausgang zu, den alten Mann im Schlepptau.

»Justin!«, ruft Jennifer und sieht ihren Exmann wütend an, der mit dem Opernglas zur Decke hinaufspäht, statt auf seine Tochter zu achten, die sich unten auf der Bühne verneigt.

Er legt das Glas weg, applaudiert laut und jubelt.

»Hey, Leute, ich gehe an die Bar und halte ein paar gute Plätze für uns frei«, verkündet er dann und geht zur Tür.

»Die sind längst reserviert«, ruft Jennifer ihm kopfschüttelnd nach.

Aber er hält sich die Hand ans Ohr und zuckt mit den Schultern. »Kann dich nicht verstehen.«

So entkommt er, rennt den Korridor hinunter und sucht den Weg nach oben zu den billigeren Plätzen. Inzwischen muss der letzte Vorhang gefallen sein, denn die Leute kommen aus ihren Logen, überschwemmen den Korridor und machen für Justin das Weiterkommen nahezu unmöglich.

Kurz entschlossen entscheidet er sich um: Er wird zum Hauptausgang laufen und dort auf sie warten. Da kann er sie nicht verpassen.

※

»Holen wir uns was zu trinken, Liebes«, sagt Dad, als wir langsam hinter der Menge hertrotten, die sich aus dem Theater wälzt. »Ich hab auf diesem Stockwerk eine Bar gesehen.«

»Ja, hier entlang geht's zur Amphitheater-Bar«, stimme ich zu, während ich mir halb den Hals verrenke und unermüdlich nach Justin Hitchcock Ausschau halte.

In diesem Moment hören wir, wie eine Platzanweiserin verkündet, dass die Bar nur für das Ensemble, die Theatercrew und ihre Familien geöffnet ist.

»Großartig, dann haben wir wenigstens ein bisschen Ruhe«, sagt Dad zu ihr und tippt sich im Vorbeigehen an die Mütze. »Oh, Sie hätten meine Enkelin dort oben sehen sollen. So stolz wie heute war ich noch nie in meinem ganzen Leben«, fügt er hinzu und drückt die Hand aufs Herz.

Die Frau lächelt und lässt uns ohne weitere Fragen hinein.

»Komm, Dad.« Nachdem wir unsere Drinks gekauft haben, schleppe ich ihn zu einem Tisch ganz in der Ecke, abseits vom langsam dichter werdenden Gedränge.

»Wenn sie versuchen, uns rauszuschmeißen, lass ich mein Bier aber nicht stehen, Gracie. Ich hab mich grade erst hingesetzt.«

Ich kauere nervös auf der Stuhlkante und sehe mich um wie ein gehetztes Tier. *Justin.* Sein Name geht mir nicht aus dem Kopf, er rollt durch meine Gedanken und auf meiner Zunge wie ein zufriedenes Schwein im Schlamm.

Immer wieder werden Leute aus der Bar gefiltert, bis außer uns nur noch Befugte anwesend sind: Familie, Theatermannschaft und Ensemblemitglieder. Aber niemand versucht uns hinauszuwerfen – vielleicht ist das der Vorteil, wenn man von einem alten Mann begleitet wird. Beas Mutter kommt mit den beiden Unbekannten und dem rundlichen Mann herein, den ich sofort wiedererkenne. Aber kein Mr Hitchcock. Hektisch durchsuchen meine Augen den Raum.

»Da ist sie«, flüstere ich.

»Wer?«

»Eine Tänzerin, eine von den Schwänen.«

»Woher weißt du das? Die haben doch alle gleich ausgesehen. Schließlich hat der Typ selbst ja auch der Falschen seine Liebe gestanden. Dieser Vollidiot.«

Nirgends eine Spur von Justin. Allmählich mache ich mir Sorgen, dass ich mir schon wieder eine Chance habe entgehen lassen. Vielleicht ist er früher gegangen und kommt gar nicht in die Bar.

»Dad«, sage ich schließlich. »Ich sehe mich grade mal ein bisschen nach jemandem um. Bitte rühr dich nicht von deinem Stuhl weg, ich bin bald zurück.«

»Die einzige Bewegung, die ich machen werde, ist diese hier.« Um mir zu zeigen, was er meint, nimmt er sein Pint Guinness und hebt es an die Lippen. Mit wohlig geschlossenen Augen genießt er einen großen Schluck, der einen weißen Schnurrbart um seine Lippen hinterlässt.

Ich eile aus der Bar und wandere in dem riesigen Theater herum, unsicher, wo ich anfangen soll zu suchen. Eine Weile stehe ich vor der Herrentoilette, aber kein Justin kommt heraus. Dann spähe ich über die Brüstung zu seiner Loge hinunter, aber dort ist alles leer.

Als die letzten Zuschauer an ihm vorbeitröpfeln, gibt Justin seinen Platz am Eingang auf. Anscheinend hat er sie verpasst, wahrscheinlich war es dumm von ihm anzunehmen, dass es nur diesen einen Ausgang gibt. Mit einem frustrierten Seufzer wünscht er sich zurück in den Friseurladen. Diesmal würde er den Moment in vollen Zügen auskosten. Auf einmal fängt seine Tasche an zu vibrieren, und das Handy reißt ihn aus seinen Tagträumen.

»Brüderchen, wo zum Henker bist du denn?«

»Hi, Al. Ich hab diese Frau wiedergesehen.«

»Die von Sky News?«

»Ja!«

»Die Wikingerfrau?«

»Ja, ja, genau sie.«

»Die aus der *Antiquitäten-Roadshow* …?«

»JA! Himmel nochmal, müssen wir das alles jedes Mal durchkauen?«

»Hey, hast du schon mal dran gedacht, dass sie eine Stalkerin sein könnte?«

»Wenn sie eine Stalkerin ist, warum muss ich ihr dann ständig nachlaufen?«

»Stimmt auch wieder. Hmm, vielleicht bist du der Stalker und weißt es bloß noch nicht.«

»Al …« Justin knirscht mit den Zähnen.

»Aber egal, komm bitte so schnell wie möglich in die Bar, bevor Jennifer einen hysterischen Anfall kriegt. Den nächsten.«

Justin seufzt laut. »Na gut, ich komme.«

Nachdem er das Handy zusammengeklappt hat, schaut er sich noch einmal um, die Straße hinauf und hinunter. Mitten in der Menge entdeckt er einen roten Mantel. Sein Adrenalinpegel schnellt in die Höhe, er rennt hinaus, bahnt sich mit heftig klopfendem Herzen einen Weg durch die Menge, die Augen fest auf den Mantel gerichtet.

»Joyce!«, ruft er. »Warten Sie doch mal, Joyce!«, ruft er noch lauter.

Aber sie geht weiter, anscheinend kann sie ihn nicht hören.

Er schubst und drängelt, wird angenörgelt und beschimpft und von den Leuten gestoßen, an denen er sich vorbeizwängt, bis der rote Mantel schließlich nur noch wenige Zentimeter von ihm entfernt ist.

»Joyce«, stößt er atemlos hervor und packt die Frau am Arm. Ein überraschtes, erschrockenes Gesicht dreht sich zu ihm um – das Gesicht einer vollkommen Fremden.

Die ihm energisch ihre Handtasche über den Kopf brät.

»Au! Hey! Herrgott nochmal!«

Er entschuldigt sich und macht sich auf den Weg zurück ins Theater, versucht Atem zu schöpfen, reibt sich den schmerzenden Kopf, flucht und grummelt vor Enttäuschung. Schließlich kommt er zur Eingangstür. Aber die lässt sich nicht öffnen. Er versucht es noch einmal, erst zaghaft, dann rüttelt er kräftig. Innerhalb von Sekunden zieht und drückt er mit aller Kraft und tritt mit dem Fuß gegen die Tür.

»Hey, hey, hey! Wir haben geschlossen! Das Theater ist geschlossen!«, informiert ihn ein Angestellter hinter dem Glas.

Als ich zur Bar zurückkehre, finde ich Dad Gott sei Dank wirklich noch in der Ecke, in der ich ihn habe sitzen lassen. Allerdings ist er nicht mehr allein. Auf dem Stuhl neben ihm, dicht zu ihm gebeugt wie in einer intensiven Unterhaltung, sitzt Bea. Panik durchflutet mich, und ich laufe eilig zu ihnen.

»Hi«, sage ich vorsichtig, voller Angst, was für ein Schwall von Informationen bereits aus Dads Mund gekommen sein mag.

»Ah, da bist du ja, Liebes. Dachte schon, du hast mich vergessen. Das nette Mädchen hier hat sich zu mir gesetzt, um nachzusehen, ob alles in Ordnung ist, weil nämlich jemand versucht hat, mich rauszuschmeißen.«

»Ich bin Bea«, stellt sie sich lächelnd vor, und ich nehme unwillkürlich zur Kenntnis, wie erwachsen sie geworden ist. Wie selbstbewusst. Um ein Haar platze ich damit heraus, wie klein sie noch war, als ich sie das letzte Mal gesehen habe, aber ich halte mich zurück und vermeide alle überschwänglichen Bemerkungen über ihre erstaunliche Transformation zur erwachsenen jungen Frau.

»Hallo, Bea.«

»Kenne ich Sie?« Ihre Porzellanstirn wirft Falten.

»Äh …«

»Das ist meine Tochter, Gracie«, mischt Dad sich ein, und ausnahmsweise korrigiere ich ihn diesmal nicht.

»Oh, Gracie«, wiederholt Bea und schüttelt den Kopf. »Nein. Da hab ich wohl jemand anderes im Kopf gehabt. Nett, Sie kennenzulernen.«

Wir schütteln uns die Hand, und ich halte ihre vielleicht ein bisschen zu lange fest, so fasziniert bin ich von dem Gefühl ihrer Haut, das jetzt echt und nicht nur eine Erinnerung ist. Dann lasse ich sie schnell los.

»Sie waren wundervoll heute Abend. Ich war sehr stolz«, hauche ich.

»Stolz? O ja, Ihr Vater hat mir erzählt, dass Sie die Kostüme entworfen haben«, lächelt sie. »Die sind wunderschön. Es überrascht mich, dass wir uns bisher nicht begegnet sind. Bei den Anproben war immer nur Linda da.«

Meine Kinnlade klappt herunter, Dad zuckt nervös die Achseln und nippt an seinem Glas. Allem Anschein nach hat er sich noch ein Pint bestellt. Ein neues Pint für eine neue Lüge. Der Preis seiner Seele.

»Oh, ich hab sie nicht wirklich entworfen … ich habe nur …« Ja, was hast du nur, Joyce? »Ich habe die Arbeit nur inspiziert«, stammle ich. »Was hat er Ihnen denn sonst noch so erzählt?« Unruhig setze ich mich und sehe mich nach Beas Vater um. Hoffentlich kommt er nicht ausgerechnet jetzt herein und begrüßt mich mitten in dieser lächerlichen Schwindelei.

»Na ja, als Sie kamen, hat er mir gerade berichtet, wie er mal einem Schwan das Leben gerettet hat«, antwortet sie lächelnd.

»Ganz allein«, fügen sie und Dad aus einem Mund hinzu und fangen an zu lachen.

»Ha, ha.« Ich zwinge mich ebenfalls zu lachen, aber es klingt gekünstelt. »Wirklich?«, frage ich ihn zweifelnd.

»Oh, ihr Kleingläubigen.« Dad nimmt noch einen Schluck Guinness. Jetzt hat er schon einen Brandy und ein Pint intus, wenn er mit seinen fünfundsiebzig Jahren so weitermacht, ist er im Handumdrehen beduselt. Und der Himmel weiß, was er dann noch so alles erzählt. Wir müssen schnell hier raus.

»Na ja, Mädels, es ist toll, Leben zu retten, wirklich«, verkündet Dad von seinem hohen Ross herunter. »Wenn man es noch nicht getan hat, kann man es sich gar nicht vorstellen.«

»Mein Vater, der Held«, grinse ich.

Bea lacht. »Sie klingen genau wie mein Vater.«

Sofort spitze ich die Ohren. »Ist er auch hier?«

Sie schaut sich um. »Nein, noch nicht. Keine Ahnung, wo er sich rumtreibt. Wahrscheinlich versteckt er sich vor meiner Mom und ihrem neuen Freund und natürlich vor allem vor *meinem* Freund«, lacht sie. »Aber das ist eine andere Geschichte. Jedenfalls hält er sich selbst für Superman ...«

»Warum?«, unterbreche ich sie, reiße mich aber sofort wieder zusammen.

»Vor ungefähr einem Monat hat er Blut gespendet«, erklärt sie und hebt die Hände. »Tada! Das war's auch schon!« Sie lacht. »Aber er glaubt, jetzt ist er ein Held, der jemandem das Leben gerettet hat. Ich meine, vielleicht stimmt das ja auch. Aber er redet von nichts anderem mehr. An dem College, wo er seine Vorlesungen hält, gab es eine Blutspendeaktion. Wahrscheinlich kennen Sie das College, es ist in Dublin. Trinity College? Mich würde das ja gar nicht stören, aber er hat es bloß gemacht, weil er die Ärztin süß fand, und wegen diesem chinesischen Ding, wie hieß das gleich wieder? Wenn man jemandem das Leben rettet und der einem dann auf ewig verpflichtet ist oder so?«

Dad zuckt mit den Schultern. »Ich kann kein Chinesisch. Und ich kenne auch keine Chinesen. Aber Gracie hier, sie isst dauernd chinesisch«, meint er mit einer Kopfbewegung in meine Richtung. »Reis mit Eiern oder so was.« Er rümpft die Nase.

Bea lacht. »Jedenfalls glaubt er, wenn man jemandem das Leben rettet, dann muss dieser Mensch für den Rest seines Lebens jeden Tag dankbar sein und es auch entsprechend zeigen.«

»Und wie soll das dann aussehen?«, erkundigt sich Dad.

»Er möchte beispielsweise, dass man ihm ein Geschenkkörbchen mit Muffins bringt, seine Wäsche von der Reinigung holt, ihm morgens die Zeitung und einen Kaffee direkt vor die Tür liefert, er hätte gern ein Auto mit Chauffeur, Opernkarten in der ersten Reihe ...« Sie hält inne, verdreht die Augen und runzelt nachdenklich die Stirn. »Ich erinnere mich nicht mehr, was sonst noch alles, aber es waren lauter total alberne Sachen. Jedenfalls hab ich ihm gesagt, er soll sich lieber einen Sklaven halten, statt jemandem das Leben zu retten.« Sie und Dad lachen schallend.

Ich forme mit den Lippen ein Oh, aber es kommt kein Ton heraus.

»Verstehen Sie mich nicht falsch, mein Dad ist ein furchtbar netter Mensch«, fügt sie hastig hinzu, wahrscheinlich, weil sie mein Schweigen falsch deutet. »Und ich war stolz auf ihn, als er Blut gespendet hat, denn er hat panische Angst vor Spritzen. Eine richtige Phobie«, erklärt sie, und Dad nickt verständnisvoll. »Das hier ist er übrigens«, sagt sie und klappt ein Medaillon auf, das sie um den Hals trägt. Falls ich zwischendurch die Sprachfähigkeit wiedererlangt habe, verliere ich sie jetzt spontan wieder.

Auf einer Seite des Medaillons ist ein Bild von Bea und ihrer Mutter, auf der anderen das Bild von ihr und ihrem Vater, als sie noch ein kleines Mädchen war, im Park an jenem Sommertag, der so klar in meinem Gedächtnis eingebettet ist. Ich erinnere mich daran, wie lange es gedauert hat, bis wir sie dazu gebracht haben, still zu sitzen. Vor lauter Aufregung ist sie dauernd auf und ab gehüpft. Ich erinnere mich an den Duft ihrer Haare, als sie auf meinem Schoß saß, ihren Kopf zu mir hochreckte und so laut »Cheese!« rief, dass ich beinahe taub geworden wäre. Natürlich war ich nicht wirklich dabei, aber ich erinnere mich mit der gleichen Zuneigung an die Situation wie an den Tag, an dem ich als kleines Mädchen mit meinem Dad beim Angeln war, fühle alle Empfindungen dieses Tages so deutlich wie den Drink, den ich jetzt in meinem Mund schmecke und der mir durch die Kehle fließt. Kalt und süß. Alles ist genauso real wie die Augenblicke, die ich mit Bea im Park verbracht habe.

»Ich muss die Brille aufsetzen«, verkündet Dad, beugt sich näher heran und nimmt das goldene Medaillon in seine alten Hände. »Wo sind die Bilder gemacht worden?«

»In einem Park ganz in der Nähe von unserem früheren Haus.

In Chicago. Auf dem Foto mit meinem Dad bin ich fünf Jahre alt, und ich liebe dieses Bild. Es war so ein schöner Tag.« Zärtlich blickt sie darauf. »Einer der schönsten Tage meines Lebens.«

Auch ich lächle und erinnere mich daran.

»Stellt euch auf zum Gruppenfoto!«, ruft jemand in der Bar.

»Machen wir, dass wir rauskommen«, flüstere ich Dad zu, während Bea von dem Trubel, der jetzt losgeht, abgelenkt wird.

»Gut, Liebes, sobald ich das Pint ausgetrunken habe …«

»Nein, jetzt!«, zische ich.

»Es gibt ein Gruppenfoto! Kommen Sie mit!«, sagt Bea, packt Dad am Arm und zieht ihn weg.

»Oh!« Dad macht ein hocherfreutes Gesicht.

»Nein, nein, nein!« Ich bemühe mich zu lächeln, damit man meine Panik nicht sieht. »Wir müssen jetzt wirklich gehen.«

»Bloß ein einziges Bild, Gracie«, ruft Bea. »Wir brauchen doch ein Foto von der Frau, die für all die wunderschönen Kostüme verantwortlich ist.«

»Nein, ich bin nicht …«

»Sie sind die Kostüminspizientin«, korrigiert Bea sich sofort.

Eine Frau auf der anderen Seite der Gruppe wirft mir einen verängstigten Blick zu, als sie das hört. Dad lacht laut. Steif stehe ich neben Bea, die den einen Arm um mich und den anderen um ihre Mutter legt.

»Und jetzt rufen wir Tschaikowski!«, ruft Dad.

»Tschaikowski!«, jubeln alle.

Ich rolle mit den Augen.

Die Kamera blitzt.

Justin betritt den Raum.

Die Menge geht auseinander.

Ich packe Dad und renne davon.

Sechsundzwanzig

Als wir wieder im Hotelzimmer ankommen, ist für Dad und mich Schlafenszeit. Wir klettern ins Bett, er in seinem braunen Paisley-Schlafanzug, ich in meinen Nachtklamotten – so viel wie heute habe ich seit langem nicht mehr zum Schlafen angehabt.

Im Zimmer ist es stockdunkel und still, alles voller Schatten, nur die roten Ziffern auf dem Display des Fernsehers blinken. Flach und reglos auf dem Rücken liegend versuche ich die Ereignisse des Tages zu verarbeiten. Mein Herz beginnt wieder zu pochen, bis es einer Zulutrommel ähnelt. Ich spüre, wie die Schläge gegen die Matratzenfedern wummern, dann vibriert der Puls in meinem Hals so heftig, dass auch mein Trommelfell mit einstimmt. Unter meinen Rippen scheinen zwei Fäuste zu hämmern, und ich beobachte die Zimmertür in der Erwartung, dass gleich eine afrikanische Tanzgruppe hereinmarschiert, um mit stampfenden Füßen ihre Kunst zu zeigen.

Der Grund für dieses innere Getrommel? Immer und immer wieder kreisen meine Gedanken um das, was Bea vor wenigen Stunden rausgerutscht ist. Die Worte sind aus ihrem Mund gehüpft, als würde sich das Becken vom übrigen Schlagzeug lösen. Seither ist es auf dem Boden herumgerollt, und erst jetzt landet es krachend auf einer Stelle und beendet meine afrikanische Trommelsymphonie. Die Information, dass Beas Vater – Justin – vor einem Monat in Dublin Blut gespendet hat, im gleichen Monat, in dem ich die Treppe hinuntergefallen bin und sich mein Leben für immer verändert hat, lässt mir keine Ruhe mehr. Zufall? Ja. Oder mehr als ein Zufall? Eine vage Möglichkeit. Aber eine Möglichkeit, die mich mit Hoffnung erfüllt.

Aber wenn ein Zufall doch bloß ein Zufall ist? Sollte man wirklich mehr in einen Zufall hineininterpretieren? In einer Zeit wie dieser? Ich bin verloren und verzweifelt, ich traure um ein Kind, das nie geboren wurde, ich lecke mir nach einer gescheiterten Ehe die Wunden. Ich merke doch, dass alles, was früher einmal klar war, auf einmal undeutlich geworden ist, verschwommen, und dass das, was mir einmal grotesk erschien, sich als ganz neue Alternative präsentiert.

In schwierigen Zeiten sehen die Menschen klar, auch wenn viele andere ihnen besorgt dabei zuschauen und versuchen, ihnen das Gegenteil einzureden. Schwer sind solche Zeiten ja auch deshalb, weil einem so viele neue Gedanken durch den Kopf gehen. Wenn diejenigen, die ihre Schwierigkeiten überwunden und hinter sich gelassen haben, ihre neuen Erkenntnisse von ganzem Herzen annehmen und sie mit offenen Armen willkommen heißen, wird dies von ihrer Umwelt oft mit Skepsis oder gar Zynismus betrachtet. Warum? Weil man in Krisenzeiten intensiver nach Antworten sucht als andere, und es sind genau diese Antworten, die einem am Ende weiterhelfen.

Diese Bluttransfusion – ist sie die Antwort, die ich suche? Ist sie überhaupt irgendeine Antwort? Meiner Erfahrung nach tauchen Antworten ganz von selbst auf. Sie verstecken sich nicht unter Steinen oder gut getarnt zwischen den Bäumen. Antworten sind einfach da, direkt vor unseren Augen. Aber wenn man keinen Grund hat, genauer hinzuschauen, findet man sie mit großer Wahrscheinlichkeit nie.

Deshalb spüre ich die Erklärung für die plötzlichen fremden Erinnerungen, den Grund für diese tiefe Verbindung mit Justin direkt durch meine Adern rinnen. Ist das die Antwort, die mir mein Herz zurzeit so dringlich zu verstehen geben will? Jetzt hüpft es auf und ab, wie Skippy, das Känguru, versucht, meine ganze Aufmerksamkeit auf sich zu ziehen, mich auf ein Problem hinzuweisen. Langsam atme ich durch die Nase ein und wieder aus, schließe die Augen, lege die Hände auf meine Brust und fühle das Bum-bum, Bum-bum, das in mir tobt. Zeit, das Tempo zu drosseln. Zeit, in aller Ruhe nach den Antworten zu forschen.

Für einen Moment nehme ich das Groteske einfach als selbstverständlich, wie das Menschen in Schwierigkeiten oft tun: Wenn ich bei der Transfusion tatsächlich Justins Blut bekommen habe, dann pumpt mein Herz jetzt sein Blut durch meinen Körper. Ein Teil des Bluts, das einmal durch seine Adern geflossen ist, fließt jetzt durch meine und hilft, mich am Leben zu erhalten. Etwas, was von seinem Herzen kommt, etwas, was in ihm pulsiert hat, ist jetzt ein Teil von mir.

Zuerst schaudere ich bei dem Gedanken und bekomme eine Gänsehaut, aber dann denke ich nochmal darüber nach, kuschle mich ins Bett und schlinge die Arme um mich. Auf einmal fühle ich mich nicht mehr so einsam, auf einmal freue ich mich, dass ich in meinem Innern Gesellschaft habe. Ist das der Grund dafür, dass ich mich so mit ihm verbunden fühle? Dass etwas von ihm zu mir geflossen ist und mich nun in die Lage versetzt, auf seine Wellenlänge zu gehen und seine persönlichen Erinnerungen und Leidenschaften zu erleben?

Ich seufze müde. In meinem Leben ergibt nichts mehr einen Sinn, nicht erst seit dem Tag, als ich die Treppe hinuntergestürzt bin. Schon eine ganze Weile davor war ich dabei zu fallen. An diesem Tag … an diesem Tag bin ich gelandet. Es war der erste Tag vom Rest meines Lebens, und das habe ich aller Wahrscheinlichkeit nach Justin Hitchcock zu verdanken.

Heute war ein langer Tag. Der Schlamassel im Flughafen, die *Antiquitäten-Roadshow*, dann Beas Bemerkung im Royal Opera House. Eine Flutwelle von Gefühlen hat mich in den letzten vierundzwanzig Stunden überrollt, überwältigt und in die Tiefe gezogen. Als ich mich jetzt an die kostbaren Momente mit Dad erinnere, muss ich lächeln – vom Tee am Küchentisch bis zu unserem kleinen London-Abenteuer. Mit einem breiten Grinsen sehe ich zur Decke und schicke meinen Dank nach weiter oben.

Auf einmal höre ich aus der Dunkelheit ein Keuchen, kurze, angestrengte Japser.

»Dad?«, flüstere ich. »Alles in Ordnung?«

Das Keuchen wird lauter, und ich bekomme Angst.

»Dad?«

Dann ein Schnauben. Und plötzlich ein lautes Lachen.

»Michael Aspel«, stammelt er. »Herr des Himmels, Gracie!«

Mit einem erleichterten Lächeln höre ich ihm zu, wie er lacht, immer heftiger, bis er beinahe platzt vor Vergnügen, und schließlich steckt sein Lachen mich an, und ich fange auch an zu kichern. Das bringt ihn seinerseits noch mehr in Schwung, und je mehr er lacht, desto mehr muss ich lachen. Unerbittlich schaukelt sich unser Lachen gegenseitig hoch. Unter mir quietscht die Matratze, und wir lachen noch lauter. Die Erinnerung an den Schirmständer, an die Livesendung mit Michael Aspel, an die Gruppe, die vor der Kamera »Tschaikowski!« brüllt – bei jeder Szene, die uns durch den Kopf geht, schüttelt der Lachkrampf uns heftiger.

»Oh, mein Bauch!«, heult Dad.

Ich rolle auf die Seite und krümme mich vor Lachen.

Dad keucht weiter und schlägt mit der Hand immer wieder auf das Nachttischchen, das zwischen uns steht. Ich versuche mich zu fassen, mein Bauch tut weh, aber gleichzeitig macht das alles es nur noch komischer. Wie soll ich aufhören, wenn Dad so wiehert? Ich glaube, ich habe ihn überhaupt noch nie so viel und so herzlich lachen hören. In dem blassen Licht, das neben ihm durchs Fenster fällt, sehe ich, wie er vor lauter Vergnügen mit den Beinen strampelt.

»Oje! Ich. Kann. Nicht. Aufhören!«

Wir keuchen und röhren und gackern, wälzen uns herum und schnappen nach Luft. Immer wieder halten wir für einen Moment inne und versuchen uns zusammenzunehmen, aber dann überkommt es uns wieder, und wir schütten uns aus, hier in der Dunkelheit, lachen über nichts und über alles.

Doch irgendwann ebbt der Anfall ab, wir beruhigen uns, Stille kehrt ein. Aber dann furzt Dad, und schon geht es wieder von vorne los.

Heiße Tränen rollen mir über die Wangen, die ebenfalls schon wehtun, und ich drücke sie mit den Händen zusammen, als könnte ich mich so zum Aufhören zwingen. Unvermittelt fällt mir auf, wie dicht Fröhlichkeit und Traurigkeit beieinanderliegen. Wie eng sie miteinander verbunden sind. So ein schmaler Grat, eine hauchdünne Grenzlinie, die mitten zwischen den Gefühlen flattert und das Territorium exakter Gegensätze verwischt. Die Bewegung ist minimal, wie der Faden einer Spinne, der unter einem Regentropfen zittert. Hier, im Augenblick des Lachens, das Bauch und Wangen schmerzen lässt, sodass ich mich mit zusammengekrampftem Magen und angespannten Muskeln auf dem Bett krümme, wird mein Körper von Gefühlen gebeutelt und überschreitet plötzlich die Markierung, nur ein winziges bisschen, hinein in die Traurigkeit. Nun strömen Tränen der Trauer über meine Wangen, während mein Bauch weiter vor Fröhlichkeit schmerzt.

Ich denke an Conor, daran, wie schnell der Augenblick der Liebe sich in einen Augenblick des Hasses verwandelt hat. Eine Bemerkung hat alles verändert. Ich denke daran, dass Liebe und Hass auf demselben Boden wachsen. Daran, wie ich in meinen finstersten Momenten, in der schlimmsten Angst oft den größten Mut bewiesen habe. Wenn wir uns am schwächsten fühlen, mobilisieren wir ungeahnte Kräfte, und von ganz unten steigen wir höher hinauf, als wir es uns je hätten träumen lassen. All diese Gegensätze grenzen so dicht aneinander. Und wie schnell das eine ins andere umschlagen kann. Hoffnungslosigkeit verwandelt sich durch das Lächeln eines Wildfremden ins Gegenteil, aus Zuversicht wird Angst, nur weil wir einen kurzen Augenblick Unbehagen verspüren. Genau wie bei Kates Sohn auf dem

Schwebebalken – im Bruchteil einer Sekunde war die freudige Erregung verschwunden und der Schmerz an ihre Stelle getreten. Alles ist im Fluss: Etwas sprudelt an die Oberfläche; schon ein leichtes Schütteln, ein winziges Zittern kann im Nu das Unterste zuoberst kehren. So groß ist die Ähnlichkeit zwischen unseren Gefühlen.

Dann hört Dad auf zu lachen, so abrupt, dass ich mir Sorgen mache und nach dem Lichtschalter taste.

Aus der pechschwarzen Finsternis wird im Handumdrehen strahlende Helligkeit.

Dad sieht mich an, als hätte er etwas Schlimmes gemacht, aber Angst, es zuzugeben. Hastig wirft er die Decke von sich, greift sich sein Köfferchen und schlurft ins Badezimmer. Unterwegs stolpert er über alles, was ihm vor die Füße kommt, meidet jedoch so sorgfältig meinen Blick, dass auch ich lieber wegschaue. Wie rasch sich die Situation verändert hat – gerade noch haben wir uns pudelwohl gefühlt, jetzt spüre ich nichts als Beklommenheit. Gerade noch lief alles wunderbar, jetzt stecken wir in einer Sackgasse – eine Erkenntnis, die nicht mehr als eine Sekunde gedauert hat. Ein Aufflackern und Erlöschen.

Dad kommt ins Bett zurück, in einer frischen Pyjamahose und mit einem Handtuch unter dem Arm. Ich mache das Licht aus. Jetzt sind wir beide ganz still. Aus Licht wird wieder Dunkelheit. Ich starre weiter an die Decke und fühle mich einsam, wo ich doch vor wenigen Augenblicken glaubte, sicher und geborgen zu sein. Gerade noch meinte ich, die Antworten zu kennen, aber jetzt haben sie sich wieder in Fragen verwandelt.

»Ich kann nicht schlafen, Dad«, sage ich leise, und meine Stimme klingt wie die eines Kindes.

»Schließ die Augen und schau in die Dunkelheit, Liebes«, erwidert Dad, und auch er hört sich an, als wäre er dreißig Jahre jünger.

Wenige Minuten später beginnt er leise zu schnarchen. Gerade noch war er wach … und schon ist er eingeschlafen.

Ein Schleier hängt zwischen zwei Gegensätzen, dünn, durchsichtig, nur ein Hauch, der uns warnen soll – und trösten. Jetzt bist du voller Hass, aber schau durch den Schleier, und dort erkennst du die Möglichkeit zu lieben. Jetzt bist du traurig, aber wenn du auf die andere Seite hinüberblickst, entdeckst du das Glück. Von absoluter Gelassenheit ins völlige Chaos – der Wechsel vollzieht sich so rasch, in einem winzigen Augenblick.

Siebenundzwanzig

»Okay, ich habe uns heute alle hier zusammengerufen, weil …«

»Jemand gestorben ist?«

»Nein, Kate.« Ich seufze.

»Na ja, es klingt so … Autsch!«, jault sie, und ich vermute stark, dass Frankie sie soeben wegen ihrer Taktlosigkeit gezwickt oder ihr einen Tritt versetzt hat.

»Ihr habt inzwischen also genug Doppeldeckerbusse gesehen?«, fragt Frankie.

Ich sitze am Schreibtisch im Hotelzimmer und rede mit meinen Freundinnen, die bei Kate zu Hause ums Telefon sitzen und mich auf Lautsprecher gestellt haben. Den Vormittag über bin ich mit Dad durch London gebummelt, habe ihn fotografiert, wie er etwas linkisch vor allem posiert, was irgendwie britisch aussieht: Rote Doppeldeckerbusse, Briefkästen, Polizeipferde, Pubs, Buckingham Palace und ein völlig ahnungsloser Transvestit – Dad wollte unbedingt mal einen »richtigen« sehen. In seiner Jugend hat in seiner Heimatstadt Cavan der Pfarrer plötzlich den Verstand verloren und ist in Frauenkleidern durch die Straßen gezogen, aber das gilt nicht, weil er ja verrückt war.

Während ich am Schreibtisch sitze, liegt er auf dem Bett und schaut eine Wiederholung von *Let's Dance*, feuert die Tanzpaare an, trinkt einen Brandy und leckt die Pringles mit Sour Cream and Onion ab, bis sie völlig aufgeweicht sind. Dann entsorgt er sie im Mülleimer.

Ich habe die Konferenzschaltung angeregt, um die neuesten

Nachrichten zu verbreiten, oder mehr noch als Hilferuf und Bitte um Rückenstärkung. Vielleicht ist das ein Wunsch zu viel, aber man darf doch wohl noch träumen. Jetzt sitzen Kate und Frankie jedenfalls vor Kates Festanschluss.

»Eins deiner Kinder hat auf mich gekotzt«, sagt Frankie gerade. »Dein Kind hat mich volle Kanne angekotzt!«

»Ach, das ist keine Kotze, das ist bloß ein bisschen Sabber.«

»Nein, *das* hier ist Sabber …«

Schweigen.

»Frankie, du bist eklig.«

»Okay, Mädels, könnt ihr bitte mal einen Moment damit aufhören, ausnahmsweise?«

»Tut mir leid, Joyce, aber ich kann dieses Gespräch nicht fortsetzen, solange sich dieses Wesen im gleichen Zimmer befindet. Es kriecht herum, beißt, klettert überall rauf und sabbert alles voll. Das lenkt mich total ab. Kann Christian nicht 'ne Weile darauf aufpassen?«

Ich verkneife mir das Lachen.

»Nenn mein Kind nicht ›es‹. Und nein, Christian hat zu tun.«

»Er glotzt Fußball.«

»Er möchte nicht gestört werden, vor allem nicht von dir.«

»Na ja, du hast auch zu tun. Wie kriege ich es dazu, mit mir mitzukommen?«

Stille.

»Komm mit, kleiner Junge«, flötet Frankie unsicher.

»Er heißt Sam. Du bist seine Patentante, falls du auch das vergessen hast.«

»Nein, *das* hab ich nicht vergessen. Bloß seinen Namen.« Ihre Stimme klingt angestrengt, als müsste sie Gewichte heben. »Wow, womit fütterst du es denn?«

Sam quiekt wie ein Ferkel.

»Frankie, gib ihn mir. Ich bringe ihn rüber zu Christian.«

»Okay, Joyce«, beginnt Frankie dann in Kates Abwesenheit. »Ich habe aufgrund der Informationen, die du mir gestern gegeben hast, ein bisschen recherchiert und verschiedene Unterlagen mitgebracht. Einen Moment.« Ich höre Papiergeraschel.

»Was soll das denn jetzt?«, fragt Kate, als sie zurückkommt.

»Es geht darum, dass Joyce sich in den Kopf dieses Amerikaners eingeklinkt hat und jetzt über seine Erinnerungen, seine Fähigkeiten und seine Intelligenz verfügt«, antwortet Frankie.

»Wie bitte?«, kreischt Kate.

»Ich hab rausgefunden, dass er Justin Hitchcock heißt«, berichte ich aufgeregt.

»Wie denn?«, will Kate wissen.

»Sein Nachname stand in der Biographie seiner Tochter im Ballettprogramm von gestern Abend, und den Vornamen, na ja, den habe ich im Traum gehört.«

Schweigen. Ich rolle die Augen und stelle mir vor, wie sie einander ansehen.

»Was zum Teufel geht hier eigentlich vor?«, fragt Kate verwirrt.

»Google ihn, Kate«, befiehlt Frankie. »Sehen wir mal nach, ob der Kerl wirklich existiert.«

»Er existiert, das könnt ihr mir gerne glauben«, bestätige ich.

»Nein, Süße, bei so einer Geschichte müssen wir erst mal eine Weile davon ausgehen, dass du spinnst, ehe wir dir irgendwann glauben, weißt du. Lass uns also bei Google nachschauen, dann überlegen wir weiter.«

Ich stütze das Kinn in die Hand und warte.

»Währenddessen kann ich schon mal ein bisschen von meiner Recherche berichten. Ich hab mir mal die Idee angeschaut, dass Menschen Erinnerungen teilen …«

»Was?«, kreischt Kate schon wieder. »Erinnerungen teilen? Seid ihr denn jetzt beide total übergeschnappt?«

»Nein, nur ich«, antworte ich müde und lege den Kopf auf den Schreibtisch.

»Überraschenderweise stellte sich heraus, dass du medizinisch gesehen gar nicht so verrückt bist. Jedenfalls nicht in dieser Hinsicht. Anscheinend bist du nicht die Einzige, die dieses Gefühl hat.«

Hellhörig geworden, richte ich mich auf.

»Ich habe mehrere Websites gefunden mit Interviews von Leuten, die auf einmal die Erinnerungen anderer Menschen hatten und auch deren Fähigkeiten und persönliche Neigungen.«

»Ach, ihr beiden nehmt mich doch auf den Arm. Ich wusste, dass das ein abgekartetes Spiel ist. Schließlich kommst du sonst nie bei mir vorbei, Frankie«, geht Kate wieder dazwischen.

»Nein, wir wollen dich nicht veräppeln, Kate«, beteure ich.

»Dann wollt ihr mir also ehrlich weismachen, dass du auf wundersame Weise die Fähigkeiten eines anderen Menschen übernommen hast?«

»Sie spricht Latein, Französisch und Italienisch«, erklärt Frankie. »Aber wir haben nicht behauptet, dass es sich dabei um ein Wunder handelt. *Das* wäre lächerlich.«

»Und was ist mit den persönlichen Neigungen?«, hakt Kate nach. Sie ist absolut nicht überzeugt.

»Sie isst plötzlich Fleisch«, meint Frankie sachlich.

»Aber warum glaubt ihr, dass das die Fähigkeiten eines anderen Menschen sind? Warum kann sie nicht selbst Latein, Französisch und Italienisch gelernt haben wie ein normaler Mensch? Ich mag auch plötzlich Oliven und hab eine Abneigung gegen Käse – heißt das jetzt, dass mein Körper von einem Olivenbaum besessen ist?«

»Du kapierst es nicht richtig. Was bringt dich auf die Idee, dass ein Olivenbaum keinen Käse mag?«

Schweigen.

»Kate, ich bin ja deiner Meinung, dass es ganz normal ist, wenn sich der Geschmack verändert, aber Joyce spricht drei Sprachen, ohne sie jemals gelernt zu haben.«

»Hm.«

»Und ich träume von Justin Hitchcocks Kindheit, von Momenten, die nur er erlebt hat.«

»Wo war ich denn, als ihr das alles erforscht habt?«

»Du hast mich auf Sky News live den Hokey Cokey tanzen lassen«, schnaube ich.

Jetzt stelle ich auch mein Telefon auf Lautsprecher und wandere die nächsten Minuten ungeduldig im Zimmer auf und ab. Während Frankie und Kate am anderen Ende der Leitung herzhaft lachen, betrachte ich die verstreichende Zeit auf dem Fernseherdisplay.

Dads Zunge verharrt mitten im Pringles-Lecken, und sein Blick folgt mir.

»Was ist das für ein Lärm?«, erkundigt er sich.

»Kate und Frankie beim Lachen«, antworte ich.

Er verdreht die Augen und leckt weiter, wieder gänzlich auf den Nachrichtensprecher mittleren Alters konzentriert, der im Fernsehen Rumba tanzt.

Drei Minuten später verebbt das Lachen, und ich schalte den Lautsprecher wieder aus.

»Also, wie gesagt«, fährt Frankie fort, als wäre nichts geschehen, »was du erlebst, ist ganz normal – na ja, vielleicht nicht normal, aber es gibt auch andere, äh …«

»Freaks?«, schlägt Kate vor.

»… andere Fälle, in denen Menschen von ähnlichen Erlebnissen berichten. Allerdings sind das alles Leute, die eine Herztransplantation hinter sich haben, also etwas ganz anderes als bei dir. Damit wäre diese Theorie dann wohl auch abgehakt.«

Bum-bum, bum-bum. Wieder pocht das Herz in meinem Hals.

»Warte mal«, mischt Kate sich ein. »Hier steht, dass eine Frau behauptet, sie sei von Aliens entführt worden.«

»Hör auf, meine Notizen zu lesen«, zischt Frankie. »Die wollte ich überhaupt nicht erwähnen.«

»Hört mal«, unterbreche ich ihr Gekabbel. »Er hat Blut gespendet. Im gleichen Monat, als ich im Krankenhaus war.«

»Und?«, fragt Kate.

»Sie hat eine Transfusion gekriegt«, erklärt Frankie, schnell von Begriff wie immer. »Das ist nicht so viel anders als die Herztransplantationstheorie, die ich grade erwähnt habe.«

Einen Moment sind wir alle still.

Schließlich bricht Kate das Schweigen. »Okay, ich kapier das immer noch nicht. Kann mir das einer mal erklären?«

»Na ja, das ist praktisch das Gleiche, oder nicht?«, sage ich. »Blut kommt aus dem Herzen.«

Kate schnappt hörbar nach Luft. »Es ist also direkt von Herzen gekommen«, meint sie verträumt.

»Ach, jetzt findet ihr Bluttransfusionen also plötzlich romantisch«, bemerkt Frankie etwas ungehalten. »Dann hört mal zu, was ich im Netz gefunden habe. Es gab Berichte von mehreren Patienten, die eine Herztransplantation hatten und unerwartete Nebenwirkungen beobachtet haben. Channel Four hat eine Dokumentation darüber gemacht: Ob es möglich ist, dass bei der Transplantation auch etwas von den Erinnerungen, Vorlieben, Wünschen und Gewohnheiten des Spenders auf den Empfänger übertragen wird. In der Doku sieht man, wie diese Menschen Kontakt mit den Spenderfamilien aufnehmen, um das neue Leben in sich besser zu verstehen. Und es kommen Wissenschaftler zu Wort, die echte Pionierarbeit leisten: Sie untersuchen die ›Intelligenz‹ des Herzens und die biochemischen Grundlagen des Erinnerns in unseren Zellen. Damit stellen sie praktisch die gesamte bisherige Gedächtnisforschung in Frage.«

»Wenn die also glauben, dass das Herz intelligenter ist, als wir bisher gedacht haben, dann könnte das Blut, das aus dem Herzen eines Menschen gepumpt wird, diese Intelligenz in sich tragen. Und mit der Transfusion hat er auch seine Erinnerungen weitergegeben?«, fragt Kate. »Und seine Liebe für Fleischgerichte und Sprachen?«, fügt sie ein bisschen schärfer hinzu.

Niemand will ihre Frage mit einem klaren Ja beantworten. Eigentlich möchten wir alle nein dazu sagen. Außer mir, aber ich hab ja schon eine schlaflose Nacht hinter mir, um mich an die Idee zu gewöhnen.

»Gab es nicht bei *Star Trek* mal eine Folge zu dem Thema?«, fragt Frankie. »Falls nicht, sollten sie das unbedingt machen.«

»Aber das Rätsel kann ganz leicht gelöst werden«, ruft Kate plötzlich aufgeregt. »Du musst doch nur rausfinden, wer dir das Blut gespendet hat.«

»Genau das geht aber nicht«, dämpft Frankie wie üblich ihren Enthusiasmus. »Die Information ist vertraulich. Außerdem hat sie ja auch nicht sein gesamtes Blut erhalten. Man spendet immer nur einen halben Liter auf einmal. Dann wird das Blut aufgespalten in weiße Blutkörperchen, rote Blutkörperchen, Blutplasma und Blutplättchen. Was Joyce bekommen hat, vorausgesetzt, es war überhaupt sein Blut, ist nur ein Teil davon. Möglicherweise war es sogar noch mit dem Blut von jemand anderem vermischt.«

»Sein Blut ist aber trotzdem in meinem Körper«, füge ich stur hinzu. »Ganz egal, wie viel davon genau. Und ich weiß noch, dass ich mich sehr seltsam gefühlt habe, als ich im Krankenhaus aufgewacht bin.«

Schweigen quittiert meine Bemerkung, und wir alle lassen uns den Gedanken durch den Kopf gehen, dass ich mich vielleicht aus anderen Gründen »sehr seltsam« gefühlt habe und die Seltsamkeit rein gar nichts mit der Transfusion zu tun hatte, sondern schlicht und einfach auf den tragischen Verlust meines Babys zurückzuführen war.

»Übrigens haben wir einen Google-Treffer für Justin Hitchcock«, bricht erneut Kate das Schweigen.

Sofort beginnt mein Herz wieder zu rasen. Bitte sag mir, dass ich mir nicht alles nur einbilde, sag mir, dass er existiert und keine Ausgeburt meiner übereifrigen Fantasie ist. Dass ich meine Pläne nicht ins Blaue hinein geschmiedet habe.

»Okay, Justin Hitchcock war Hutmacher in Massachusetts. Hmm. Na ja, wenigstens Amerikaner. Weißt du irgendwas über Hüte, Joyce?«

Ich denke angestrengt nach. »Baskenmützen, Borsalinos, Fedoras, Fischerhüte, Baseballkappen, Porkpies, Tweedkappen.«

Dad hört auf, an seinen Chips zu lecken, sieht mich an und steuert auch etwas bei: »Panamahüte.«

»Schildkappen, Scheitelkäppchen«, fügt Kate hinzu.

»Zylinder«, ruft Dad, und ich gebe das ins Telefon weiter.

»Cowboyhüte«, sagt Frankie gedankenversunken. Dann erwacht sie aus ihrer Trance. »Moment mal, was machen wir denn hier? Jeder Mensch kennt ein paar Hüte.«

»Du hast recht, das fühlt sich nicht richtig an. Lies weiter«, dränge ich sie.

»Im Jahr 1774 zog Justin Hitchcock nach Deerfield, wo er im Unabhängigkeitskrieg als Soldat und Pfeifer diente. Aber ein über zweihundertjähriger Knacker ist wahrscheinlich selbst für dich zu alt.«

»Warte«, übernimmt Frankie das Ruder, die mir noch nicht die Hoffnung nehmen will. »Darunter gibt es noch einen Justin Hitchcock. Bei der Abwasserentsorgung in New York …«

»Nein«, rufe ich frustriert. »Ich weiß doch schon, dass er existiert. Das ist lächerlich. Aber du könntest ›Trinity College‹ zu deiner Suche hinzufügen, da hat er eine Vorlesung gehalten.«

Tipp-tipp-tipp.

»Nein. Nichts bei Trinity College.«

»Bist du sicher, dass du mit seiner Tochter gesprochen hast?«, fragt Kate.

»Ja«, antworte ich zähneknirschend.

»Hat irgendjemand gesehen, wie du mit dem Mädchen geredet hast?«, setzt sie freundlich hinzu.

Ich ignoriere sie.

»Ich nehme noch die Worte Kunst, Architektur, Französisch, Latein und Italienisch dazu«, verkündet Frankie zu einem neuerlichen Tipp-Geräusch.

»Aha! Da haben wir dich, Justin Hitchcock! Nur *Gast*dozent am Trinity College, Dublin. Fakultät für Kunstgeschichte und Geisteswissenschaften. Fachbereich Kunst und Architektur. Bachelor in Chicago, Master in Chicago, Promotion an der Sorbonne, Spezialgebiete Geschichte der italienischen Renaissance und Barockskulptur, europäische Malerei von 1600 bis 1900. Außeruniversitäre Aktivitäten: unter anderem Gründer und Herausgeber der *Art and Architectural Review*. Co-Autor von *Das Goldene Zeitalter der niederländischen Malerei: Vermeer, Metsu und ter Borch*, Autor von *Kupfer als Leinwand: Kupferstich 1575–1775*. Außerdem hat er über fünfzig Artikel in Büchern, Zeitschriften, Lexika und Konferenzprotokollen geschrieben.«

»Also gibt es ihn wirklich«, sagt Kate so ehrfürchtig, als hätte sie soeben den Heiligen Gral gefunden.

Ein bisschen selbstsicherer bemerke ich: »Versuch es mal mit seinem Namen und der London National Gallery.«

»Warum?«

»Ich hab so eine Ahnung.«

»Du und deine Ahnungen.« Kate liest weiter. »Er ist Kurator für Europäische Kunst an der National Gallery, London. O mein Gott, Joyce, er arbeitet in London. Du solltest dich mit ihm treffen.«

»Immer langsam, Kate. Nachher denkt dieser Justin, sie ist komplett irre, und lässt sie einliefern. Vielleicht ist er auch gar nicht der Blutspender«, gibt Frankie zu bedenken. »Und selbst wenn er es ist, erklärt das rein gar nichts.«

»Er ist es«, entgegne ich zuversichtlich. »Und wenn er mein Spender war, dann hat das für mich auf jeden Fall was zu bedeuten.«

»Wir müssen eine Möglichkeit finden, das rauszukriegen«, meint Kate.

»Er ist es«, wiederhole ich.

»Und was willst du jetzt machen?«, fragt Kate.

Mit einem kleinen Lächeln schaue ich zur Uhr. »Warum denkt ihr denn, ich hätte noch nichts gemacht?«

✳

Justin hält das Telefon ans Ohr und wandert in seinem kleinen Büro in der National Gallery hin und her, so weit die Strippe reicht – was nicht sonderlich weit ist. Dreieinhalb Schritte in die eine, fünf Schritte in die andere Richtung.

»Nein, nein, Simon, *niederländische* Porträts, hab ich gesagt, obwohl du natürlich recht hast, dass es auch widerspenstige Porträts gibt«, lacht er. »*Das Zeitalter von Rembrandt und Frans Hals*«, fährt er fort. »Ich hab ein Buch darüber geschrieben, also ist mir das Thema durchaus vertraut.«

Ein halb fertiges Buch, an dem du vor zwei Jahren aufgehört hast zu arbeiten, du alter Lügner.

»Die Ausstellung wird sechzig Werke umfassen, alle entstanden zwischen 1600 und 1680.«

Es klopft an der Tür.

»Moment bitte!«, ruft er.

Aber die Tür geht trotzdem auf, und seine Kollegin Roberta kommt herein. Obwohl sie erst um die dreißig ist, hat sie einen krummen Rücken und geht geduckt, das Kinn auf die Brust gepresst, wodurch sie mehrere Jahrzehnte älter wirkt. Meist sind ihre Augen zu Boden gerichtet und heben sich nur flackernd für einen kurzen Moment, ehe sie wieder abtauchen. Sie entschuldigt sich für alles, als wäre allein ihre Existenz eine Zumutung für den Rest der Welt. So auch jetzt, während sie sich im Slalom durch Justins Chaos zu seinem Schreibtisch vorzuarbeiten versucht. Genauso geht sie durchs Leben: so leise und unsichtbar wie nur irgend möglich. Was Justin eigentlich bewundernswert finden würde, wenn es nicht so traurig wäre.

»Entschuldigen Sie, Justin«, flüstert sie. In der Hand hält sie ein Körbchen. »Ich wusste nicht, dass Sie am Telefon sind. Sorry.« Schon weicht sie zurück, schleicht fast lautlos zur Tür und schließt sie leise hinter sich. Ein sanftes Lüftchen, das so dezent und langsam wirbelt, dass es sich fast gar nicht zu bewegen scheint und ganz sicher nichts in seinem Einflussbereich entwurzelt.

Justin nickt einfach nur, versucht sich auf das Telefongespräch zu konzentrieren und nimmt den Faden wieder auf.

»Sie reichen von kleinen individuellen Porträts für Privathäuser bis hin zu großen Gruppenporträts von Mitgliedern wohltätiger Organisationen oder Bürgerwachen.«

Auf einmal bleibt er stehen und beäugt das Körbchen argwöhnisch, als erwarte er, dass ihm gleich etwas daraus entgegenspringt.

»Genau, Simon, im Sainsbury-Flügel. Wenn Sie noch irgendeine Information brauchen, nehmen Sie bitte jederzeit Kontakt mit mir hier im Büro auf.«

Eilig verabschiedet er sich von seinem Kollegen und legt auf. Einen Moment schwebt seine Hand über dem Hörer, und er überlegt, ob er den Sicherheitsdienst rufen soll. Der kleine Korb wirkt fremd und extrem niedlich in seinem staubigen Büro, wie ein Neugeborenes in einer Wiege auf einer schmutzigen Waisenhaustreppe. Unter dem Weidengeflecht des Henkels bedeckt ein kariertes Tuch den Inhalt. Er tritt einen Schritt zurück und hebt es mit spitzen Fingern an, bereit, sofort zurückzuspringen.

Ein Dutzend Muffins starren ihn an.

Sein Herz beginnt zu klopfen, und er schaut sich in seinem winzigen Büro um. Natürlich weiß er, dass niemand da ist, aber sein Unbehagen über dieses Überraschungsgeschenk macht die Atmosphäre für ihn plötzlich total unheimlich. Er sucht nach einer Karte. Auf der anderen Seite des Körbchens klebt ein kleiner weißer Umschlag. Erst als er ihn ziemlich ungeschickt vom Körbchen abreißt, merkt er, wie seine Hände zittern. Da der Umschlag nicht zugeklebt ist, rutscht die Karte ganz leicht heraus. Mittendrauf stehen in einer sauberen Handschrift einfach nur die beiden Worte:

Danke schön ...

Achtundzwanzig

Justin eilt mit Riesenschritten durch die Säle der National Gallery. Ein paar Schritte lang gehorcht er der Regel, dass man in der Galerie nicht rennen darf, dann verfällt er doch ins Joggen, geht wieder drei Schritte, steigert das Tempo, drosselt es erneut. In ihm tobt ein erbitterter Kampf zwischen Musterkind und Draufgänger.

Endlich entdeckt er Roberta, die über den Korridor huscht und wie ein Schatten in der wissenschaftlichen Bibliothek verschwinden will, in der sie seit fünf Jahren arbeitet.

»Roberta!«, ruft er, und nun kennt der Draufgänger in ihm auf einmal keine Grenzen mehr. Auch das Lärmverbot schlägt er in den Wind, und seine Stimme hallt von den Wänden und hohen Decken wider, bis allen Porträts die Ohren klingen. So laut ist er, dass van Goghs Sonnenblumen welken und der Spiegel auf der Arnolfini-Hochzeit zerspringt.

Und so laut, dass Roberta zur Salzsäule erstarrt und sich langsam, mit weit aufgerissenen, erschrockenen Augen umdreht, wie ein Reh im Scheinwerferlicht. Sie errötet, denn das halbe Dutzend Besucher hat sich ebenfalls umgewandt und starrt sie an. Justin sieht, wie sie schluckt, und es tut ihm augenblicklich leid, dass er ihren Code geknackt und sie sichtbar gemacht hat, wo sie doch unsichtbar bleiben wollte. Als könnte er den Lärm, den er veranstaltet hat, dadurch wieder zurücknehmen, bemüht er sich, leise weiterzugehen, zu gleiten wie Roberta. Währenddessen steht sie stocksteif da, so nahe an der Wand wie möglich, wie eine

Kletterpflanze, die sich an Wänden und Gittern emporhangelt, weil sie ihr Schutz bieten und sie ihre eigene Schönheit nicht erkennt. Justin fragt sich, ob Robertas Verhalten eine Folge ihres Berufs ist oder ob sie schon immer so war und sich deshalb den Job als Bibliothekarin in der National Gallery ausgesucht hat. Ihm erscheint Letzteres wahrscheinlicher.

»Ja?«, flüstert sie, noch immer rehäugig und verängstigt.

»Entschuldigen Sie, dass ich so gebrüllt habe«, sagt Justin, so leise er kann.

Schon wird ihr Gesicht sanfter, und ihre Schultern entspannen sich.

»Woher haben Sie diesen Korb?«, fragt er und hält ihn ihr entgegen.

»Vom Empfang. Ich kam gerade von der Pause zurück, da hat Charlie mich gebeten, ihn für Sie mitzunehmen. Stimmt irgendwas nicht damit?«

»Charlie, aha.« Justin denkt scharf nach. »Ist er am Getty-Eingang?«

Roberta nickt.

»Okay, danke, Roberta, und ich entschuldige mich nochmal für das Geschrei.« Er macht kehrt, läuft in Richtung Ostflügel davon, und wieder stürzen sich in ihm Draufgänger und Musterknabe aufeinander, was erneut zu einer höchst absonderlichen Mischung aus Gehen und Laufen führt, wobei das Muffinkörbchen an seiner Hand heftig hin und her schwingt.

»Fertig für heute, Rotkäppchen?«, hört er eine Stimme, gefolgt von einem heiseren Lachen.

Abrupt bleibt Justin stehen und wirbelt zu Charlie herum. Er ist einer der Sicherheitsmänner, gut eins achtzig groß, und ihm gehört die Stimme. »Großmutter, was hast du für einen großen Kopf?«

»Was wollen Sie?«

»Ich würde gern erfahren, wer diesen Korb bei Ihnen abgegeben hat.«

»Ein Botenjunge von …« Charlie geht hinter seinen kleinen Schreibtisch und blättert in einem Papierstapel. Dann holt er ein Klemmbrett hervor. »Von Harrods. Zhang Wei«, liest er vor. »Warum? Stimmt irgendwas nicht mit den Muffins?« Er fährt mit der Zunge über die Zähne und räuspert sich ausführlich.

Justin kneift die Augen zusammen. »Woher wussten Sie, dass da Muffins drin sind?«

Charlie weigert sich, ihm ins Gesicht zu sehen. »Musste ja überprüft werden, richtig? Wir sind hier in der National Gallery. Da kann man nicht einfach ein Päckchen annehmen, ohne zu wissen, was drin ist.«

Justin sieht Charlie an, der ein bisschen rot geworden ist. Auf einmal bemerkt er die Krümel in seinen Mundwinkeln, die Spuren auf seiner Uniform. Rasch hebt er das karierte Tuch von seinem Korb und zählt nach. Elf Muffins.

»Finden Sie es nicht seltsam, jemandem elf Muffins zu schicken?«

»Seltsam?« Augen wandern, Schultern zucken. »Weiß ich nicht, Mann. Ich hab noch nie im Leben jemandem Muffins geschickt.«

»Wäre ein Dutzend nicht naheliegender?«

Erneut zucken die Schultern. Nervös fummeln die Finger. Wesentlich konzentrierter als sonst beobachten seine Augen die Leute, die in die Galerie kommen. Die Körpersprache zeigt Justin, dass das Gespräch beendet ist.

Er tritt hinaus auf den Trafalgar Square und zieht das Handy heraus.

»Hallo?«

»Bea, hier ist Dad.«

»Ich rede nicht mit dir.«

»Warum?«

»Peter hat mir erzählt, was du gestern Abend beim Ballett alles zu ihm gesagt hast«, faucht sie ihn an.

»Was hab ich denn getan?«

»Du hast ihn den ganzen Abend gelöchert, was für Absichten er verfolgt.«

»Ich bin dein Vater, das ist mein Job.«

»Nein, was du getan hast, würde eher zur Gestapo passen«, wütet sie. »Ich schwöre dir, ich rede nicht mehr mit dir, bis du dich bei ihm entschuldigt hast.«

»Ich soll mich entschuldigen?«, lacht er. »Wofür denn? Ich hab ihm nur ein paar Fragen über seine Vergangenheit gestellt, um seine Hintergedanken zu überprüfen.«

»Er hat überhaupt keine Hintergedanken!«

»Dann hab ich ihm halt einfach so ein paar Fragen gestellt, na und? Bea, er ist nicht gut genug für dich.«

»Nein, er ist nicht gut genug für *dich*. Aber inzwischen ist mir sowieso egal, was du von ihm hältst, schließlich soll er ja mich glücklich machen, nicht dich.«

»Er pflückt Erdbeeren, um sich seinen Lebensunterhalt zu verdienen.«

»Er ist IT-Berater!«

»Wer pflückt dann die Erdbeeren?« *Irgendeiner muss doch die Erdbeeren pflücken.* »Na ja, Schätzchen, du weißt, was ich von solchen Beratern halte. Wenn sie schon so viel von einer Sache verstehen, warum erledigen sie sie dann nicht selbst, statt Geld damit zu machen, dass sie es anderen Leuten erklären?«

»Du bist Dozent, Kurator, Herausgeber, *was auch immer.* Wenn du so viel weißt, warum baust du dann nicht ein Haus oder malst mal selbst ein Bild?«, schreit sie ihn an. »Statt immer allen was davon vorzufaseln, wie viel du weißt!«

Hmm.

»Schätzchen, krieg dich mal wieder ein.«

»Nein, du bist derjenige, der sich einkriegen sollte. Du wirst dich bei Peter entschuldigen, und wenn nicht, gehe ich nicht mehr ans Telefon, wenn du anrufst, und du kannst allein mit deinen Dramen fertig werden.«

»Warte, warte, warte. Nur eine kleine Frage.«

»Dad, ich …«

»Hast du mir ein Körbchen mit Zimtmuffins geschickt?«, stößt er hastig hervor.

»Was? Nein!«

»Nein?«

»Keine Muffins, nein! Keine Gespräche, kein Nichts …«

»Herzchen, es besteht überhaupt keine Veranlassung für doppelte Verneinungen.«

»Ich breche den Kontakt zu dir ab, bis du dich entschuldigt hast«, verkündet sie entschlossen.

»Okay«, seufzt er. »Entschuldige bitte.«

»Nicht bei mir sollst du dich entschuldigen, sondern bei *Peter*!«

»Okay, aber heißt das, dass du meine Sachen morgen nicht auf dem Weg zu mir von der Reinigung abholen wirst? Du weißt, welche ich meine, gleich neben der U-Bahn-Station …«

Es klickt in der Leitung. Justin starrt das Telefon verblüfft an. *Meine eigene Tochter hat einfach aufgelegt? Ich wusste doch, dass dieser Peter Ärger machen würde.*

Aber dann fallen ihm wieder die Muffins ein, und er wählt erneut. Und räuspert sich.

»Hallo.«

»Jennifer, hier ist Justin.«

»Hallo, Justin.« Ihre Stimme klingt kalt.

Früher war sie warm, süß und weich wie Honig. Nein, wie heißer Karamell. Früher ist sie von Oktave zu Oktave gehüpft, wenn sie seinen Namen gehört hat, wie die Klaviermusik, zu der er sonntagsmorgens manchmal aufgewacht ist, wenn sie im Wintergarten gespielt hat. Aber jetzt?

Er lauscht der Stille am anderen Ende der Leitung. Eis.

»Ich wollte nur kurz anrufen und fragen, ob du mir einen Korb mit Muffins geschickt hast.« Kaum ist die Frage aus seinem Mund, wird ihm klar, wie absurd dieser Anruf ist. Natürlich hat sie ihm nichts geschickt. Warum sollte sie?

»Wie bitte?«

»Ich habe heute im Büro einen Korb mit Muffins bekommen, zusammen mit einer Dankeskarte, aber es gab keinen Absender. Ich hab überlegt, ob du das vielleicht gewesen sein könntest.«

Jetzt klingt ihre Stimme amüsiert. Nein, nicht amüsiert, eher spöttisch. »Wofür sollte ich dir danken wollen, Justin?«

Eine einfache Frage, aber da er seine Exfrau ziemlich gut kennt, weiß er, dass darin wesentlich mehr mitschwingt. Und deshalb schnappt er den Köder, hängt am Haken, wird bitter und bekommt die Stimme, an die er sich gewöhnt hat im Lauf des Untergangs ihrer … na ja, im Lauf ihres gemeinsamen Untergangs. Sie lässt ihn zappeln.

»Oh«, antwortet er. »Vielleicht zwanzig Jahre Ehe. Eine Tochter, ein gutes Leben. Ein Dach über dem Kopf.« Er weiß, wie doof diese Bemerkung ist. Dass Jennifer vor ihm, nach ihm und überhaupt jederzeit auch ohne ihn ein Dach über dem Kopf hat, aber jetzt quillt es aus ihm heraus, und er kann und will es nicht aufhalten, denn er hat recht und sie nicht, und die Wut stachelt ihn bei jedem Wort noch mehr an, wie ein Jockey, der sein Pferd über die Ziellinie peitscht. »Reisen in alle Welt.« Die Peitsche knallt. »Klamotten, Klamotten und nochmal Klamotten.« Die Peitsche knallt. »Eine neue Küche, die wir überhaupt nicht brauchten, ein Wintergarten, Herrgott …« Und so macht er weiter, wie ein Mann aus dem neunzehnten Jahrhundert, der seiner Frau ein gutes Leben ermöglicht hat, das sie sonst nicht hätte haben können. Dabei ignoriert er völlig, dass Jennifer selbst ganz gut verdient und in einem Orchester gespielt hat, das um die Welt getourt ist. Und dass er sie dabei manchmal begleiten durfte – nicht umgekehrt.

Zu Beginn ihrer Ehe hatten sie keine andere Wahl gehabt, als bei Justins Mutter zu wohnen. Sie waren jung und hatten ein Baby – der Grund für ihre etwas überstürzte Heirat –, und da Justin tagsüber noch aufs College ging, abends in der Kneipe jobbte und am Wochenende im Museum, hatte Jennifer in einem schicken Restaurant in Chicago mit Klavierspielen Geld verdient. Am Wochenende kam sie erst in den frühen Morgenstunden heim, mit schmerzendem Rücken und einer Sehnenentzündung im Mittelfinger, aber das ist alles aus Justins Gedächtnis verschwunden, als sie ihm den Köder mit dieser scheinbar harmlosen Frage hingehalten hat. Sie hat gewusst, dass diese Tirade kommen würde, und er kaut wie ein Wilder auf dem Köder herum, der seinen ganzen Mund ausfüllt. Als ihm schließlich nichts mehr einfällt, was sie in den letzten zwanzig Jahren zusammen gemacht haben, und ihm der Dampf ausgeht, hält er inne.

Jennifer schweigt.

»Jennifer?«

»Ja, Justin.« Eisig.

Mit einem Seufzer der Erschöpfung fragt er noch einmal: »Und, warst du es?«

»Nein, das muss wohl eine von deinen anderen Frauen gewesen sein, denn ich hab dir ganz bestimmt keine Muffins geschickt.«

Klick. Weg ist sie.

Wieder kocht die Wut in ihm hoch. Andere Frauen. *Andere Frauen! Eine einzige* Affäre mit zwanzig, ein Fummeln im Dunkeln mit Mary-Beth Dursoa! *Bevor* er Jennifer geheiratet hat! Und jetzt tut sie so, als wäre er Don Juan persönlich. In ihrem Schlafzimmer hat er damals einen Druck von *Der Tod der Procris* von Piero di Cosimo aufgehängt. Jennifer hat das Bild immer gehasst, aber Justin hoffte trotzdem, ihr damit eine subtile Botschaft zu übermitteln. Auf dem Gemälde liegt nämlich ein halb nacktes Mädchen am Boden, und auf den ersten Blick sieht es aus, als würde sie schlafen, aber dann bemerkt man, dass Blut aus ihrer Kehle rinnt. Neben ihr sitzt ein trauernder Satyr. Justin folgt der Lesart, dass die Frau auf dem Bild ihren Mann der Untreue verdächtigt hat und ihm in den Wald nachgeschlichen ist. In Wirklichkeit wollte er aber nur auf die Jagd gehen, und als es in den Bäumen raschelt, denkt er, es sei ein Tier, und erschießt seine Frau. In ihren finstersten Augenblicken, wenn sie sich besonders erbittert und wütend stritten und ihnen der Hals vom Schreien und Brüllen schon wehtat und Tränen in ihren Augen brannten, wenn ihnen das Herz vor Schmerz zu brechen drohte und ihre Köpfe fast platzten vom vielen Analysieren, dann betrachtete Justin manchmal das Gemälde und beneidete den Satyr.

Wutschnaubend rennt er die Stufen der North Terrace hinunter, setzt sich an einen der Brunnen, das Körbchen zu seinen Füßen, und beißt kräftig in einen Muffin, stopft ihn so schnell in sich rein, dass er kaum Zeit hat, ihn zu schmecken. Krümel fallen auf den Boden und ziehen einen Schwarm Tauben mit aufmerksamen schwarzen Knopfaugen an. Als er sich bückt, um sich einen weiteren Muffin zu nehmen, wird er umringt von den übereifrigen Tauben, die nach dem Inhalt des Körbchens picken. Pickpickpick – zu Dutzenden fliegen sie auf ihn zu, gehen in den Landeanflug wie Kampfjets. Da er sich vor eventuell herabfallenden Bomben der über ihm kreisenden Vögel fürchtet, nimmt er sein Körbchen und scheucht sie mit kindlicher Entschlossenheit weg.

Justin stürmt durch die Tür seiner Wohnung, lässt sie hinter sich offen und wird sofort von Doris begrüßt, die eine Malerpalette in der Hand hält.

»Okay, ich hab die Auswahl eingegrenzt«, ruft sie und hält ihm Dutzende Farben unter die Nase.

Jeder ihrer langen Nägel mit Leopardenmuster ist mit einem Strasssteinchen verziert. Heute trägt sie einen Overall in Schlangenlederoptik, und ihre Füße balancieren in Lackstiefelchen mit Pfennigabsatz. Ihre Haare sind der übliche rote Wuschelkopf, die Augen katzenartig mit einem Lidstrich ummalt, der aus den Augenwinkeln nach oben kurvt. Ihr passend zu den Haaren knallrot geschminkter Mund erinnert an Ronald McDonald. Irritiert sieht Justin zu, wie er sich öffnet und schließt.

Worte dringen an sein Ohr: »Stachelbeer, Keltischer Wald, Englischer Nebel und Waldlandperle, alles ruhige Töne, die in diesem Raum einfach toll aussehen würden, aber wir könnten es auch mit Wildpilz, Nomadenglut und Sultana Spice probieren. Zu meinen Favoriten gehört Cappuccino Candy, aber ich glaube, das funktioniert nicht mit dem Vorhang hier, was meinst du?«

Jetzt wedelt sie mit einem Stück Stoff vor seiner Nase herum und kitzelt ihn in der Nase. Das Kitzeln ist so heftig, als würde es schon die Auseinandersetzung spüren, die sich zusammenbraut. Justin antwortet nicht, sondern holt tief Luft und zählt in Gedanken bis zehn. Als das auch nichts bringt und Doris unverdrossen weiter Farbschattierungen runterbetet, erhöht er auf zwanzig.

»Hallo! Justin?«, sie schnippt mit den Fingern, direkt vor seinem Gesicht. »Hal-lo?«

»Vielleicht solltest du ihn mal ein bisschen verschnaufen lassen, Doris. Er sieht müde aus.« Al beäugt seinen Bruder nervös.

»Aber …«

»Pack deinen süßen Hintern hier rüber, Sultana Spice«, neckt er sie, und sie stößt einen Juchzer aus.

»Okay, nur noch eins. Bea wird ihr Zimmer in Elfenbeintraum garantiert lieben. Und Petey auch. Stell dir vor, wie romantisch das wird für …«

»DAS REICHT!«, schreit Justin aus voller Kehle, denn er hält es nicht aus, dass der Name seiner Tochter und das Wort romantisch im gleichen Satz vorkommen.

Doris zuckt heftig zusammen, verstummt augenblicklich und presst die Hand aufs Herz. Al hört auf zu trinken, die Flasche stoppt direkt vor seinen Lippen, und sein schwerer Atem macht seltsame Töne im Flaschenhals. Ansonsten herrscht völlige Stille.

»Doris«, sagt Justin schließlich, so ruhig er kann. »Das reicht mir jetzt wirklich. Genug Cappuccino Nights …«

»Cappuccino Candy«, korrigiert sie ihn, hält aber rasch wieder den Mund.

»Was auch immer. Das hier ist ein viktorianisches Haus aus dem neunzehnten Jahrhundert, kein Reihenhaus für *Einsatz in*

4 *Wänden*.« Er bemüht sich, seine Gefühle in Schach zu halten, die sich stellvertretend für das alte Gebäude verletzt fühlen.

Sie stößt ein beleidigtes Quietschen aus.

»Das Haus braucht eine behutsame Renovierung, gewissenhafte Recherche, es braucht Mobiliar aus der damaligen Zeit, entsprechende Farben – und keine, die klingen wie Als Lieblingsessen.«

»Hey!«, protestiert Al.

»Ich glaube, es braucht …«, beginnt Justin, holt tief Luft und fährt dann ruhiger fort: »… das Haus braucht einen anderen Inneneinrichter. Vielleicht ist das Projekt einfach anspruchsvoller, als du gedacht hast. Aber ich bin dankbar für deine Hilfe, wirklich. Bitte sag mir, dass du das verstehst.«

Doris nickt langsam, und Justin stößt einen Seufzer der Erleichterung aus.

Aber da fliegt auf einmal die Palette quer durchs Zimmer auf ihn zu, und Doris brüllt: »Du arrogantes kleines Arschloch!«

»Doris!« Al springt aus dem Sessel. Jedenfalls versucht er es.

Unterdessen weicht Justin vor der herannahenden Furie namens Doris zurück, denn die kommt mit aggressiven Schritten auf ihn zu und streckt ihre glitzernden Raubtierkrallen wie Dolche nach ihm aus.

»Hör mal zu, du dummer kleiner Mann. Ich habe die letzten zwei Wochen damit verbracht, in Bibliotheken und an Orten über dieses kleine Kellerloch zu forschen, von denen du noch nie was *gehört* hast. Ich war in finsteren, schäbigen Verliesen, in denen die Menschen riechen wie alte … wie alte Dinge eben.« Ihre Nasenflügel blähen sich, und ihre Stimme wird tiefer und drohender. »Ich habe jede historische Farbenbroschüre gekauft, die ich kriegen konnte, und die Farbe nach den Farbregeln des neunzehnten Jahrhunderts aufgetragen. Ich habe Leuten die Hand geschüttelt, auf deren Bekanntschaft nicht mal ich Wert gelegt hätte. Ich habe mir Bücher angesehen, die so alt waren, dass die Staubmilben sie mir persönlich vom Regal holen konnten, so riesig waren sie. Ich habe die Dulux-Farben so genau wie nur irgend möglich an die historischen Farben angepasst, ich war in Secondhand- und Thirdhandläden, ich war sogar in Antiquitätengeschäften und habe Möbel in so verkommenem Zustand gesehen, dass ich fast die Fürsorge geholt hätte. Ich habe sonderbare Kreaturen um Esstische kriechen sehen, ich habe auf so klapprigen Stühlen gesessen, dass ich den schwarzen Tod riechen konnte, an dem der letzte Mensch, der vor mir darauf saß, gestorben ist. Ich habe so viel Kiefernholz geschmirgelt, dass ich Splitter an Stellen habe, die du garantiert nicht besichtigen möchtest. Also.« Bei jedem Wort piekt sie ihn mit ihren Dolchnägeln in die Brust, bis er schließlich mit dem Rücken zur Wand steht. »Wag es nicht nochmal, mir zu sagen, dass das hier eine Nummer zu groß für mich ist.«

Dann räuspert sie sich ausgiebig und richtet sich kerzengerade auf. Die Wut in ihrer Stimme weicht einem Zittern, das ausdrückt, was für ein armes, verkanntes Wesen sie doch ist. »Aber trotz allem, was du gesagt hast, werde ich meine Arbeit zu Ende bringen. Ich werde mich nicht beirren lassen. Ich werde es tun, ob du willst oder nicht, und ich werde es für deinen Bruder tun, der nächsten Monat vielleicht schon tot ist, ohne dass es dich im Geringsten kümmert.«

»Tot?«, fragt Justin und sperrt die Augen auf.

Doch Doris hat bereits auf dem Absatz kehrtgemacht und stürmt in ihr Zimmer.

An der Tür wendet sie sich noch einmal um und streckt den Kopf ins andere Zimmer zurück. »Übrigens hätte ich die Tür zugeknallt, ganz laut, um zu zeigen, wie wütend ich bin, aber die Tür ist gerade draußen auf dem Hof, wo sie abgeschmirgelt und grundiert wird, bevor ich sie streiche …« Der besseren Wirkung halber macht sie eine kurze Kunstpause und faucht dann: »Und zwar in Elfenbeintraum!«

Dann verschwindet sie wieder, ohne Knall.

✳

Ich trete nervös vor Justins Wohnung von einem Fuß auf den anderen. Soll ich auf die Klingel drücken? Oder einfach seinen Namen ins Zimmer rufen? Ob er wohl die Polizei alarmieren und mich wegen unbefugten Betretens festnehmen lassen würde? Ach, wahrscheinlich war das Ganze eine blöde Idee. Frankie und Kate haben mich überredet herzukommen und mich ihm vorzustellen. Sie haben mich so weit gebracht, dass ich ins erstbeste Taxi zum Trafalgar Square gesprungen bin, um ihn in der National Gallery abzupassen. Ich war ganz in seiner Nähe, als er telefoniert hat, ich habe gehört, wie er nachgeforscht hat, wer ihm das Körbchen geschickt haben könnte. Sonderbarerweise habe ich mich sehr wohl dabei gefühlt, ihn einfach zu beobachten, ohne sein Wissen, und ich konnte die Augen keine Sekunde von ihm abwenden. Es war aufregend, ihn so heimlich sehen zu können als den, der er jetzt ist, statt sein Leben aus der Erinnerungsperspektive zu betrachten.

Sein Ärger über seinen Gesprächspartner am Telefon – wahrscheinlich seine Exfrau mit den roten Haaren und den Sommersprossen – hat mich aber davon überzeugt, dass noch nicht der richtige Zeitpunkt gekommen war, mich ihm zu nähern, deshalb bin ich im gefolgt. Nur gefolgt, ich bin keine Stalkerin. Ich wollte all meinen Mut zusammennehmen und ihn ansprechen. Soll ich die Transfusion erwähnen? Hält er mich dann für verrückt oder wird er offen sein und mir zuhören? Oder noch besser – mir sogar glauben?

Aber in der U-Bahn war das Timing dann auch wieder nicht richtig. Die Bahn war proppenvoll, es wurde gedrängelt und geschoben, ohne einander in die Augen zu sehen – kein guter Ort für erste Begegnungen und schon gar nicht für Gespräche über die potenzielle Intelligenz von Herzblut. Deshalb stehe ich jetzt hier, nachdem ich seine Straße auf und ab gegangen bin und mich gleichzeitig wie ein verknalltes Schulmädchen und doch wie eine Stalkerin gefühlt habe, und habe einen Plan. Aber der Plan wird wieder mal auf Eis gelegt, weil Justin und sein Bruder Al über

etwas zu reden anfangen, was ich garantiert nicht hören soll –
über ein Familiengeheimnis, das ich schon mehr als gut kenne.

Ich ziehe den Finger von der Klingel zurück, achte darauf,
dass ich durch keins der Fenster gesehen werden kann, und
warte ab.

Neunundzwanzig

Justin sieht seinen Bruder panisch an und schaut sich nach einer Sitzgelegenheit um. Schließlich zieht er einen riesigen Farbeimer heran und lässt sich darauf nieder, ohne den Ring weißer Farbe darauf zu bemerken.

»Al, was hat sie damit gemeint? Was soll das denn heißen, du bist nächsten Monat tot?«

»Nein, nein!«, lacht Al. »Sie hat nur gesagt, ich *könnte* tot sein. Das ist was ganz anderes. Hey, du bist ja noch glimpflich davongekommen, Bruderherz. Glück gehabt. Ich glaube, das Valium hilft ihr wirklich. Prost.« Er hebt die Flasche und nimmt den letzten Schluck.

»Warte, warte. Al, was redest du denn da? Gibt es irgendwas, was du mir nicht erzählt hast? Was hat der Arzt gesagt?«

»Der Arzt hat mir genau das gesagt, was ich dir die letzten zwei Wochen erzählt habe. Wenn direkte Familienmitglieder in jungen Jahren koronare Herzerkrankungen hatten – bei Männern heißt das, unter fünfundfünfzig –, na ja, dann hat man ein erhöhtes Risiko, selbst eine zu kriegen.«

»Hast du hohen Blutdruck?«

»Ein bisschen.«

»Hohe Cholesterinwerte?«

»Und wie.«

»Dann musst du einfach nur deinen Lebensstil ändern, Al. Es bedeutet doch nicht, dass du umfällst wie … wie …«

»Wie Dad?«

»Nein.« Kopfschüttelnd runzelt er die Stirn.

»Koronare Herzerkrankungen sind der Killer Nummer eins sowohl bei amerikanischen Männern als auch bei amerikanischen Frauen. Alle dreiunddreißig Sekunden erleidet ein Amerikaner ein sogenanntes koronares Ereignis, und fast jede Minute stirbt jemand daran.« Er schaut zur Standuhr ihrer Mutter, die halb von einer Plane verdeckt ist. Der Minutenzeiger bewegt sich. Al packt sich an die Brust und stöhnt. Aber bald verwandelt sich das Geräusch in Lachen.

Justin verdreht die Augen. »Wer hat dir denn diesen Unsinn erzählt?«

»Das steht in den Broschüren, die man in der Arztpraxis kriegt.«

»Al, du wirst keinen Herzanfall kriegen.«

»Ich werde nächste Woche vierzig.«

»Ja, das weiß ich.« Justin schlägt ihn spielerisch aufs Knie. »Wir machen eine große Party!«

»So alt war Dad, als er gestorben ist.« Mit gesenktem Blick klaubt er das Etikett von seiner Bierflasche.

»Geht es darum?«, fragt Justin sanfter. »Verdammt, Al, darum geht es die ganze Zeit? Warum hast du nichts gesagt?«

»Ich dachte einfach, ich möchte noch 'n bisschen Zeit mit dir verbringen, bevor, na ja, du weißt schon … für den Fall, dass …« Tränen schießen ihm in die Augen, und er sieht schnell weg.

Sag ihm die Wahrheit.

»Al, hör zu, ich muss dir etwas sagen.« Seine Stimme zittert, und er räuspert sich, in dem Versuch, sie unter Kontrolle zu bekommen. *Du hast es nie jemandem erzählt.* »Dad stand bei der Arbeit total unter Druck. Er hatte Schwierigkeiten, finanzieller und auch anderer Art, und das hat er nie jemandem erzählt. Nicht mal Mum.«

»Ich weiß, Justin. Ich weiß.«

»Du weißt es?«

»Ja, ich hab kapiert. Er ist nicht grundlos einfach so tot umgefallen. Er hatte Stress ohne Ende. Und den hab ich nicht, das weiß ich. Aber seit ich klein war, hatte ich das Gefühl, dass mir eines Tages das Gleiche passieren wird. Es geht mir durch den Kopf, seit ich denken kann, und jetzt, wo ich nächste Woche Geburtstag habe und nicht gerade in Topform bin … Im Geschäft war viel zu tun, und ich hab mich nicht um mich gekümmert. Das konnte ich nie so gut wie du.«

»Hey, das musst du mir nicht erklären.«

»Erinnerst du dich an den Tag, als wir mit ihm auf dem Rasen gespielt haben. Mit den Sprinklern? Nur ein paar Stunden bevor Mum ihn gefunden hat … Erinnerst du dich, wie die ganze Familie rumgetollt ist?«

»Das war eine schöne Zeit«, lächelt Justin und muss gleichzeitig die Tränen zurückhalten.

»Erinnerst du dich?« Al lacht.

»Als wäre es gestern gewesen«, antwortet Justin.

»Dad hat uns beide nass gespritzt. Er schien so guter Laune zu sein.« Verwirrt hält Al inne, denkt eine Weile nach, dann kommt das Lächeln zurück. »Er hatte für Mum einen großen Blumenstrauß mitgebracht – weißt du noch, wie sie die große Blume ins Haar gesteckt hat?«

»Die Sonnenblume«, nickt Justin.

»Und es war total heiß. Erinnerst du dich, wie heiß es war?«

»Ja.«

»Und Dad hatte die Hose bis zu den Knien aufgekrempelt und keine Socken an. Und das Gras war ganz nass, und seine Füße waren voller Gras, und er hat uns über die Wiese gejagt …« Er lächelt in die Ferne. »Danach hab ich ihn nicht mehr lebend gesehen.«

Aber ich schon.

In Justins Gedächtnis blitzt die Erinnerung an seinen Vater auf, der die Wohnzimmertür hinter sich schließt. Justin war aus dem Garten ins Haus gelaufen, weil er nach den ganzen Wasserspielen dringend aufs Klo musste. So viel er wusste, waren alle außer ihm noch draußen. Er hörte, wie seine Mom Al neckte und auf dem Rasen herumjagte, und er hörte seinen erst fünfjährigen kleinen Bruder kreischen vor Vergnügen. Aber als er die Treppe wieder herunterkam, sah er seinen Vater aus der Küche und über den Flur gehen, und weil er ihn überraschen wollte, kauerte er sich schnell hin und beobachtete ihn durchs Geländer.

Dann erkannte er, was sein Vater in der Hand hielt. Es war die Flasche, die sonst immer im Küchenschränkchen eingeschlossen war und nur zu besonderen Anlässen herausgeholt wurde – eigentlich nur, wenn die Familie seines Vaters aus Irland zu Besuch kam. Wenn sie aus dieser Flasche tranken, veränderten sie sich auf erstaunliche Weise: Sie sangen Lieder, die Justin nie gehört hatte, die sein Dad aber in- und auswendig kannte, sie lachten, erzählten Geschichten, und manchmal weinten sie auch. Warum hatte sein Vater die Flasche jetzt in der Hand? Hatte er vor zu singen, zu lachen und Geschichten zu erzählen? Und womöglich zu weinen?

Dann entdeckte Justin auch noch das Fläschchen mit den Tabletten. Er wusste, dass es Tabletten waren, er kannte den Behälter, aus dem Mom und Dad ihre Medizin nahmen, wenn sie krank waren. Hoffentlich war sein Vater nicht krank, hoffentlich wollte er nicht weinen. Justin beobachtete, wie er die Tür hinter sich schloss, in der Hand die Tabletten und die Alkoholflasche. Hätte er wissen müssen, was sein Dad vorhatte? Er wusste es nicht.

An diesen Moment muss Justin sehr oft denken, und dann versucht er, den Jungen dazu zu bringen, dass er ruft und seinen Vater aufhält. Aber der neunjährige Justin hört ihn nie. Nein, er kauert auf der Treppe und wartet, dass sein Dad zurückkommt, damit er aus seinem Versteck springen und ihn überraschen kann.

Erst nach einiger Zeit beschlich ihn allmählich das Gefühl, dass irgendwas nicht stimmte. Doch warum fühlte er sich so? Wenn er jetzt nachsah, was sein Vater machte, würde das die Überraschung verderben. Nach einigen Minuten, die ihm vorkamen wie Stunden, hielt er die Stille hinter der Tür nicht mehr aus, schluckte schwer und stand auf. Von draußen hörte er Al immer noch schreien vor Lachen. Er hörte das Lachen auch noch, als er hineinging und die grünen Füße sah. An den Anblick dieser Füße erinnert er sich besonders lebhaft. Dad lag auf dem Boden wie ein großer grüner Riese. Justin erinnert sich, wie er auf die Füße zuging und schließlich das Gesicht seines Dads sah, die Augen, die leblos zur Decke emporstarrten.

Justin sagte nichts. Er schrie nicht, er rührte seinen Vater nicht an, er küsste ihn nicht, er versuchte auch nicht, ihm zu helfen, denn obwohl er damals nicht viel verstand, wusste er doch, dass es für jede Hilfe zu spät war. Langsam verließ er das Zimmer, schloss die Tür hinter sich und rannte hinaus auf den Rasen zu seiner Mom und seinem kleinen Bruder.

Fünf Minuten hatten sie noch. Fünf Minuten, in denen alles genauso war wie immer. Er war neun Jahre alt an einem sonnigen Tag, mit einer Mom, einem Dad und einem Bruder. Er war glücklich, seine Mom war glücklich, und die Nachbarn lächelten ihm zu, ganz normal wie allen anderen Kindern auch. Alles, was sie zum Abendessen aßen, war von seiner Mom zubereitet worden, und wenn er sich in der Schule schlecht benahm, schimpften ihn die Lehrer aus, wie es sich gehörte. Noch fünf Minuten, in denen alles so war wie immer. Dann ging seine Mom ins Haus, und von einer Sekunde auf die andere war alles anders, hatte alles sich verändert. Nun war er kein Neunjähriger mit einer Mom, einem Dad und einem Bruder mehr. Er war nicht mehr glücklich, seine Mom auch nicht, und die Nachbarn lächelten ihn so traurig an, dass er sich wünschte, sie würden gar nicht lächeln. Das Essen wurde nicht mehr von ihrer Mom zubereitet, sondern kam aus Behältern, die irgendwelche Frauen aus der Nachbarschaft anschleppten, die auch traurig aussahen, und wenn er in der Schule Quatsch machte, sah ihn der Lehrer mit dem gleichen traurigen Gesicht an. Alle hatten das gleiche traurige Gesicht. Die fünf Extraminuten reichten nicht.

Mom sagte ihnen, dass Dad an einem Herzanfall gestorben war. Das erzählte sie allen, der ganzen Familie und auch denen, die mit Essen oder Kuchen vorbeikamen.

Justin brachte es nicht übers Herz, jemandem zu beichten, dass er die Wahrheit kannte, zum Teil, weil er selbst an die Lüge glauben wollte, zum Teil, weil er dachte, seine Mutter hätte auch schon angefangen, an sie zu glauben. Nicht einmal Jennifer hatte er etwas davon erzählt, denn wenn er es aussprach, wurde es wahr, und er wollte den Selbstmord seines Vaters nicht auf diese Weise offiziell machen.

Jetzt, wo auch seine Mutter nicht mehr lebt, ist er der einzige Mensch, der die Wahrheit über seinen Vater weiß. Die Geschichte, die ursprünglich erfunden worden ist, um ihnen zu helfen, hängt am Ende wie eine drohende schwarze Wolke über Al und ist eine Last für Justin. Er will Al die Wahrheit sagen, jetzt sofort. Aber hilft ihm das wirklich? Die Wahrheit zu kennen ist doch viel schlimmer für Al, und Justin muss ihm auch erklären, wie und warum er sie ihm all die Jahre vorenthalten hat … Andererseits liegt die Last dann nicht mehr allein auf seinen Schultern. Vielleicht wäre das eine Befreiung. Es könnte Al von seiner Angst vor einem Herzversagen befreien, und sie könnten sich den Tatsachen gemeinsam stellen.

»Al, ich muss dir etwas sagen«, beginnt Justin also.

In diesem Moment klingelt es an der Tür. Ein scharfes Bimmeln, das sie beide aus ihren Gedanken aufschrecken lässt, das die Stille durchstößt wie ein Presslufthammer eine Glasscheibe. Alle Gedanken zerspringen und fallen in tausend Scherben zu Boden.

»Will vielleicht mal jemand aufmachen?«, schreit Doris aus ihrem Zimmer.

Mit einem weißen Farbring auf dem Hinterteil geht Justin zur Tür. Die Tür ist schon ein Stück offen, aber er sperrt sie noch weiter auf. Vor ihm auf dem Geländer hängt seine Wäsche aus der Reinigung. Hosen, Hemden, Pullis, alles ordentlich in Plastikfolie verpackt. Aber kein Mensch ist da. Justin tritt vor die Tür, rennt die Kellertreppe hinauf, um zu sehen, wer die Wäsche gebracht hat, aber abgesehen vom Müllcontainer ist der Rasen völlig leer.

»Wer ist es denn?«, will Doris wissen.

»Niemand«, antwortet Justin verwirrt, hakt seine Sachen vom Geländer los und trägt sie ins Haus.

»Willst du behaupten, dass dieser billige Anzug selbst auf die Klingel gedrückt hat?«, fragt sie, immer noch ärgerlich.

»Ich weiß es nicht. Seltsam. Bea wollte die Sachen morgen abholen. Ich hatte auch keine Lieferung mit der Wäscherei vereinbart.«

»Vielleicht ist es eine Sonderlieferung für besonders gute Kunden, denn wie es aussieht, lässt du ja deine gesamte Garderobe dort reinigen.« Voller Abscheu mustert sie seine Klamotten.

»Ja, und ich wette, die Sonderlieferung zieht eine dicke Rechnung nach sich«, brummt er. »Ich hatte vorhin einen kleinen Streit mit Bea, vielleicht soll das hier eine Entschuldigung sein.«

»Ach, du bist wirklich ein alter Sturkopf«, meint Doris und verdreht die Augen. »Kommst du denn nie auf die Idee, dass du es bist, der sich entschuldigen sollte?«

Mit zusammengekniffenen Augen sieht Justin sie an. »Hast du mit Bea gesprochen?«

»Hey, sieh mal, da ist ein Umschlag dran«, bemerkt Al und erstickt damit den neuen Streit im Keim.

»Da hast du deine Rechnung!«, lacht Doris.

Justins Herz klopft ihm bis in den Hals, als er den vertrauten Umschlag sieht, er wirft die gereinigten Klamotten auf die Plane und reißt ihn auf.

»Sei vorsichtig, die Sachen sind frisch gebügelt!«, ruft Doris, hebt den Packen auf und hängt das Zeug an den Türrahmen.

Unterdessen holt Justin die Karte aus dem Umschlag, liest und schluckt schwer.

»Was steht denn da?«, fragt Al.

»So wie er guckt, ist es eine Morddrohung«, meint Doris aufgeregt. »Oder ein Bettelbrief. Manche von denen sind echt witzig. Von wem ist er, und wie viel wollen sie?« Sie kichert.

Wortlos kramt Justin die Karte aus dem Muffinkorb und hält die beiden Karten aneinander, sodass sich ein vollständiger Satz ergibt. Ein Frösteln durchläuft seinen Körper, als er die Worte liest.

Danke schön ... dass du mir das Leben gerettet hast.

Dreißig

Mit angehaltenem Atem kaure ich im Müllcontainer, und mein Herz schlägt so schnell wie die Flügel eines Kolibris. Ich komme mir vor wie ein Kind beim Versteckspielen, heftige Aufregung wabert durch meinen Bauch. Oder wie ein Hund, der sich auf dem Rücken wälzt und seine Flöhe loskriegen will. Bitte finde mich jetzt nicht, Justin, nicht hier, nicht im Müllcontainer vor deinem Haus, voller Dreck und Gips und Staub. Ich höre, wie seine Schritte sich entfernen, die Treppe zu seinem Kellerapartment hinunter. Dann fällt die Tür ins Schloss.

Was ist bloß aus mir geworden? Ein Feigling! Ich hab gekniffen und schnell die Klingel gedrückt, als Justin seinem Bruder die Geschichte von seinem Vater erzählen wollte, und dann bin ich weggerannt, weil ich Angst hatte, für zwei Fremde Gott zu spielen, bin gerannt, gesprungen und auf dem Grund eines Müllcontainers gelandet. Wenn das nicht symbolisch ist! Ich weiß nicht, ob ich je den Mut aufbringen werde, mit ihm zu reden. Ich weiß nicht, ob ich jemals die richtigen Worte finden werde, um ihm zu erklären, wie ich mich fühle. Die Welt ist kein Ort, an dem Geduld herrscht: Geschichten wie diese tauchen bestenfalls in irgendwelchen Klatschblättern auf. Neben dem Text wäre dann ein Foto von mir, in der Küche meines Vaters, wie ich verloren in die Kamera blicke. Ohne Make-up natürlich. Nein, Justin würde mir niemals glauben, wenn ich es ihm erzählen würde – aber Taten sagen mehr als Worte.

Auf dem Rücken liegend starre ich zum Himmel empor, und

die Wolken starren auf mich zurück. Neugierig ziehen sie über die Frau im Container hinweg. Immer mehr Wolken ballen sich zusammen, weil sie unbedingt selbst mitkriegen wollen, was da angeblich so interessant ist. Dann segeln sie weiter, und ich blicke in ein endloses Blau, nur gelegentlich unterbrochen von einem weißen Fetzchen. Fast kann ich meine Mutter lachen hören, und ich male mir aus, wie sie ihre Freundinnen anschubst, sie sollen sich mal ihre Tochter anschauen. Ich stelle mir vor, wie sie über eine Wolke hinweglugt und sich viel zu weit vorbeugt, genau wie Dad auf dem Balkon des Royal Opera House. Lächelnd stelle ich fest, dass mir die Situation irgendwie Spaß macht.

Während ich Staub, Wandfarbe und Holzsplitter von meinen Klamotten klopfe und aus dem Container klettere, versuche ich mich zu erinnern, welche Wünsche ihres Vaters Bea sonst noch erwähnt hat. Was sollte die Person, die er gerettet hat, sonst noch alles für ihn tun?

»Justin, beruhige dich, Himmel nochmal. Du machst mich total nervös.« Doris sitzt auf einer Trittleiter und sieht zu, wie Justin im Zimmer auf und ab tigert.

»Ich kann mich aber nicht beruhigen. Verstehst du denn nicht, was das bedeutet?« Er überreicht ihr die beiden Karten.

Sie macht große Augen. »Du hast jemandem das Leben gerettet?«

»Ja.« Achselzuckend bleibt er stehen. »Es ist echt nichts so wahnsinnig Besonderes. Manchmal muss man eben tun, was man tun muss.«

»Er hat Blut gespendet«, unterbricht Al den vergeblichen Versuch seines Bruders, bescheiden zu erscheinen.

»*Du* hast Blut gespendet?«

»So hat er Vampira kennengelernt, erinnerst du dich nicht mehr?«, hilft Al dem Gedächtnis seiner Frau auf die Sprünge. »Wenn die in Irland sagen ›Möchtest du ein Pint?‹, sollte man vorsichtig sein.«

»Sie heißt Sarah, nicht Vampira.«

»Du warst beim Blutspenden, um sie zu einem Date zu kriegen.« Doris verschränkt die Arme. »Tust du denn nie was Uneigennütziges zum Wohl der Menschheit? Immer alles nur für dich selbst?«

»Hey, ich habe ein Herz.«

»Das jetzt einen halben Liter leichter ist als vorher«, fügt Al hinzu.

»Ich hab auch eine Menge Zeit gespendet, um diversen Organisationen zu helfen – Colleges, Universitäten, Galerien –, wo man meine Fachkenntnis brauchen konnte. Was ich nicht machen muss, aber gern für andere tue.«

»Ja, und ich wette, du berechnest ihnen jedes Wort. Deshalb sagt er immer ›ach du liebe Zeit‹ statt ›Scheiße‹, wenn er sich den Zeh anstößt.«

Al und Doris halten sich den Bauch vor Lachen und schlagen sich gegenseitig vor Begeisterung auf den Rücken.

Justin holt tief Luft. »Wenden wir uns wieder den wichtigen Dingen zu. Wer schickt mir diese Karten und die Muffins, wer holt die Wäsche für mich aus der Reinigung?«

Wieder beginnt er zu wandern und an den Nägeln zu knabbern. »Vielleicht ist das Beas Vorstellung von einem Scherz. Sie ist die Einzige, mit der ich darüber gesprochen habe, dass man Dankbarkeit verdient hat, wenn man jemandem das Leben rettet.«

Bitte, lass es nicht Bea sein.

»Mann, was bist du egoistisch«, lacht Al.

»Nein«, widerspricht Doris und schüttelt so heftig den Kopf, dass ihre langen Ohrringe gegen ihre Wangen schlagen, während ihre zurückgekämmten, eingesprayten Haare so reglos bleiben wie ein Helm. »Bea will nichts mit dir zu tun haben, solange du dich nicht entschuldigst. Es lässt sich kaum in Worte fassen, wie sehr sie dich momentan hasst.«

»Na, danken wir Gott dafür«, meint Justin und beginnt wieder zu wandern. »Aber sie muss jemandem davon erzählt haben, sonst würde das jetzt nicht passieren. Doris, finde doch bitte heraus, mit wem Bea darüber gesprochen hat.«

»Ha«, macht Doris, reckt das Kinn und schaut weg. »Du hast vorhin ziemlich gemeine Dinge zu mir gesagt. Ich weiß nicht, ob ich dir helfen möchte.«

Justin fällt auf die Knie und rutscht zu ihr hinüber.

»Bitte, Doris, ich flehe dich an. Was ich gesagt habe, tut mir ehrlich leid. Ich hatte ja keine Ahnung, wie viel Zeit und Mühe du in meine Wohnung gesteckt hast. Obendrein habe ich dich sträflich unterschätzt. Ohne dich würde ich immer noch aus einem Zahnputzbecher trinken und aus einem Katzennapf essen.«

»Ja, das wollte ich dich auch schon fragen«, mischt Al sich in das Gesülze seines Bruders ein. »Du hast ja nicht mal 'ne Katze.«

»Ich bin also eine gute Innenarchitektin?«, will Doris wissen, das Kinn weiterhin hoch in der Luft.

»Eine großartige Innenarchitektin.«

»Wie großartig?«

»Großartiger als …« Justin zögert. »Großartiger als Andrea Palladio.«

Sie sieht nach rechts, sie sieht nach links. »Ist der besser als Ty Pennington?«

»Palladio ist ein italienischer Architekt des sechzehnten Jahrhunderts, und man hält ihn weithin für den einflussreichsten Menschen der westlichen Architekturgeschichte.«

»Oh. Na gut. Okay. Ich verzeihe dir.« Großzügig streckt sie ihm die Hand entgegen. »Gib mir dein Handy, dann rufe ich Bea an.«

Wenig später sitzen sie alle um den neuen Küchentisch und lauschen Doris' Hälfte des Telefongesprächs.

»Okay, Bea hat es Petey und der Kostüminspizientin erzählt, ihr wisst schon, die von *Schwanensee*. Und ihrem Vater.«

»Der Kostümbildnerin? Habt ihr noch das Programm?«

Doris verschwindet in ihrem Zimmer, erscheint mit dem Ballettprogramm wieder und beginnt darin zu blättern.

»Nein«, sagt Justin kopfschüttelnd, als er das Foto der Kostümbildnerin betrachtet. »Diese Frau hab ich gestern Abend getroffen, und sie ist es nicht. Aber ihr Vater war auch da? Den hab ich nicht gesehen.«

Al zuckt mit den Schultern.

»Tja, diese Leute sind nicht daran beteiligt, ich habe weder ihr Leben noch das ihres Vaters gerettet. Die fragliche Person muss entweder irisch oder in einem irischen Krankenhaus behandelt worden sein.«

»Vielleicht ist ihr Dad Ire, oder er war in Irland.«

»Gib mir mal das Programm, ich rufe im Theater an.«

»Justin, du kannst sie nicht einfach anrufen.« Doris will ihm das Programm wieder entreißen, aber er weicht geschickt aus. »Was willst du ihr denn sagen?«

»Ich muss nur wissen, ob ihr Vater Ire ist oder letzten Monat in Irland war. Den Rest improvisiere ich.«

Al und Doris wechseln besorgte Blicke, während er die Küche verlässt, um den Anruf zu machen.

»Bist du's gewesen?«, fragt Doris leise ihren Mann.

»Absolut nicht«, antwortet Al kopfschüttelnd, und seine Kinne schwabbeln heftig.

Fünf Minuten später kommt Justin zurück.

»Sie hat sich von gestern an mich erinnert, und es ist weder sie noch ihr Vater. Also hat Bea es entweder noch jemandem erzählt, oder … oder Peter steckt dahinter. Ich werde mir den Knaben mal vorknöpfen und …«

»Werd endlich erwachsen, Justin. Er hat nichts damit zu tun«, widerspricht Doris streng. »Du solltest woanders suchen. Ruf bei der Reinigung an, sprich mit dem Typen, der die Muffins geliefert hat.«

»Das hab ich doch schon. Die Muffins sind per Kreditkarte

bezahlt worden, aber die Daten des Eigentümers dürfen sie nicht herausgeben.«

»Dein Leben ist ein einziges großes Rätsel. Diese Joyce, die mysteriösen Lieferungen – ich finde, du solltest einen Privatdetektiv anheuern«, meint Doris. »Oh. Dabei fällt mir was ein«, ruft sie, kramt in ihrer Tasche und gibt Justin ein Stück Papier. »Wo wir grade von Privatdetektiven sprechen, ich hab hier was für dich, schon seit ein paar Tagen. Aber ich wollte nichts sagen, damit du nicht losrennst und dich endgültig zum Affen machst. Aber da du sowieso beschlossen hast, das zu tun, kann ich es dir auch geben. Hier.«

Sie überreicht ihm einen Zettel mit Joyce' Adresse und Telefonnummer.

»Ich hab die Auslandsauskunft angerufen und die Nummer von dieser Joyce angegeben, die letzte Woche auf Beas Telefon aufgetaucht ist. Und sie haben mir die dazugehörige Adresse gegeben. Versuch lieber, diese Frau zu finden, Justin. Vergiss den geheimen Lieferanten. Das ist doch alles sehr seltsam. Wer weiß, wer dir diese Kärtchen schickt? Konzentrier dich auf die Frau; eine nette gesunde Beziehung wäre das Beste für dich.«

Er liest den Zettel kaum, bevor er ihn in die Jackentasche steckt, gänzlich desinteressiert, mit den Gedanken schon anderswo.

»Du springst von einer Frau zur nächsten, richtig?« Doris mustert ihn durchdringend.

»Hey, es könnte auch diese Joyce sein, die dir die Karten schickt«, gibt Al zu bedenken.

Doris und Justin sehen ihn an und verdrehen die Augen.

»Mach dich nicht lächerlich, Al«, sagt Justin wegwerfend. »Ich bin ihr in einem Friseursalon begegnet. Wer sagt überhaupt, dass es eine Frau ist, die das Ganze veranstaltet?«

»Na ja, das ist doch wohl offensichtlich«, erwidert Al. »Weil du ein Muffinkörbchen gekriegt hast.« Er rümpft die Nase. »Nur eine Frau kommt auf die Idee, jemandem einen Korb mit

Muffins zu schicken. Oder ein Schwuler. Und er oder sie – oder vielleicht eine Mischung – kann Kalligraphie, was meine Theorie noch unterstützt. Frau, Homo oder Transe«, fasst er zusammen.

»*Ich* war aber derjenige, der auf die Idee mit dem Muffinkorb gekommen ist«, schnaubt Justin. »Und ich verstehe auch was von Kalligraphie.«

»Ja, wie gesagt: Frau, Homo oder Transe«, grinst Al.

Ärgerlich wirft Justin die Hände in die Luft und lässt sich in seinen Stuhl zurücksinken. »Ihr beide seid mir keine große Hilfe.«

»Hey, ich weiß, wer dir helfen könnte«, meint Al und setzt sich auf.

»Wer denn?« Justin stützt das Kinn in die Faust und macht ein gelangweiltes Gesicht.

»Vampira«, antwortet Al mit hohler Stimme.

»Die hab ich auch schon gefragt. Aber ich durfte mir bloß meine eigenen Blutdetails in der Datenbank anschauen. Nichts darüber, wer meine Spende gekriegt hat. Sie will mir nicht sagen, wo mein Blut hingekommen ist, und sie wird überhaupt nie wieder mit mir sprechen.«

»Weil du abgehauen und einem Wikingerbus nachgerannt bist?«

»Das hat jedenfalls was damit zu tun.«

»Himmel, Justin, du hast echt eine tolle Art, mit Frauen umzugehen.«

»Na ja, wenigstens gibt es einen Menschen, der findet, dass ich was richtig mache.« Er starrt auf die beiden Karten, die er mitten auf den Tisch gelegt hat.

Wer bist du?

»Du musst Sarah ja nicht direkt fragen. Vielleicht kannst du ein bisschen in ihrem Büro rumschnüffeln«, meint Al und wird schon ganz aufgeregt.

»Nein, das wäre nicht richtig«, entgegnet Justin, wenn auch nicht sonderlich überzeugend. »Damit könnte ich mir einen

Mordsärger einhandeln. Und *ihr* auch. Außerdem hab ich sie sowieso schon blöd behandelt.«

»Aber es wäre doch total nett von dir, bei ihr im Büro vorbeizuschauen und dich bei ihr zu entschuldigen«, meint Doris listig. »Als Freund.«

Langsam breitet sich ein Lächeln auf ihren Gesichtern aus.

»Aber kannst du denn nächste Woche einen Tag freinehmen, um nach Dublin zu fahren?«, fragt Doris und durchbricht damit den Augenblick gemeinschaftlicher Durchtriebenheit.

»Ich habe schon eine Einladung von der National Gallery in Dublin angenommen, dort einen Vortrag über ter Borchs *Briefschreiberin* zu halten«, erzählt Justin aufgeregt.

»Was ist das für ein Gemälde?«

»Eins mit einer Frau, die einen Brief schreibt, du Sherlock«, schnaubt Doris.

»Wie spannend«, meint Al und rümpft die Nase. Dann lehnen er und Doris sich zurück und sehen zu, wie Justin immer wieder die paar Worte auf den Karten liest, in der Hoffnung, einen versteckten Geheimcode darin zu entdecken.

»*Der Kartenleser*«, sagt Al schließlich großkotzig. »Es darf diskutiert werden.«

Als er und Doris haltlos zu lachen anfangen, steht Justin auf und verlässt das Zimmer.

»Hey, wo willst du denn hin?«

»*Der Flugbucher*«, erklärt er und zwinkert ihnen zu.

Einunddreißig

Um Viertel nach sieben am nächsten Morgen bleibt Justin auf dem Weg zur Arbeit, die Hand schon auf der Klinke, wie angewurzelt an der Wohnungstür stehen.

»Justin, wo ist Al? Er war nicht im Bett, als ich aufgewacht bin«, ertönt eine verschlafene Stimme, und Doris schlurft in Hausschuhen und Bademantel aus ihrem Zimmer. »Was in aller Welt tust du denn da, du komischer kleiner Mann?«

Justin legt den Finger auf die Lippen, um sie zum Schweigen zu bringen, und deutet mit einer Kopfbewegung zum Fenster.

»Ist der Blutspendemensch da draußen?«, flüstert sie aufgeregt, kickt ihre Hausschuhe weg und schleicht mit übertriebenen Bewegungen wie eine Comicfigur auf Zehenspitzen zu ihm an die Tür.

Er nickt heftig.

Sie drücken beide ein Ohr an die Tür, und Doris' Augen werden groß. *»Ich kann ihn hören!«*, formt sie mit den Lippen.

»Okay, bei drei«, flüstert er zurück, und gemeinsam zählen sie lautlos, aber mit deutlichen Mundbewegungen *Eins, zwei …* Bei drei reißt Justin mit voller Kraft die Tür auf. »Ha! Erwischt!«, ruft er, geht in Angriffspose und streckt den Zeigefinger dabei mit mehr Aggression aus als beabsichtigt.

»Aaaah!«, schreit der Postbote erschrocken und lässt mehrere Umschläge fallen, die neben Justins Füßen landen. Gleichzeitig schleudert er Justin ein Päckchen entgegen und hält sich ein zweites schützend vor den Kopf.

»Aaaah!«, schreit auch Doris.

Justin krümmt sich, da das Päckchen schmerzhaft seine Leistengegend trifft, fällt auf die Knie, wird knallrot im Gesicht und schnappt nach Luft.

Keuchend pressen sich alle Beteiligten die Hand auf die Brust.

Der Postbote verharrt in gebückter Stellung, die Knie gebeugt, den Kopf hinter dem Päckchen.

»Justin!«, ruft Doris, hebt einen der Umschläge auf und schlägt Justin damit auf den Arm. »Du Idiot! Es ist bloß der Postbote!«

»Ja«, stößt Justin hervor. »Das sehe ich jetzt auch.« Er braucht einen Moment, um sich einigermaßen zu fassen. »Alles in Ordnung, Sir, Sie können das Päckchen jetzt runternehmen. Tut mir leid, dass ich sie erschreckt habe.«

Langsam lässt der Mann das Päckchen sinken und blickt Justin ängstlich und verwirrt an. »Was sollte das denn bitte?«

»Ich dachte, Sie wären jemand anderes. Tut mir wirklich leid, ich hab erwartet, dass …« Er schaut auf die Umschläge am Boden. Lauter Rechnungen. »Ist sonst nichts für mich dabei?«

Auf einmal fängt sein linker Arm wieder mückenstichartig an zu jucken, wie er das in letzter Zeit häufiger tut. Er kratzt sich. Zuerst nur ganz leicht, und er klopft auf die Armbeuge, um das Jucken so zu vertreiben. Aber davon wird es nur stärker, und er gräbt die Nägel in die Haut und kratzt. Schweißperlen erscheinen auf seiner Stirn.

Der Postbote schüttelt den Kopf und geht vorsichtig ein Stück zurück.

»Hat Ihnen vielleicht jemand etwas gegeben, was Sie an mich ausliefern sollen?« Justin richtet sich wieder auf und geht ein Stück auf den Mann zu. Ohne es zu beabsichtigen, wirkt er bedrohlich.

»Nein! Ich hab doch schon nein gesagt«, beteuert der Postbote und eilt die Treppe hinauf.

Verwirrt schaut Justin ihm nach.

»Lass den Mann in Ruhe. Deinetwegen hatte er ja schon fast einen Herzanfall.« Doris hebt weiter die Umschläge auf. »Wenn du dem echten Blutspendemenschen so gegenübertrittst, wirst du ihn jedenfalls mit Sicherheit verscheuchen. Falls du ihm jemals begegnest, solltest du dein ›Ha! Erwischt!‹-Manöver vielleicht nochmal überdenken.«

Justin zieht den Ärmel seines Hemds hoch und betrachtet die juckende Stelle. Eigentlich hat er rote Knötchen, eine Schwellung oder einen Ausschlag erwartet, aber auf seiner Haut ist nichts zu sehen außer den Kratzern, die er sich selbst zu verdanken hat.

»Nimmst du irgendwas?«, fragt Doris mit zusammengekniffenen Augen.

»Nein!«

Mit einem gewichtigen Räuspern schlurft sie zurück in die Küche. »Al?« ruft sie, und ihre Stimme hallt in der Küche wider. »Wo bist du?«

»Hilfe! Kann mir bitte jemand helfen!«, erklingt in diesem Moment Als Stimme, weit weg und gedämpft, als hätte ihm jemand eine Socke in den Mund gestopft.

Erschrocken schnappt Doris nach Luft. »Baby?« Sofort rennt sie in die Küche zurück, dann hört Justin, wie sie die Kühlschranktür aufreißt. »Al?« Sie steckt die Nase in den Kühlschrank. Kopfschüttelnd kehrt sie ins Wohnzimmer zurück, und nun weiß Justin wenigstens, dass sein Bruder nicht im Kühlschrank zu finden ist.

Justin verdreht die Augen. »Er ist draußen, Doris.«

»Dann steh hier nicht rum und glotz, sondern hilf ihm lieber!«

Gehorsam öffnet Justin die Tür, und da sitzt Al, zusammengesackt am Fuß der Treppe. Um seinen verschwitzten Kopf trägt er im Rambo-Stil eines von Doris' knallorangefarbenen Stirnbändern, sein T-Shirt ist klatschnass, Schweiß läuft ihm in Strömen übers Gesicht, seine elastanbekleideten Beine sind unter ihm gefaltet, offensichtlich in der gleichen Position, in der er zusammengeklappt ist.

Doris zwängt sich ziemlich aggressiv an Justin vorbei, saust zu Al und fällt vor ihm auf die Knie. »Baby? Alles in Ordnung? Bist du die Treppe runtergefallen?«

»Nein«, antwortet er schwach, das Kinn auf der Brust.

»Heißt nein: ›Es ist nicht alles in Ordnung‹, oder: ›Du bist nicht die Treppe runtergefallen‹?«

»Das Erste«, antwortet er matt. »Nein, das Zweite. Warte mal, was war denn das Erste?«

Sie schreit ihn an, als wäre er taub. »Das Erste war, ob mit dir alles in Ordnung ist. Und das Zweite, ob du die Treppe runtergefallen bist.«

»Nein«, antwortet er erneut und lässt den Kopf nach hinten rollen, sodass er an der Wand lehnt.

»Nein auf welche Frage? Soll ich den Krankenwagen rufen? Brauchst du einen Arzt?«

»Nein.«

»Nein was, Baby? Komm schon, schlaf mir nicht ein, bleib gefälligst hier.« Sie ohrfeigt ihn liebevoll. »Du darfst nicht ohnmächtig werden.«

An den Türrahmen gelehnt, beobachtet Justin die beiden. Er weiß, dass mit seinem Bruder nichts Schlimmes los ist, abgesehen von seiner mangelnden Fitness. Er geht in die Küche, um ihm ein Glas Wasser zu holen.

»Mein Herz …« Als Justin zurückkommt, ist Al in Panik verfallen. Er krallt mit den Händen auf der Brust herum, ringt nach Atem, verdreht den Kopf und schnappt nach Luft wie ein Fisch im Aquarium nach dem Futter.

»Hast du einen Herzinfarkt?«, kreischt Doris.

Justin seufzt. »Nein, er hat keinen …«

»Hör auf damit, Al!«, wird er sofort von Doris unterbrochen, die ihren Mann immer lauter anschreit. »Wag es nicht, einen Herzanfall zu haben, hörst du?« Sie hebt eine Zeitung vom Boden auf und schlägt Al bei jedem Wort damit auf den Arm. »Wag es nicht, denk nicht mal dran, vor mir zu sterben, Al Hitchcock!«

»Au«, jammert er und reibt sich den Arm. »Das tut weh.«

»Hey, hey, hey!«, geht Justin dazwischen. »Gib mir die Zeitung, Doris.«

»Nein!«

»Wo hast du die überhaupt her?« Er versucht sie ihr zu entreißen, aber sie weicht ihm jedes Mal geschickt aus.

»Sie lag einfach da, hier neben Al«, erklärt sie achselzuckend. »Der Zeitungsjunge hat sie gebracht.«

»Es gibt hier aber überhaupt keine Zeitungsjungen«, entgegnet er.

»Dann gehört sie wahrscheinlich Al.«

»Und hier ist auch der Coffee-to-go«, bringt Al schließlich heraus.

»Wie bitte?«, schreit Doris so laut, dass im Nachbarhaus ein Fenster geräuschvoll zugeschlagen wird. »Du hast einen Kaffee gekauft?«, wieder beginnt sie mit der Zeitung auf ihn einzuschlagen. »Kein Wunder, dass du stirbst!«

»Hey!«, protestiert er schwach und verschränkt schützend die Arme vor der Brust. »Das Zeug gehört nicht mir. Es stand schon vor der Tür, als ich angekommen bin.«

»Ja, es gehört nämlich mir.« Endlich gelingt es Justin, Doris die Zeitung zu entreißen und auch den Kaffee zu greifen, der neben Al auf dem Boden steht.

»Keine Karte dabei«, bemerkt Doris, kneift die Augen zusammen und schaut von Al zu Justin. »Wenn du versuchst, deinen Bruder in Schutz zu nehmen, wird ihn das auf lange Sicht umbringen, das weißt du.«

»Dann mach ich es in Zukunft häufiger«, brummt er, während er die Zeitung schüttelt, in der Hoffnung, dass eine Karte rausfällt. Dann untersucht er den Kaffeebecher. Nichts. Trotzdem ist er sicher, dass die beiden Dinge für ihn sind und dass der Mensch, der sie gebracht hat, noch nicht sehr weit weg sein kann. Er betrachtet die Titelseite. Über der Schlagzeile, in der oberen Ecke, entdeckt er die Anweisung: »Seite 42.«

Er kann die Zeitung gar nicht schnell genug aufschlagen und kämpft verzweifelt mit den riesigen Blättern, um zu Seite 42 vorzudringen. Endlich hat er es geschafft – es sind die Inserate. Rasch überfliegt er die Werbungen und Geburtstagsgrüße und will die Zeitung gerade enttäuscht wieder zusammenfalten, um in Doris' Ermahnungen einzustimmen, dass Al der Koffeinsucht abschwören muss, da entdeckt er es.

> In ewiger Dankbarkeit grüße ich Justin Hitchcock, der mir das Leben gerettet hat. Danke.

Justin wirft den Kopf in den Nacken und lacht laut los. Überrascht starren Doris und Al ihn an.

»Al«, sagt Justin und geht vor seinem Bruder in die Hocke. »Jetzt musst du mir bitte helfen.« Seine Stimme klingt dringlich, mal hoch, mal tief vor lauter Aufregung. »Hast du jemanden gesehen, als du zum Haus zurückgejoggt bist?«

»Nein.« Al schaukelt müde hin und her. »Ich kann nicht richtig denken.«

»Versuch es!«, befiehlt Doris streng und gibt ihm noch eine Ohrfeige.

»Das ist wirklich nicht nötig, Doris.«

»Das machen sie aber immer im Kino, wenn sie Informationen brauchen. Los, sag es ihm, Baby.« Sie knufft Al in die Rippen, aber schon etwas sanfter.

»Ich weiß nicht«, antwortet Al kläglich.

»Du machst mich krank«, knurrt sie in sein Ohr.

»Ehrlich, Doris, du bist grade gar nicht hilfreich.«

»Na gut«, meint sie und schlägt die Arme übereinander. »Aber bei *CSI* funktioniert es.«

»Als ich zum Haus gekommen bin, konnte ich nicht mehr atmen, geschweige denn sehen. Ich erinnere mich an niemanden. Tut mir leid, Bruderherz. Mann, ich hatte solche Angst. Diese schwarzen Punkte vor meinen Augen, ich konnte gar nicht mehr richtig sehen, mir war ganz schwindlig und …«

»Okay!« Justin springt auf und rennt die Treppe in den Garten hinauf. Dann läuft er zum Gartentor und späht die Straße hinauf und hinunter. Inzwischen ist es halb acht und deutlich mehr los: Menschen verlassen ihre Häuser und machen sich auf den Weg zur Arbeit, der Verkehrslärm hat merklich zugenommen.

»DANKE!«, brüllt Justin aus voller Kehle. Ein paar Leute drehen sich nach ihm um, aber die meisten halten den Kopf gesenkt, denn ein leichter Londoner Oktoberregen hat zu fallen begonnen, und es lohnt sich nicht, Regen in die Augen zu kriegen, nur weil mal wieder ein Mann an einem Montagmorgen den Verstand verliert.

»ICH FREU MICH SCHON DRAUF, DIE HIER ZU LE-SEN!« Er wedelt mit der Zeitung in der Luft herum und schreit die Straße hinauf und hinunter, damit man ihn aus allen Richtungen hören kann.

Was sagt man denn zu jemandem, dem man das Leben gerettet hat? Irgendwas Tiefsinniges sollte es sein. Was Lustiges. Was Philosophisches.

»ICH BIN FROH, DASS SIE LEBEN!«, ruft er.

»Oh, danke«, sagt eine Frau, die mit gesenktem Kopf an ihm vorbeihastet.

»ÄH, MORGEN BIN ICH NICHT HIER!« Pause. »FALLS SIE NOCH WAS PLANEN.« Er hebt den Kaffeebecher hoch in die Luft und schwenkt ihn so heftig herum, dass ein paar Tröpfchen aus der Trinköffnung springen und ihm die Hand verbrennen. Der Kaffee ist noch heiß. Wer es auch war, er kann noch nicht lange weg sein.

»ÄH, ICH NEHME MORGEN FRÜH DEN ERSTEN FLUG NACH DUBLIN. SIND SIE VON DA?«, ruft er weiter in den Wind. Die Brise zupft an den Herbstblättern, und sie stürzen sich mit ihren Fallschirmchen zu Boden, wo sie im vollen Schwung landen und erst zur Ruhe kommen, wenn sie ein ruhiges Plätzchen gefunden haben.

»JEDENFALLS VIELEN DANK NOCHMAL!« Noch einmal winkt er mit der Zeitung und macht dann kehrt in Richtung Haus.

Doris und Al stehen oben an der Treppe, mit verschränkten Armen und besorgten Gesichtern. Zwar ist Al wieder zu Atem gekommen und hat sich einigermaßen beruhigt, aber er hält sich vorsichtshalber am schmiedeeisernen Zaun fest.

Justin klemmt die Zeitung unter den Arm, richtet sich auf und versucht so respektabel auszusehen wie möglich. Mit den Händen in den Taschen schlendert er zum Haus zurück. Als er in der Tasche auf ein Stück Papier stößt, holt er es heraus und liest es rasch, ehe er es zerknüllt und in den Container wirft. Er hat einem Menschen das Leben gerettet, genau wie er es sich ausgemalt hat, und jetzt muss er sich auf das Wichtigste konzentrieren. Rasch geht er in die Wohnung, so würdevoll er eben kann.

Am Boden des Containers, zwischen mehreren Rollen abgenutztem, miefigem Teppich, zerschlagenen Ziegeln, Farbeimern und Gips, liege ich in einer ausrangierten Badewanne und horche, wie die Stimmen sich zurückziehen und die Wohnungstür endlich ins Schloss fällt.

Ein zusammengeknäultes Stück Papier ist dicht neben mir gelandet, und als ich danach greife, stoße ich mit der Schulter einen zweibeinigen Hocker um, der vorhin, als ich in aller Eile in den Container gesprungen bin, auf mich gefallen ist. Ich orte den Zettel und streiche ihn glatt. Wieder fängt mein Herz an, im Rumbarhythmus zu schlagen, denn ich entdecke darauf, hastig hingekritzelt, meinen Vornamen, Dads Adresse und seine Telefonnummer.

Zweiunddreißig

»Wo in aller Welt warst du denn? Was war los, Gracie?«

»Joyce«, antworte ich atemlos. Farbbekleckert und staubig bin ich soeben ins Hotelzimmer gestürzt. »Ich hab keine Zeit für Erklärungen.« So schnell ich kann, werfe ich meine dreckigen Klamotten in den Koffer, nehme mir was zum Wechseln und renne an Dad vorbei ins Badezimmer.

»Ich hab versucht, dich am Handtelefon zu erreichen«, ruft Dad mir nach.

»Ja? Ich hab es gar nicht klingeln hören«, erwidere ich, während ich mich in meine Jeans quetsche, auf einem Fuß herumhopse, die Hose mühsam hochziehe und mir gleichzeitig auch noch die Zähne putze.

Ich höre, wie Dad etwas sagt. Aber ich verstehe kein Wort.

»Kann dich nicht hören, putze mir grade die Zähne!«

Schweigen. Als ich fertig bin, gehe ich zurück zu ihm, und er redet einfach weiter, als hätten wir zwischendurch nicht fünf Minuten geschwiegen.

»Weil es nämlich hier im Zimmer geklingelt hat, als ich es angerufen habe. Es lag auf deinem Kopfkissen. Wie die kleinen Schokoladentäfelchen, die die netten Ladys hier immer hinlegen.«

»Oh. Okay.« Ich steige über seine Beine, um an die Frisierkommode zu kommen, und frische mein Make-up auf.

»Ich hab mir Sorgen um dich gemacht«, sagt er leise.

»Das wäre nicht nötig gewesen«, versichere ich ihm und hüpfe dabei auf einem Fuß durchs Zimmer, weil ich meinen zweiten Schuh nicht finden kann.

»Schließlich hab ich unten an der Rezeption angerufen, um zu sehen, ob die wissen, wo du bist.«

»Und?« Für den Augenblick gebe ich die Suche nach dem Schuh auf und konzentriere mich auf meine Ohrringe. Gar nicht so einfach, denn meine Finger zittern von dem ganzen durch die Justin-Situation freigesetzten Adrenalin und scheinen außerdem auch noch größer und dicker geworden zu sein. Prompt fällt mir einer der Stecker auf den Boden. Ich gehe auf alle viere, um ihn zu suchen.

»Dann bin ich die Straße rauf und runter gegangen, hab in all den Geschäften nachgeschaut, von denen ich weiß, dass du sie magst, und die Leute nach dir gefragt.«

»Wirklich?«, frage ich geistesabwesend, und wie ich so auf den Knien herumrutsche, spüre ich sogar durch meine Jeans die verbrannten Stellen auf dem Teppich.

»Ja«, sagt er leise.

»Aha! Ich hab ihn!« Direkt neben dem Papierkorb unter der Frisierkommode liegt das Ding. »Aber wo zum Henker ist mein Schuh?«

»Und unterwegs«, fährt Dad fort, und ich halte meinen Ärger zurück, »unterwegs bin ich einem Polizisten begegnet, und dem hab ich dann gesagt, dass ich mir große Sorgen mache, und er ist mit mir zurück zum Hotel gegangen und meinte, ich soll hier auf dich warten, ihn aber unbedingt anrufen, wenn du nach vierundzwanzig Stunden noch nicht wieder da bist.«

»Oh, das war aber nett von ihm.« Ich öffne den Schrank, immer noch auf der Suche nach meinem Schuh, und finde darin noch lauter Sachen von Dad. »Dad!«, rufe ich. »Du hast deinen anderen Anzug vergessen. Und deinen guten Pullover!«

Ich sehe ihn an, und zum ersten Mal, seit ich das Zimmer betreten habe, fällt mir auf, wie bleich er ist. Wie alt er wirkt in diesem modernen, seelenlosen Hotelzimmer. Auf die Kante des schmalen Betts gekauert, in seinem dreiteiligen Anzug, die Mütze neben sich auf der Decke, den Koffer gepackt, beziehungsweise halb gepackt vor sich. In der einen Hand das Foto von Mum, in der anderen die Karte, die der Polizist ihm gegeben hat. Seine Hände zittern, seine Augen sind rot und sehen entzündet aus.

»Dad«, sage ich, und ich spüre, dass ich panisch werde. »Dad, ist alles in Ordnung mit dir?«

»Ich hab mir Sorgen gemacht«, wiederholt er mit dem schwachen Stimmchen, das ich fast völlig ignoriert habe, seit ich ins Zimmer gekommen bin. Er schluckt schwer. »Ich wusste nicht, wo du bist.«

»Ich habe einen Freund besucht«, sage ich leise und setze mich zu ihm aufs Bett.

»Oh. Na ja, der Freund hier hat sich Sorgen gemacht«, meint er mit einem kleinen Lächeln. Ein schwaches Lächeln, und wieder durchzuckt mich die Erkenntnis, wie zerbrechlich er ist. Er sieht aus wie ein alter Mann. Seine übliche Haltung, seine gut gelaunte Art scheinen verschwunden zu sein. Rasch ist sein Lächeln wieder verblasst, und seine Hände, die sonst so zuverlässig und fest sind, stopfen zitternd den Rahmen mit Mums Bild und die Karte des Polizisten in seine Manteltasche.

Ich betrachte sein Köfferchen. »Hast du selbst gepackt?«

»Ich hab's versucht. Dachte, ich hab alles.« Verlegen wendet er den Blick von der offenen Schranktür ab.

»Okay, schauen wir mal rein, was wir da haben.« Als ich meine Stimme höre, erschrecke ich, weil ich mit ihm rede wie mit einem kleinen Kind.

»Haben wir überhaupt noch Zeit?«, fragt er. Seine Stimme ist so leise, dass ich das Gefühl habe, ich muss meine dämpfen, damit ich seine nicht zerbreche.

»Ja«, antworte ich, aber meine Augen füllen sich mit Tränen, während ich heftiger als beabsichtigt hinzufüge: »Wir haben alle Zeit der Welt, Dad.«

Dann schaue ich schnell weg und verhindere, dass meine Tränen überlaufen, indem ich Dads Koffer aufs Bett hebe und mich zusammenzureißen versuche. Alltäglichkeiten, das Gewöhnliche, das Banale – das ist es, was den Motor am Laufen hält. Wie ungewöhnlich das Gewöhnliche in Wirklichkeit ist. Letztlich ein Werkzeug, das wir alle benutzen, um weitermachen zu können, eine Schablone für unsere geistige Gesundheit.

Als ich den Koffer aufmache, spüre ich, wie ich wieder die Fassung zu verlieren drohe, aber ich rede weiter und klinge dabei wahrscheinlich wie eine desillusionierte Vorstadt-Fernsehmama aus den sechziger Jahren, die ihr Mantra wiederholt: Alles ist wunderbar, alles ist famos. Mit viel »Du meine Güte« und »Ach, was soll's« arbeite ich mich durch den Koffer, in dem das pure Chaos herrscht. Eigentlich dürfte mich das nicht überraschen, denn Dad hat in seinem ganzen Leben noch nie einen Koffer gepackt. Ich glaube, was mich so mitnimmt, ist, dass er mit seinen fünfundsiebzig Jahren, zehn Jahre nach dem Tod seiner Frau, mit so etwas offensichtlich immer noch nicht zurechtkommt. Vielleicht hat ihn ja auch die Tatsache, dass ich weg war, so durcheinandergebracht. Mein Dad, der groß und stark ist wie eine Eiche, unerschütterlich wie ein Fels in der Brandung, scheitert an etwas so Einfachem wie Kofferpacken. Jetzt sitzt er auf der Bettkante und dreht seine Kappe in den knorrigen Händen, immer rundherum, Leberflecken wie eine Giraffe, und die Finger zittern in der Luft, als wollten sie auf einem unsichtbaren Griffbrett das Vibrato in meinem Kopf kontrollieren.

Der Versuch, Kleidungsstücke zusammenzulegen, ist fehlgeschlagen, stattdessen sind zerknitterte Knäuel im Koffer, die gut von einem Kind hineingestopft worden sein könnten. In ein Handtuch gewickelt finde ich meinen verlorenen Schuh. Ohne etwas zu sagen, packe ich ihn aus und schlüpfe hinein, als wäre es das Normalste der Welt. Die Handtücher wandern dorthin zurück, wo sie hingehören. Ich falte und packe neu. Schmutzige Unterhosen, Socken, Schlafanzug, Unterhemden, Kulturbeutel.

Ich drehe mich um, nehme seine restlichen Sachen aus dem Schrank und hole tief Luft.

»Wir haben alle Zeit der Welt, Dad«, wiederhole ich. Aber diesmal sage ich es hauptsächlich mir selbst.

In der U-Bahn zum Flughafen schaut Dad ständig auf die Uhr und rutscht unruhig auf seinem Platz herum.

»Hast du einen wichtigen Termin?«, erkundige ich mich lächelnd.

»Den Monday Club«, antwortet er und schaut mich besorgt an. Er hat noch nie einen Clubabend verpasst, nicht mal, als ich in der Klinik war.

»Aber bis dahin schaffen wir's doch locker.«

Er hibbelt weiter herum. »Ich möchte den Flug auf keinen Fall verpassen. Nachher bleiben wir hier irgendwo stecken.«

»Ach, ich glaube, wir schaffen es«, meine ich ermutigend und verbeiße mir ein Lächeln. »Es gibt auch mehr als einen Flug am Tag, weißt du.«

»Na gut.« Er macht ein erleichtertes und sogar beeindrucktes Gesicht. »Vielleicht reicht es ja sogar noch zur Abendmesse. Oh, im Club werden sie gar nicht glauben wollen, was ich zu erzählen habe«, meint er aufgeregt. »Donal fällt bestimmt tot um, wenn zur Abwechslung mal alle mir zuhören und nicht ihm.« Er lehnt sich zurück und schaut aus dem Fenster in die Finsternis des U-Bahn-Schachts. Er starrt in die schwarze Dunkelheit, ohne sein Spiegelbild zu bemerken. Es ist, als würde er ganz woandershin blicken und jemanden sehen, der weit weg ist, weit in der Vergangenheit. Während er in seiner anderen Welt weilt oder vielleicht auch in der gleichen Welt, aber in einer anderen Zeit, hole ich mein Handy heraus und plane meinen nächsten Schritt.

»Frankie, ich bin's. Justin Hitchcock nimmt den ersten Flug morgen früh nach Dublin, und ich muss wissen, was er dann tut.«

»Und wie soll ich das herausfinden, Frau Professor Doktor Conway?«

»Ich dachte, du hast da bestimmt deine Methoden.«

»Richtig, die hab ich. Aber ich dachte, du bist die Hellseherin.«

»Ich bin ganz bestimmt keine Hellseherin, und ich habe keinerlei Eingebungen, wo er vielleicht hingehen könnte.«

»Lassen deine magischen Kräfte etwa nach?«

»Ich habe keine magischen Kräfte.«

»Wie auch immer. Gib mir eine Stunde, ich melde mich dann bei dir.«

Zwei Stunden später, als Dad und ich gerade ins Flugzeug steigen wollen, trudelt der Anruf ein.

»Er ist morgen um halb elf in der National Gallery. Er hält einen Vortrag über ein Gemälde mit dem Titel *Die Briefschreiberin*. Wie *spannend*«, verkündet Frankie.

»Oh, das ist es auch. Eins von ter Borchs schönsten Bildern. Meiner Meinung nach jedenfalls.«

Schweigen.

»Du hast das ironisch gemeint, stimmt's?«, hake ich nach, als mir klar wird, dass sie mein neu erwachtes Interesse ganz sicher nicht teilt. »Okay. Hat dein Onkel Tom eigentlich immer noch diese Firma?«, erkundige ich mich dann mit einem schelmischen Grinsen, und Dad schaut mich neugierig an.

»Was hast du vor?«, fragt er argwöhnisch, als ich das Gespräch beendet habe.

»Ich will ein bisschen Spaß haben.«

»Solltest du eigentlich nicht zurück zur Arbeit? Du bist seit Wochen nicht mehr dort gewesen. Und als du heute Vormittag weg warst, hat Conor auf deinem Handtelefon angerufen, ich hab ganz vergessen, es dir zu sagen. Er ist in Japan, aber ich konnte ihn gut verstehen«, berichtet er, beeindruckt von Conors Fähigkeiten oder vielleicht auch von der Telefongesellschaft oder von beidem. »Er wollte wissen, warum im Garten vor dem Haus noch kein Schild steht, dass es zu verkaufen ist. Er meinte, es ist deine Sache, dafür zu sorgen.«

Er sieht besorgt aus, als hätte ich irgendeine uralte Regel gebrochen und müsste damit rechnen, dass das Haus in die Luft fliegt, weil ich kein Schild davor aufgestellt habe.

»Oh, ich hab es nicht vergessen«, entgegne ich. Conors Anruf macht mich ärgerlich. »Aber ich verkaufe es selbst. Morgen habe ich den ersten Besichtigungstermin.«

Unsicher schaut Dad mich an, und ich kann sein Zögern verstehen, weil ich nämlich das Blaue vom Himmel runterlüge. Aber ich brauche nur meine Unterlagen durchzugehen und die Klienten auf meiner Liste anzurufen, von denen ich weiß, dass sie diese Art von Haus suchen. Aus dem Stegreif fallen mir gleich mehrere ein.

»Weiß deine Firma davon?«, fragt er und kneift die Augen zusammen.

»Ja«, antworte ich mit einem gezwungenen Lächeln. »Sie können innerhalb von ein paar Stunden Fotos machen und das Schild aufstellen. Ich kenne genug Leute in der Immobilienbranche.«

Er rollt mit den Augen.

Dann sehen wir beide beleidigt weg, und damit ich nicht mehr das Gefühl haben muss zu lügen, schicke ich, während wir uns in der Schlange langsam aufs Flugzeug zubewegen, ein paar SMS an Kunden, denen ich vor meiner Auszeit Häuser gezeigt habe, um zu sehen, ob sie vielleicht an einer Besichtigung interessiert sind. Dann bitte ich den Fotografen meines Vertrauens, ein paar Bilder von meinem Haus zu machen. Als wir unsere Plätze einnehmen, habe ich bereits die Fotos und das Schild für heute arrangiert und einen Besichtigungstermin für morgen. Ein Ehepaar interessiert sich für das Objekt, beide Lehrer an der örtlichen Schule, und sie wollen es sich morgen in der Mittagspause anschauen. Die SMS endet mit dem obligatorischen: »Tat mir sehr leid zu hören, was passiert ist. Hab an Sie gedacht. Bis morgen dann, Linda xxx.«

Ich lösche die Nachricht sofort.

Dad sieht zu, wie mein Daumen in Höchstgeschwindigkeit über die Tasten meines Handys saust. »Willst du ein Buch schreiben?«

Aber ich ignoriere ihn.

»Du wirst Arthritis im Daumen kriegen, wenn du so weitermachst, und das ist kein Vergnügen, glaub mir.«

Ich drücke auf »Senden« und stelle das Handy aus.

»Du hast wirklich nicht gelogen wegen dem Haus?«, hakt er nach, als wir nebeneinander im Flugzeug sitzen.

»Nein«, antworte ich, und jetzt klingt es überzeugend.

»Na ja, das hab ich nicht gewusst. Ich wusste nicht, was ich Conor sagen soll.«

Ein Punkt für mich.

»Schon gut, Dad, du brauchst nicht zu denken, dass du da mittendrinsteckst und reagieren musst.«

»Ich bin aber mittendrin.«

Ein Punkt für ihn.

»Aber nur, weil du an mein Handy gegangen bist.«

Zwei zu eins für mich.

»Du warst den ganzen Morgen verschwunden – was hätte ich denn machen sollen – es ignorieren?«

Zwei beide.

»Er hat sich Sorgen gemacht deinetwegen«, fährt er fort. »Er meint, du solltest dir Hilfe suchen. Bei einem Profi.«

Na toll.

»Ach wirklich?« Ich verschränke die Arme vor der Brust. Am liebsten würde ich Conor auf der Stelle anrufen und ihm all die Dinge an den Kopf werfen, die ich an ihm hasse und die mich schon immer genervt haben. Dass er sich die Zehennägel im Bett geschnitten hat, dass er jeden Morgen die Nase putzt, und zwar so laut, dass das ganze Haus wackelt. Dass er anderen Leuten ständig ins Wort fällt. Sein blöder Partytrick mit der Münze, den ich schon beim ersten Mal nicht lustig fand, auch wenn ich mir immer ein Lachen abgerungen habe. Seine Unfähigkeit, sich hinzusetzen und sich mit mir vernünftig über unsere Probleme zu unterhalten. Dass er ständig einfach abgedampft ist, wenn wir uns gestritten haben … Dad unterbricht meine lautlose Conor-Folter.

»Er hat gesagt, du hast ihn mitten in der Nacht angerufen und Latein gebrabbelt.«

»Wirklich?« Die Wut steigt weiter. »Was hast du dazu gesagt?«

Er schaut aus dem Fenster, während das Flugzeug auf der Startbahn Tempo zulegt.

»Ich hab ihm gesagt, dass du auch einen ganz hübschen fließend Italienisch sprechenden Wikinger abgegeben hast.« Auf einmal sehe ich, wie sein Gesicht sich verzieht, und auch ich werfe den Kopf zurück und lache.

Ausgleich.

Unvermittelt greift er nach meiner Hand. »Danke für die Reise, Liebes. Ich fand es wunderbar.« Er drückt meine Hand und blickt dann wieder aus dem Fenster, wo die grünen Wiesen neben dem Rollfeld an uns vorüberrasen.

Da er meine Hand nicht loslässt, lege ich meinen Kopf auf seine Schulter und schließe die Augen.

Dreiunddreißig

Am Dienstagmorgen marschiert Justin durch den Ankunfts-bereich des Dubliner Flughafens und lauscht noch einmal, das Handy am Ohr, Beas Mailbox. Vor dem Piep verdreht er seuf-zend die Augen, furchtbar genervt von ihrem kindischen Ver-halten.

»Hi, Schätzchen, ich bin's, dein Dad. Hör mal, ich weiß, dass du wütend auf mich bist, aber wenn du dir anhören würdest, was ich zu sagen habe, besteht eine gute Chance, dass du meiner Meinung bist und im hohen Alter außerdem noch dankbar dafür. Ich will doch nur dein Bestes, und ich werde nicht auflegen, bis ich dich überzeugt habe …« Abrupt beendet er das Gespräch.

Hinter der Absperrung hält nämlich ein Mann in einem dunk-len Anzug ein großes weißes Schild mit Justins Vornamen in Großbuchstaben empor. Darunter stehen die magischen Worte: »VIELEN DANK!«

Seit die erste Karte angekommen ist, haben ihn diese Worte auf Plakaten, Zeitungen, im Radio und im Fernsehen in ihren Bann gezogen, jeden Tag, von früh bis spät. Sobald er an jemandem vorbeikam, der »Danke« sagte, hat er auf dem Absatz kehrt ge-macht und ist dem Betreffenden gefolgt, als wäre er hypnotisiert, als beinhalte dieses Wort einen Geheimcode, der speziell für ihn erfunden worden ist. Es schwebte in der Luft wie der Duft von frisch geschnittenem Gras an einem Sommertag, fast mehr noch ein Gefühl als ein Duft. Ein Ort, eine Jahreszeit. Glück. Ein Fest von Wachstum und Veränderung. Das Gefühl lässt ihn nicht mehr los – es ist wie ein Song, den man von früher kennt, der einen packt und mit Nostalgie überschwemmt, wie eine Welle, die einen vom Strand holt, wegspült und untertaucht, gerade dann, wenn man es am wenigsten erwartet, und oft, wenn es einem am wenigsten in den Kram passt.

Ständig sind die Worte in seinem Kopf, *danke, ich danke dir, vielen Dank, danke schön*. Je öfter er sie hört, desto fremder werden sie, als würde er zum ersten Mal im Leben die Abfolge dieser Buchstaben sehen – wie eigentlich vertraute und simple Musiknoten, die plötzlich ein Meisterwerk ergeben, nur weil sie anders arrangiert sind.

Diese Verwandlung alltäglicher Dinge in etwas Magisches, diese wachsende Erkenntnis, dass manches ganz anders ist, als er es immer wahrgenommen hat, erinnert ihn daran, wie er als Kind manchmal lange Zeit vor dem Spiegel stand und sein Gesicht anstarrte. Er stand auf einem Schemel, und je länger er es ansah, desto unbekannter wurde ihm sein eigenes Gesicht. Auf einmal war es nicht mehr das Gesicht, von dem seine Gedanken so störrisch behaupteten, dass es ihm gehörte, sondern er erblickte stattdessen sein wahres Selbst: Die Augen standen weiter auseinander, als er gedacht hatte, ein Augenlid war tiefer als das andere, ein Nasenloch ebenfalls, und auch der Mundwinkel bog sich auf dieser Seite etwas nach unten, so, als hätte jemand eine Linie mitten durch sein Gesicht gezogen und dabei alles nach unten geschoben, wie es manchmal passierte, wenn man mit dem Messer durch klebrigen Schokokuchen schnitt und die zuvor glatte Oberfläche nach unten gedrückt wurde. Ein schneller Blick, und man merkte nichts. Aber eine sorgfältige Analyse, zum Beispiel abends vor dem Zähneputzen, offenbarte, dass er das Gesicht eines Fremden trug.

Jetzt tritt Justin einen Schritt von den Worten zurück, umkreist sie ein paar Mal und betrachtet sie von allen Seiten, aus allen möglichen und unmöglichen Perspektiven. Wie bei Gemälden in einer Galerie diktieren die Worte selbst, in welcher Höhe sie ausgestellt werden sollen, legen den Winkel fest, in dem man sich ihnen nähern muss, die Position, in der man sie am besten genießen kann. Jetzt hat er den korrekten Standpunkt gefunden. Jetzt kann er ihr Gewicht erkennen, die Botschaften, die sie in sich tragen – Brieftauben, Austern mit ihren Perlen, pflichtbewusste Bienen, bewehrt mit dem Stachel, den sie zum Schutz von Königin und Honig brauchen. Jetzt ist »Danke« keine Höflichkeitsfloskel mehr, die man tausendmal am Tag hört, jetzt hat es auf einmal eine viel tiefere Bedeutung.

Ohne einen weiteren Gedanken an Bea klappt er das Handy zu und geht auf den Mann mit dem Schild zu. »Hallo.«

»Mr Hitchcock?« Der Mann ist mindestens eins achtzig groß, und seine Brauen sind so dunkel und dicht, dass Justin kaum die Augen darunter erkennen kann.

»Ja«, antwortet er etwas argwöhnisch. »Ist dieser Wagen wirklich für *Justin* Hitchcock?«

Der Mann zieht einen Zettel aus der Tasche und vergewissert sich. »Ja, Sir. Sind Sie das immer noch oder jetzt nicht mehr?«

»Hmm«, erwidert Justin nachdenklich. »Doch, das bin ich.«

»Sie scheinen sich da gar nicht so sicher zu sein«, stellt der Fahrer lakonisch fest und senkt sein Schild. »Wohin wollen Sie denn heute Morgen?«

»Müssten Sie das nicht wissen?«

»O doch. Aber als ich das letzte Mal jemanden in mein Auto gelassen habe, der so unsicher war wie Sie, hab ich einen Tierschutzaktivisten direkt zu einem Treffen der IMFHA gebracht.«

Da Justin die Abkürzung nicht kennt, fragt er vorsichtig: »War das schlimm?«

»Der Präsident der *Irish Masters of Fox Hounds Association* fand es schlimm, ja. Er steckte ohne Wagen am Flughafen fest, während der Fanatiker, den ich aufgegabelt hatte, rote Farbe im Konferenzraum verteilte. Sagen wir mal, was das Trinkgeld anging, war mir das Jagdglück nicht hold.«

»Verstehe ich das richtig – es war eine Versammlung der

Fuchsjagd-Befürworter?«, fasst Justin zusammen, legt den Kopf in den Nacken und heult zur Veranschaulichung: »Uuu-uuu.«

Der Fahrer starrt ihn ausdruckslos an.

Justin wird rot. »Na ja, ich will zur National Gallery.« Pause. »Ich habe auch keine Vorbehalte gegen Gemäldeausstellungen. Ich werde über Malerei sprechen, nicht meine Frustration an anderen Menschen auslassen und sie als Leinwände benutzen. Nur wenn meine Exfrau sich im Publikum befände, könnte ich Lust bekommen, mit Pinsel und Farbe auf sie loszugehen«, lacht er, was der Fahrer mit einem weiteren strafenden Blick quittiert.

»Ich war nicht drauf eingestellt, dass mich jemand hier abholt«, redet Justin weiter und läuft hinter dem Chauffeur her aus dem Terminal in den grauen Oktobermorgen. »Bei der Gallery haben sie mir nichts davon gesagt.« Sie eilen den Fußgängerweg entlang durch die Regentropfen, die wie Fallschirmspringer auf Justins Kopf und Schulter herabsausen und ihre Reißleinen ziehen.

»Ich hab von diesem Auftrag erst gestern per Anruf erfahren. Eigentlich hätte ich heute zur Beerdigung der Tante meiner Frau gemusst.« Er wühlt in der Tasche nach dem Parkticket und steckt es in die Maschine, um es zu entwerten.

»Oh, tut mir leid, das zu hören«, sagt Justin und hört einen Moment auf, die Regentropfen wegzuwischen, die auf den Schultern seines braunen Cordjacketts gelandet sind. Düster und respektvoll schaut er den Fahrer an.

»Mir tat es auch leid. Ich hasse Beerdigungen.«

Seltsame Antwort. »Na ja, da sind Sie bestimmt nicht der Einzige.«

Der Chauffeur bleibt stehen und sieht Justin bitterernst an. »Ich muss immer lachen«, gesteht er. »Passiert Ihnen das nie?«

Justin weiß nicht recht, ob der Mann ihn auf den Arm nehmen will, aber auf seinem Gesicht ist nicht die leiseste Spur eines Lächelns zu erkennen. Beim Begräbnis seines Vaters war Justin neun Jahre alt, die Familie versammelte sich auf dem Friedhof, alle von Kopf bis Fuß in Schwarz, drängten sich wie Mistkäfer um das schmutzige Loch im Boden, in das der Sarg hinabgelassen werden sollte. Die Familie seines Vaters war aus Irland gekommen und hatte von dort den Regen mitgebracht, für den heißen Chicagoer Sommer eine Seltenheit. Er stand neben seiner Tante Emelda, die den Schirm in der einen Hand hielt und die andere fest um seine Schulter geschlungen hatte, sein kleiner Bruder teilte sich den Schirm mit seiner Mutter. Al hatte sein Feuerwehrauto dabei, mit dem er spielte, solange der Priester vom Leben ihres Vaters erzählte, worüber Justin sich ärgerte. Aber genau genommen ärgerte Justin sich an diesem Tag über alles und jeden.

Er hasste Tante Emeldas Hand auf seiner Schulter, obwohl er wusste, dass sie es nur gut meinte. Sie fühlte sich schwer und beengend an, als würde sie ihn zurückhalten, als hätte seine Tante Angst, dass er davonlaufen würde, hinein in das große Loch, das für seinen Vater bestimmt war.

Am Morgen hatte er sie begrüßt, in seinem besten Anzug, genau wie seine Mutter es von ihm mit ihrer neuen leisen Stimme verlangt hatte. Justin musste sein Ohr ganz nahe an ihren Mund bringen, um sie überhaupt verstehen zu können. Tante Emelda hatte wie immer, wenn sie sich nach längerer Zeit wieder begegneten, so getan, als hätte sie hellseherische Fähigkeiten.

»Ich weiß genau, was du möchtest, kleiner Soldat«, sagte sie mit ihrem starken Corker Akzent, den Justin kaum verstand. Er wusste nie, ob sie angefangen hatte zu singen oder ob sie mit ihm redete. Jedenfalls wühlte sie in ihrer riesigen Handtasche und fischte schließlich einen Plastiksoldaten mit einem Plastiklächeln und einem Plastiksalut heraus, von dem sie schnell das Preisschild abpopelte und dabei den Namen des Soldaten mit abriss, bevor sie ihn Justin überreichte. Justin starrte auf Colonel Blank hinunter, der mit der einen Hand salutierte und in der anderen sein Plastikgewehr festhielt. Auf Anhieb hatte er dem Plastiktypen misstraut. Das Plastikgewehr ging in dem riesigen Berg schwarzer Mäntel neben der Eingangstür verloren, kaum dass er die Packung geöffnet hatte. Wie gewöhnlich waren Tante Emeldas übersinnliche Kräfte auf die Wünsche des falschen Neunjährigen eingestellt gewesen, denn Justin legte an diesem Tag nicht den geringsten Wert auf einen Plastiksoldaten, und er konnte nicht anders, als sich auszumalen, dass ein Junge auf der anderen Seite der Stadt sich inbrünstig zum Geburtstag genau so einen Plastiksoldaten wünschte, stattdessen aber Justins Vater an seinem pechschwarzen Haarschopf überreicht bekam. Doch er nahm das einfühlsame Geschenk mit einem Lächeln an, das ungefähr so breit und ehrlich war wie das von Colonel Blank. Als er später am Tag vor dem Loch im Boden stand, konnte Tante Emelda vielleicht tatsächlich einmal seine Gedanken lesen, denn sie umfasste ihn fester, und ihre Fingernägel bohrten sich in seine knochigen Schultern, als wollten sie ihm Sicherheit geben. Justin hatte tatsächlich daran gedacht, in das Loch zu springen.

Er überlegte, wie es wohl war in dieser Welt dort unten. Wenn er der starken Hand seiner Tante aus Cork entfloh und in das Loch sprang, ehe ihn jemand aufhalten konnte, würde er, wenn die Erde sich wie mit einem Grasteppich über ihnen geschlossen hatte, wieder mit seinem Vater zusammen sein. Dann hätte er ihn ganz für sich alleine, ohne ihn mit Mum oder Al teilen zu müssen, und dort unten im Dunkeln konnten sie ungestört zusammen spielen und lachen. Vielleicht hatte Dad einfach das Licht nicht gemocht, vielleicht hatte er sich gewünscht, es würde weggehen, damit er nicht ständig die Augen zusammenkneifen musste, damit seine empfindliche helle Haut keine Sommersprossen und keinen Sonnenbrand mehr kriegte und anfing zu jucken – was unweigerlich passierte, sobald er der Sonne ausgesetzt war. Dad musste stets im Schatten sitzen, während Justin mit seiner Mom und Al draußen spielte, und während Mom jeden Tag brauner wurde, wurde er immer bleicher und ärgerlicher. Vielleicht wollte er ja nur dem Sommer entkommen, vielleicht brauchte er eine Erholung vom Jucken und vom grellen Licht.

Als der Sarg in die Grube hinuntergelassen wurde, stieß seine Mutter ein lautes Schluchzen aus, und Al stimmte auf der Stelle mit ein. Justin wusste, dass Al nicht deshalb weinte, weil er seinen Vater vermisste, sondern weil das Verhalten seiner Mutter ihm Angst einjagte. Nun begann auch Grandma, Dads Mutter, die bisher nur leise vor sich hin geschnieft hatte, laut zu jammern, aber es war das Weinen des armen vaterlosen kleinen Jungen, das der gesamten Trauergemeinde endgültig das Herz brach. Sogar die Unterlippe von Dads Bruder Seamus, der sonst immer aussah, als müsste er sich das Lachen verkneifen, fing an zu zittern, und an seinem Hals schwoll eine Ader, dick wie bei einem Bodybuilder. Unwillkürlich stellte Justin sich vor, dass in Onkel Seamus ein anderer Mann hauste, der herauswollte, von Seamus aber daran gehindert wurde.

Menschen sollten nie anfangen zu weinen. Denn wenn sie erst mal anfangen ... Am liebsten hätte Justin ihnen allen zugerufen, sie sollten sich bloß nicht weismachen lassen, dass Al um seinen Vater weinte. Er wollte ihnen sagen, dass Al überhaupt nicht wirklich kapierte, was hier abging. Den ganzen Tag hatte er nur Augen für sein Feuerwehrauto gehabt und nur gelegentlich zu Justin aufgeblickt. Dann allerdings war sein Gesicht so voller Fragen gewesen, dass sein großer Bruder sich hatte abwenden müssen.

Männer in Anzügen schleppten Dads Sarg aus der Kapelle. Männer, die nicht Justins Onkel und auch nicht Dads Freunde waren. Sie weinten auch nicht wie alle anderen, aber sie lächelten auch nicht. Sie wirkten weder gelangweilt noch interessiert. Sie sahen aus, als wären sie schon hundertmal auf Dads Beerdigung gewesen. Deshalb waren sie wahrscheinlich nicht mehr sonderlich traurig darüber, dass er jetzt schon wieder gestorben war, aber es störte sie auch nicht, dass sie noch ein Loch buddeln, ihn hinschleppen und begraben mussten. Justin sah zu, wie die Männer, ohne die Miene zu verziehen, Erde auf den Sarg warfen, die trommelnd auf dem Holz landete. Ob das Dad wohl aus seinem Sommerschlaf wecken würde? Justin weinte nicht wie die anderen, weil er sicher war, dass Dad nun endlich dem Licht entronnen war. Jetzt musste er nicht mehr allein im Schatten sitzen.

Auf einmal schreckt Justin aus seinen Erinnerungen hoch und merkt, dass der Chauffeur ihn durchdringend mustert. Sein Gesicht kommt ganz nahe, und er wartet, dass Justin die Frage beantwortet – eine sehr persönliche Frage, es geht um einen Ausschlag und ob er selbst auch schon mal einen hatte.

»Nein«, sagt Justin ganz leise, räuspert sich und passt seine Augen langsam an die Welt der Gegenwart an, dreißig Jahre später. Zeitreisen in Gedanken sind ganz schön anstrengend.

»Das da drüben ist unserer.« Der Chauffeur drückt auf den Knopf am Autoschlüssel, und ein Mercedes der S-Klasse blinkt auf.

Justin bleibt der Mund offen stehen. »Wissen Sie, wer das organisiert hat?«

»Nein, keine Ahnung.« Er hält Justin die Tür auf. »Ich nehme nur Anweisungen von meinem Chef entgegen. Dachte noch, dass es seltsam ist, ›Vielen Dank‹ auf das Schild zu schreiben. Ergibt das für Sie einen Sinn?«

»Ja, schon … aber das ist kompliziert. Könnten Sie vielleicht Ihren Boss fragen, wer dafür bezahlt?« Langsam lässt Justin sich auf den Rücksitz sinken und stellt seine Mappe auf den Boden neben sich.

»Ich werde es versuchen.«

»Das wäre toll.« *Dann hab ich dich wirklich erwischt!* Er entspannt sich allmählich auf dem Ledersitz, streckt die Beine aus und schließt die Augen, unfähig, sich ein Lächeln zu verkneifen.

»Ich bin übrigens Thomas«, stellt der Chauffeur sich vor. »Ich stehe den ganzen Tag zu Ihrer Verfügung, lassen Sie mich einfach wissen, wo Sie nachher hinwollen.«

»Den ganzen Tag?« Um ein Haar verschluckt Justin sich an dem Wasser, das es hier gratis gibt und von dem ihn ein Fläschchen in der Armlehne erwartet hat. Offensichtlich hat er einem ziemlich reichen Menschen das Leben gerettet. Ja! Vielleicht hätte er damals bei Bea etwas Anspruchsvolleres erwähnen sollen als Muffins und die Tageszeitung. Eine Villa in Südfrankreich zum Beispiel. Blöd, dass er daran nicht gedacht hat.

»Hätte Ihre Firma so was nicht für Sie organisiert?«, fragt Thomas.

»Nein«, antwortet Justin mit einem entschiedenen Kopfschütteln. »Ganz bestimmt nicht.«

»Vielleicht haben Sie eine gute Fee, von der Sie nichts wissen«, meint Thomas, ohne das Gesicht zu verziehen.

»Na, dann sehn wir mal, was sie aus dieser Zauberkiste rausholen kann«, lacht Justin.

»Wenn so viel Verkehr ist, kann man das leider nicht wirklich testen«, gibt Thomas zu bedenken und bremst, während er sich in den Dubliner Stau einordnet, der durch den grauen verregneten Morgen nicht besser wird.

Justin drückt auf den Knopf für die Sitzheizung, lehnt sich zurück und spürt schon bald, wie sein Rücken und sein Hinterteil angenehm warm werden. Rasch entledigt er sich seiner Schuhe, kippt den Sitz nach hinten und macht es sich gemütlich, während die Pendler in den Bussen verschlafen und mit unglücklichen Gesichtern durch die beschlagenen Scheiben spähen.

»Könnten Sie mich nach der Gallery vielleicht in die D'Olier Street bringen? Ich muss jemandem beim Blutspendedienst einen Besuch abstatten.«

»Kein Problem, Chef.«

Der Oktoberwind schnauft und keucht und versucht die letzten Blätter von den Bäumen zu fegen. Aber sie halten sich fest, als müssten sie mit Mary Poppins um die Stellung bei Familie Banks in der Cherry Tree Lane konkurrieren und dürften sich um keinen Preis wegblasen lassen. Ähnlich wie viele Menschen im Herbst sind die Blätter nicht bereit, den Wechsel der Jahreszeit zu akzeptieren, sondern klammern sich ans Gestrige. Sie konnten nicht verhindern, dass ihre Farbe sich verändert hat, aber jetzt wollen sie sich partout nicht von dem Ort trennen, der im Frühling und Sommer ihre Heimat gewesen ist. Ich sehe, wie ein Blatt schließlich doch loslässt und eine Weile in der Luft herumwirbelt, ehe es zu Boden fällt. Ich hebe es auf und lasse es am Stiel herumkreiseln. Auch mir gefällt der Herbst nicht besonders. Wem macht es schon Freude zuzusehen, wie Dinge, die einmal stark und voller Leben waren, schwach werden und sich der Natur beugen müssen, dieser höheren Macht, die sie nicht kontrollieren können?

»Da kommt der Wagen«, sage ich zu Kate.

Wir stehen auf der anderen Straßenseite, direkt gegenüber der National Gallery, hinter den geparkten Autos, im Schatten der Bäume, die sich über die Tore des Merrion Square beugen.

»Für *den* Schlitten hast du bezahlt?«, staunt Kate. »Du bist wirklich verrückt.«

»Das ist doch nichts Neues. Genau genommen hab ich aber nur die Hälfte bezahlt. Der Chauffeur ist Frankies Onkel – er ist Chef der Firma. Tu bitte so, als würdest du ihn nicht kennen, wenn er zu uns rüberschaut.«

»Ich kenne ihn ja auch nicht.«

»Gut, das ist überzeugend.«

»Joyce, ich hab den Mann noch nie im Leben gesehen.«

»Wow, das ist *echt* gut.«

»Wie lange willst du damit eigentlich noch weitermachen, Joyce? Das Ding mit London klang ja ganz lustig, aber eigentlich wissen wir doch nur, dass er Blut gespendet hat.«

»Und zwar mir.«

»Das wissen wir nicht.«

»Ich weiß es.«

»Das kannst du gar nicht wissen.«

»O doch. Das ist ja das Seltsame.«

Sie sieht keineswegs überzeugt aus und starrt mich mit so einem mitleidigen Gesichtsausdruck an, dass ich richtig wütend werde.

»Kate, gestern Abend hab ich Carpaccio und Fenchel gegessen und dann Pavarottis *Best of* mitgesungen, fast die ganzen Texte.«

»Ich verstehe immer noch nicht, wie du auf die Idee kommst, dass dieser Justin Hitchcock dafür verantwortlich ist. Erinnerst du dich an *Phenomenon*? Da ist John Travolta über Nacht plötzlich ein Genie geworden.«

»Er hatte einen Gehirntumor, der irgendwie seine Lernfähigkeit gesteigert hat«, fauche ich.

Inzwischen hat der Mercedes vor dem Tor der Gallery angehalten. Der Chauffeur steigt aus, um für Justin die Tür zu öffnen, dann erscheint Justin, von einem Ohr zum anderen grinsend, und ich freue mich zu sehen, dass die Hypothekenzahlung für nächsten Monat gut angelegt ist. Darüber und über alles andere in meinem Leben mache ich mir Sorgen, wenn die Zeit dazu gekommen ist.

Immer noch hat er diese Aura, die ich schon bei unserer ersten Begegnung im Friseursalon gespürt habe – eine Präsenz, in der mein Magen in Windeseile ein paar Stockwerke emporklettert und schließlich auch das letzte Leiterchen zum Zehnmeterturm der olympischen Endausscheidung erklimmt. Justin Hitchcock blickt zur Gallery empor, zum Park hinüber, und um seine ausgeprägte Kinnpartie erscheint dieses Lächeln, das meinen Magen veranlasst zu hüpfen, einmal, zweimal, dreimal, und sich dann in die Tiefe zu stürzen, eineinhalb Saltos rücklings und dann ein, zwei, drei halbe Schraubendrehungen, ehe er mit einer Bauchlandung im Wasser aufkommt. Mein unkultivierter Eintritt ins Wasser zeigt, dass ich nicht gerade viel Übung habe im Nervenbündel-Sein. Obwohl der Sprung mir Angst gemacht hat, war er doch auch irgendwie angenehm, und ich wäre glatt bereit, die Stufen noch einmal hinaufzusteigen.

Um mich herum rascheln die Blätter in der sanften Brise, und ich bin nicht sicher, ob ich mir nur einbilde, dass sie den Duft seines Aftershaves zu mir trägt, den gleichen Duft wie im Friseursalon. Vor meinem inneren Auge sehe ich, wie er ein in smaragdgrünes Papier eingewickeltes Päckchen nimmt, das im Glanz der Weihnachtsbaumlichter und den darum herum brennenden Kerzen glitzert. Das Päckchen ist mit einer großen roten Schleife verschnürt, und meine Hände sind für den Augenblick seine, als er das Band langsam aufmacht und vorsichtig das Klebeband vom Papier schält, damit es nicht zerreißt. Ich bin verblüfft, wie zärtlich er das liebevoll verpackte Päckchen öffnet, aber dann sind auch seine Gedanken plötzlich meine, und ich erkenne seinen Plan, das Papier einzustecken und für die noch uneingepackten Geschenke zu verwenden, die draußen im Auto liegen. Heraus kommen eine Flasche Aftershave und ein Rasierset. Das Weihnachtsgeschenk von Bea.

»Ein attraktiver Mann«, flüstert Kate. »Ich unterstütze deine Stalker-Aktion zu hundert Prozent, Joyce.«

»Das ist keine Stalker-Aktion«, zische ich. »Und ich hätte das auch gemacht, wenn er hässlich wäre.«

»Darf ich reingehen und mir seinen Vortrag anhören?«, will Kate wissen.

»Nein!«

»Warum nicht? Er hat mich noch nie gesehen, er kann mich nicht erkennen. Bitte, Joyce – meine beste Freundin glaubt, dass sie eine geheimnisvolle Verbindung zu einem Wildfremden hat. Da kann ich ihm doch wenigstens zuhören und sehen, wie er so ist.«

»Was ist mit Sam?«

»Magst du vielleicht ein Weilchen auf ihn aufpassen?«

Ich erstarre.

»Oh, vergiss es«, rudert sie zurück. »Ich nehme ihn mit rein, bleib ganz hinten und gehe, sobald er jemanden stört.«

»Nein, nein, ist schon in Ordnung.« Ich schlucke und zwinge mich zu lächeln.

»Bist du sicher?« Kate macht keinen überzeugten Eindruck. »Ich bleibe auch nicht bis zum Schluss. Ich möchte mir den geheimnisvollen Fremden nur mal anschauen.«

»Ich schaff das schon. Geh ruhig.« Sanft schiebe ich sie weg. »Viel Spaß. Wir schaffen das schon, stimmt's?«, wende ich mich an Sam.

Statt einer Antwort stopft er seinen Zeh samt Socke in den Mund.

»Ich verspreche, dass ich nicht lange weg bin.« Kate beugt sich über den Wagen, gibt ihrem Sohn einen Kuss, rennt über die Straße und hinein in die Gallery.

»Also …« Nervös blicke ich um mich. »Dann sind wir zwei jetzt wohl ganz allein, Sean.«

Er schaut mich mit seinen großen blauen Augen an, und sofort kommen mir die Tränen.

Ich vergewissere mich, dass mir auch wirklich niemand zugehört hat. Natürlich wollte ich nicht Sean sagen, sondern Sam.

Justin nimmt seinen Platz auf dem Podium des Hörsaals im Keller der National Gallery ein. Ein prall gefüllter Raum voller Gesichter starrt ihm entgegen, und er ist sofort in seinem Element. Im letzten Moment trifft noch eine junge Frau ein, entschuldigt sich für ihr Zuspätkommen und reiht sich rasch in die Menge ein.

»Guten Morgen, Ladies and Gentlemen, herzlichen Dank, dass Sie trotz des Regens gekommen sind. Ich bin heute hier, um über ein Gemälde zu sprechen, und zwar über *Die Briefschreiberin* von ter Borch, einem niederländischen Barockmaler aus dem siebzehnten Jahrhundert, der zu einem großen Teil verantwortlich war für die Popularisierung des Briefthemas. Dieses Bild – nun, nicht dieses Bild allein, sondern dieses ganze Genre – gehört zu meinen persönlichen Favoriten, vor allem heutzutage, wo das Briefeschreiben so gut wie ausgestorben ist.« Er hält inne.

Fast, aber nicht ganz, denn mir schickt jemand Briefchen.

Er tritt vom Podium herunter, macht einen Schritt aufs Publikum zu und mustert die Leute im Saal. Seine Augen werden schmal, während er die Reihen überfliegt, denn er weiß, dass hier durchaus die mysteriöse Person sitzen könnte, die ihm diese Karten schreibt.

Jemand hustet, was ihn aus seiner Träumerei reißt, und er ist augenblicklich wieder bei der Sache. Nur ein klein wenig verwirrt macht er dort weiter, wo er aufgehört hat.

»In einer Zeit, in der ein persönlicher Brief eine Seltenheit ist, erinnert uns dieses Bild daran, wie die großen Meister des Goldenen Zeitalters die ganze Bandbreite menschlicher Emotionen darstellten, die in diesem scheinbar so schlichten Aspekt des täglichen Lebens zum Tragen kamen. Ich kann das Thema nicht vertiefen, ohne auf Vermeer, Metsu und de Hooch hinzuweisen, die alle Bilder von Menschen gemalt haben, die lesen, schreiben, Briefe erhalten oder abschicken, wie ich es auch schon in meinem Buch *Das Goldene Zeitalter der niederländischen Malerei* ausgeführt habe. Ter Borch hat für seine Bilder das Briefeschreiben sozusagen als Angelpunkt benutzt, von dem aus er komplexe psychologische Themen darstellt, und seine Werke gehören zu den ersten, die beispielsweise Liebende durch das Thema des Briefs miteinander verbinden.«

Während der ersten Hälfte seines Satzes studiert er die Frau, die zu spät gekommen ist, während der zweiten die Frau hinter ihr, und dabei fragt er sich, ob sie eine tiefere Bedeutung finden in dem, was er da sagt. Um ein Haar muss er lachen. Erstens: Wie kommt er auf die Idee, dass die Person, der er das Leben gerettet hat, hier sein könnte? Zweitens: Warum sollte es eine junge Frau sein, die drittens auch noch attraktiv ist? Was verspricht er sich denn eigentlich von dieser ganzen Sache?

Ich schiebe Sams Wagen über den Merrion Square, und sofort verlassen wir das georgianische Stadtzentrum und gelangen in eine andere Welt, farbenfroh, überschattet von alten Bäumen.

All die Orange-, Rot- und Gelbschattierungen des Herbstlaubs schimmern auf dem Boden, und bei jedem sanften Windhauch hüpfen die Blätter ein Stück neben uns her wie neugierige Rotkehlchen. Ich wähle eine Bank an einem stillen Weg und drehe Sams Wagen um, sodass der Kleine mich ansehen kann. In den Bäumen, die den Weg säumen, höre ich Zweige rascheln – Nester werden gebaut, Mittagsfresschen wird vorbereitet.

Eine Weile betrachte ich Sam, der den Hals reckt, um auch die Blätter ganz oben anzusehen, die sich noch nicht vom Ast trennen wollen. Mit einem winzigen Finger deutet er zum Himmel und macht Geräusche, die fast klingen wie Worte.

»Baum«, erkläre ich ihm, und er lächelt, ein Lächeln, in dem ich seine Mutter erkenne.

Der Anblick hat den gleichen Effekt, als hätte mir jemand mit einem schweren Stiefel in den Magen getreten. Ich brauche einen Moment, um wieder Luft zu kriegen.

»Sam, wenn wir nun schon mal hier sind, sollten wir etwas besprechen«, sage ich.

Sein Lächeln wird breiter.

»Als Erstes muss ich mich bei dir entschuldigen«, fahre ich fort und räuspere mich. »Ich habe dir in letzter Zeit nicht sehr viel Aufmerksamkeit geschenkt, was? Es ist so …« Ich lasse den Satz unvollendet und warte, bis der Mann, der gerade vorbeikommt, außer Hörweite ist. »Es ist nämlich so«, fahre ich dann mit gedämpfter Stimme fort, »es ist so, dass ich es eine Weile nicht ertragen konnte, dich anzuschauen …« Ich halte inne, während Sams Lächeln immer breiter wird.

»Oh, warte mal.« Ich beuge mich zu ihm, nehme die Decke weg und löse den Sicherheitsgurt. »Komm doch mal zu mir.« Behutsam hebe ich ihn aus seinem Buggy und nehme ihn auf den Schoß. Sein kleiner Körper ist ganz warm, und ich drücke ihn an mich. Seine samtweichen Haare riechen süß, und er fühlt sich so weich und anschmiegsam an in meinen Armen, dass ich ihn noch fester halten möchte. »Es ist nur so«, wiederhole ich ganz leise und dicht an seinem Kopf, »dass es mir fast das Herz gebrochen hat, dich anzuschauen, denn jedes Mal, wenn ich dich gesehen habe, musste ich daran denken, was ich verloren habe.« Er schaut mich an und gibt mir eine munter geplapperte Antwort. »Aber wie konnte ich nur jemals Angst davor haben, dich anzuschauen?« Ich küsse ihn auf die Nase. »Ich hätte es nicht an dir auslassen dürfen, aber du bist nicht mein Baby, und das ist so schwer.« Tränen füllen meine Augen, und jetzt lasse ich ihnen freien Lauf. »Ich habe mir einen kleinen Jungen oder ein kleines Mädchen gewünscht, damit es so ist wie bei dir, wenn du lächelst – die Leute sollten sagen: ›Schaut doch, wie ähnlich er seiner Mummy sieht.‹ Vielleicht hätte das Baby meine Nase oder meine Augen. Das hat man immer zu mir gesagt, dass ich aussehe wie meine Mum. Und das höre ich so gern, Sam. Weil ich sie vermisse und jeden Tag an sie erinnert werden möchte. Aber dich anzuschauen war anders. Ich wollte nicht jeden Tag daran erinnert werden, dass ich mein Baby verloren habe.«

»Ba-ba«, sagt Sam.

Ich schniefe. »Ba-ba ist nicht mehr da, Sam. Sean hätte es geheißen, wenn es ein Junge gewesen wäre, ein Mädchen wollte ich Grace nennen.« Ich wische mir die Nase.

Nicht im Geringsten an meinen Tränen interessiert, schaut Sam einem Vogel nach. Und deutet wieder mit seinem kleinen Wurstfinger.

»Vogel«, sage ich.

»Ba-ba«, antwortet er.

Ich lächle und wische mir über die Augen, aus denen immer noch Tränen kommen.

»Aber jetzt gibt es keinen Sean und auch keine Grace.« Ich umarme den Kleinen fester und lasse die Tränen fließen, denn ich bin mir ziemlich sicher, dass Sam niemandem davon erzählen wird.

Der Vogel macht ein paar Hüpfer, hebt ab und schwingt sich in den Himmel.

»Ba-ba weg«, sagt Sam und streckt die Hände aus, mit den Handflächen nach oben.

Ich sehe zu, wie der Vogel in der Ferne verschwindet, nur noch ein Staubkorn am blassblauen Himmel. Allmählich versiegen meine Tränen. »Ba-ba weg«, wiederhole ich.

»Was sehen wir auf diesem Bild?«, fragt Justin.

Schweigen, während alle das auf die Leinwand projizierte Gemälde betrachten.

»Nun, erst mal das Offensichtliche: Eine junge Frau sitzt an einem Tisch in einem ruhigen Innenraum. Sie schreibt einen Brief, eine Feder bewegt sich übers Papier. Natürlich wissen wir nicht, was sie schreibt, aber ihr sanftes Lächeln legt nahe, dass sie an einen Menschen schreibt, den sie liebt, vielleicht an ihren Geliebten. Ihr Kopf ist leicht nach vorn gebeugt, sodass wir die elegante Wölbung ihres Halses erkennen …«

Als Sam wieder in seinem Buggy sitzt und mit seinem blauen Wachsmalstift Kreise auf ein Stück Papier zeichnet – beziehungsweise Löcher ausstanzt und Wachsschrapnelle im Wagen verteilt –, hole ich meinen Kalligraphiestift und Papier aus meiner Tasche. Den Stift in der Hand, stelle ich mir vor, dass ich Justin von der anderen Seite der Straße hören kann. Ich brauche die *Briefschreiberin* nicht vor mir zu sehen, sie ist mir lebhaft im Gedächtnis, denn Justin hat sie im College und dann erneut bei den Recherchen für sein Buch intensiv studiert. Langsam beginne ich zu schreiben.

Zur Festigung unserer Mutter-Tochter-Beziehung hat Mum uns zusammen in einen Kalligraphiekurs eingeschrieben, als ich siebzehn war, mitten in meiner Gothic-Phase – pechschwarz gefärbte Haare, kalkweiß geschminktes Gesicht und knallrote Lippen, das allerdings wegen eines Lippen-Piercings. Jeden Mittwoch um sieben gingen wir zusammen hin.

Mum hatte in einem Buch, in dem es von allerlei New-Age-

Weisheiten wimmelte und das Dad überhaupt nicht gefiel, gelesen, dass Kinder sich viel eher und vor allem freiwillig öffnen und Dinge aus ihrem Leben mitteilen, wenn man gemeinsame Aktivitäten mit ihnen pflegt, während sie sich für gewöhnlich verschließen, wenn man sie verhörähnlichen Konfrontationen unterzieht, wie mein Dad das gerne tat.

Tatsächlich funktionierten die Kurse, obwohl ich über die uncoole Beschäftigung jammerte und stöhnte: Ich öffnete mich und erzählte Mum alles. Na ja, fast alles. Den Rest erriet sie mit Hilfe ihrer natürlichen Intuition. Ich meinerseits entwickelte eine tiefere Liebe, neuen Respekt und Verständnis für Mum als Mensch, als Frau und nicht einfach als meine Mutter. Ganz nebenbei lernte ich auch noch Kalligraphie.

Wenn ich meinen Stift nehme und mich dem Rhythmus der raschen Aufwärtsstriche hingebe, die wir damals gelernt haben, fühle ich mich zurückversetzt in den Klassenraum, in dem ich mit meiner Mutter gesessen habe.

Ich höre ihre Stimme, rieche ihren Duft und erinnere mich an unsere Gespräche. Weil ich siebzehn war, verliefen sie oft recht ungeschickt und holprig, wir schlichen lange um den heißen Brei herum, aber wir sprachen miteinander, auf unsere eigene Art, und fanden unseren eigenen Weg, zum Persönlichen vorzudringen. Eigentlich hat meine Mutter, ohne es zu wissen, damals genau die richtige Beschäftigung für mich ausgesucht. Kalligraphie besitzt Rhythmus, sie hat Gothic-Anklänge, wird im Elan des Augenblicks ausgeführt und verfügt über einen klaren Standpunkt. Ein einheitlicher Schreibstil, der dennoch einzigartig ist. Für mich war es eine Lektion, dass Konformität vielleicht doch nicht ganz das war, wofür ich sie hielt, und mir dämmerte, dass es auch in einer begrenzten Welt viele Möglichkeiten gibt, sich auszudrücken, ohne diese Grenzen zu überschreiten.

Abrupt blicke ich auf. »Trompe-l'œil«, sage ich laut und lächle.

✳

»Was bedeutet das?«, fragt Kate.

»Trompe l'œil ist eine Maltechnik, die eine extrem realistische Darstellung benutzt, um die optische Täuschung hervorzurufen, dass das dargestellte Objekt wirklich existiert und nicht nur ein zweidimensionales Gemälde ist. Der Ausdruck stammt aus dem Französischen – *tromper* bedeutet ›täuschen‹ und *l'œil* ist das Auge«, erklärt Justin seinen Zuhörern. »Täusche das Auge«, wiederholt er und blickt in die Runde.

Wo bist du?

Vierunddreißig

»Na, wie war's?«, fragt Thomas, der Chauffeur, als Justin nach dem Vortrag auf den Rücksitz klettert.

»Ich hab Sie ganz hinten stehen sehen. Wie fanden Sie's?«

»Na ja, ich kenne mich nicht aus mit Malerei, aber Ihnen fällt echt eine Menge ein zu einem Mädchen, das Briefe schreibt.«

Lächelnd greift Justin nach der nächsten Gratisflasche Wasser. Zwar hat er keinen Durst, aber das Wasser ist da, und er bekommt es umsonst.

»Haben Sie jemanden gesucht?«, erkundigt sich Thomas.

»Wie meinen Sie das?«

»Im Publikum. Mir ist aufgefallen, dass Sie sich ein paar Mal umgesehen haben. Nach einer Frau wahrscheinlich, oder?«

Wieder lächelt Justin, aber er schüttelt den Kopf. »Das weiß ich nicht. Aber wenn ich es Ihnen erzähle, halten Sie mich für verrückt.«

»Na, wie fandest du ihn?«, frage ich Kate, als wir über den Merrion Square wandern und sie mich über Justins Vortrag informiert.

»Was glaubst du wohl?«, antwortet sie mit einer Gegenfrage, während sie gemächlich hinter Sams Buggy herschlendert. »Ich finde es unwichtig, ob er gestern Carpaccio und Fenchel gegessen hat – er scheint jedenfalls ein sehr netter Mann zu sein. Ist doch egal, aus welchen Gründen du dich mit ihm verbunden oder zu ihm hingezogen fühlst. Du solltest mit dem ganzen Theater aufhören und ihn einfach ansprechen.«

Aber ich schüttle entschieden den Kopf. »Das kann ich nicht.«

»Warum nicht? Er schien interessiert zu sein, als er deinem Bus nachgelaufen ist und als er dich im Ballett gesehen hat. Was hat sich jetzt geändert?«

»Er möchte nichts mit mir zu tun haben.«

»Woher weißt du das?«

»Ich weiß es einfach.«

»Und woher? Und erzähl mir jetzt nicht, es ist wegen irgendwelchem Quatsch, den du in deinen Teeblättern gesehen hast.«

»Ich trinke jetzt Kaffee.«

»Du hasst Kaffee.«

»*Er* aber offensichtlich nicht.«

Kate bemüht sich, nicht negativ zu sein, sieht aber weg.

»Er ist zu sehr damit beschäftigt, die Frau zu suchen, der er das Leben gerettet hat, für mich interessiert er sich nicht mehr. Er hatte meine Kontaktdaten, Kate, aber er hat nicht angerufen. Kein einziges Mal. Er hat den Zettel sogar in den Müll geworfen, und frag mich jetzt bloß nicht, woher ich das weiß.«

»Wie ich dich kenne, hast du in der Tonne gelegen.«

Ich presse die Lippen aufeinander.

Seufzend fragt sie: »Wie lange willst du das noch durchziehen?«

»Nicht mehr lange«, antworte ich achselzuckend.

»Was ist mit der Arbeit? Und mit Conor?«

»Conor und ich, das ist endgültig vorbei. Es gibt nichts mehr zu sagen. Vier Jahre Trennung, dann sind wir geschieden. Und was die Arbeit angeht, habe ich dir doch erzählt, dass ich nächste Woche wieder anfange, mein Terminkalender ist schon voll. Und das Haus – Scheiße!« Ich ziehe den Ärmel hoch und spähe auf meine Armbanduhr. »Ich muss zurück. In einer Stunde muss ich unser Haus einem Interessenten zeigen.«

Ein schnelles Küsschen, und schon renne ich zum nächsten Bus, der in meine Richtung fährt.

✳

»Okay, hier ist es.« Justin starrt aus dem Autofenster und zum zweiten Stock hinauf, in dem sich die Blutspendepraxis befindet.

»Sie wollen Blut spenden?«, fragt Thomas.

»Unter gar keinen Umständen, ich will nur jemanden besuchen. Dürfte nicht allzu lange dauern. Wenn Sie einen Streifenwagen kommen sehen, werfen Sie schon mal den Motor an.« Er grinst, aber nicht sehr überzeugend.

An der Rezeption fragt er nervös nach Sarah, und man schickt ihn ins Wartezimmer. Dort sitzen Männer und Frauen in Anzügen und Kostümen, offensichtlich in der Mittagspause, und lesen die ausliegenden Zeitschriften, während sie darauf warten, zum Blutspenden gerufen zu werden.

Vorsichtig wendet er sich an die Frau neben ihm, die eine Zeitschrift durchblättert, beugt sich über ihre Schulter und flüstert: »Sind Sie sicher, dass Sie das tun wollen?«

Die Frau fährt heftig zusammen, alle im Raum lassen Zeitung oder Zeitschrift sinken und starren Justin an. Der hüstelt verlegen, schaut schnell weg und tut so, als hätte er nichts gesagt. An den Wänden hängen Plakate, die zum Blutspenden auffordern, und andere, auf denen sich Menschen, die Leukämie oder eine andere Krankheit überlebt haben, bedanken. Justin wartet eine halbe Stunde. Jede Minute schaut er auf die Uhr, denn schließlich muss er einen Flieger erwischen. Als der letzte Blutspender gegangen ist und er allein im Raum zurückbleibt, erscheint Sarah an der Tür.

»Justin.« Sie ist nicht eisig, nicht hart und auch nicht wütend. Aber still. Verletzt. Das ist schlimmer. Wütend wäre ihm viel lieber.

»Sarah.« Er steht auf, um sie zu begrüßen, verfängt sich in einer linkischen Halbumarmung mit einem Kuss auf die Wange, dem ein zweiter folgt und ein höchst zweifelhafter dritter, der abgebrochen wird und fast auf dem Mund landet. Schließlich zieht Sarah sich zurück und beendet damit die Farce.

346

»Ich kann nicht lange bleiben, ich muss zum Flughafen, aber ich wollte wenigstens kurz vorbeikommen und dich sehen. Können wir uns kurz unterhalten?«

»Ja, klar.« Sie kommt herein und setzt sich, die Arme immer noch verschränkt.

»Oh.« Justin sieht sich um. »Hast du kein Büro oder so was?«

»Hier ist es doch nett und ruhig.«

»Wo ist dein Büro?«

Argwöhnisch kneift sie die Augen zusammen, und er lässt das Fragen lieber sein. Stattdessen setzt er sich hastig neben sie.

»Ich wollte mich hauptsächlich für mein Verhalten bei unserer letzten Begegnung entschuldigen. Na ja, bei allen unseren Begegnungen und jeder Minute danach. Es tut mir wirklich sehr leid.«

Sie nickt und wartet darauf, dass er weitermacht.

Verdammt, mehr hab ich nicht auf Lager! Denk nach! Es tut dir leid und …

»Ich wollte dir nicht wehtun. Diese verrückten Wikinger haben mich total aus dem Konzept gebracht. Man könnte sogar sagen, dass ich mich letzten Monat fast jeden Tag von verrückten Wikingern aus dem Konzept bringen lassen habe, und äh …«
Denk nach! »Könnte ich kurz zur Toilette? Wenn es dir nichts ausmacht. Bitte.«

Mit verdutztem Gesicht erklärt sie ihm den Weg. »Klar, sie ist gerade den Korridor runter, ganz am Ende.«

Vor dem Haus, an dem ein neues »Zu verkaufen«-Schild hängt, drücken Linda und ihr Mann Joe die Nasen am Fenster platt und spähen ins Wohnzimmer. Auf einmal überkommt mich eine Art Beschützerinstinkt. Aber er ist ebenso schnell wieder verschwunden, wie er aufgetaucht ist. Zu Hause ist kein Ort – jedenfalls nicht dieser hier.

»Joyce? Sind Sie das?« Langsam nimmt Linda die Sonnenbrille ab.

Ich lächle sie breit, aber etwas wacklig an, hole einen Schlüssel-
bund aus meiner Tasche, an dem bereits mein Autoschlüssel und
der flauschige Marienkäfer von Mum fehlen. Selbst der Schlüs-
selbund hat sein Herz verloren, seine Verspieltheit, geblieben ist
nur die Funktionalität.

»Sie sehen so anders aus. Die Haare.«

»Hi, Linda. Hi, Joe«, begrüße ich die beiden und strecke ihnen die Hand hin.

Aber Linda hat andere Pläne und schließt mich lange und fest
in die Arme.

»Oh, es tut mir so leid«, sagt sie leise und drückt mich. »Sie
Arme.«

Eigentlich wäre das ja eine nette Geste – wenn ich diese Frau
etwas länger kennen würde als nur von den drei Hausbesichti-
gungen, die auch schon über einen Monat her sind. Aber selbst
da hat sie schon den gleichen Überschwang gezeigt, als sie er-
fuhr, dass ich schwanger war, und war sofort ganz scharf darauf,
die Hand auf meinen noch total flachen Bauch zu legen. In dem
einzigen Monat, in dem ich über meine Schwangerschaft reden
konnte, fand ich es ausgesprochen ärgerlich, dass mein Körper
plötzlich als eine Art öffentliches Eigentum angesehen wurde.

Linda senkt die Stimme. »Haben die das im Krankenhaus gemacht?«, erkundigt sie sich flüsternd mit Blick auf meine kurzen
Haare.

»Nein, nein.« Ich lache. »Ich war beim Friseur«, zwitschere
ich, und meine kompetente Traumafrau übernimmt von nun
an das Kommando und rettet den Tag. Endlich drehe ich den
Schlüssel im Schloss und lasse die beiden als Erste eintreten.

»Oh«, haucht Linda aufgeregt. Ihr Mann lächelt und nimmt
ihre Hand. Ich habe einen Flashback von Conor und mir vor
zehn Jahren, als wir uns das Haus angeschaut haben, aus dem
gerade eine alte Frau ausgezogen war, die hier die letzten zwanzig Jahre allein gewohnt hatte. So folge ich sozusagen meinem
jüngeren Selbst und Conor ins Haus, und auf einmal sind die

beiden real, und ich bin das Gespenst, erinnere mich, was wir gesehen haben, lausche ihrem Gespräch, erlebe den Augenblick von neuem.

Das Haus hatte gemüffelt, uralter Teppichboden, knarrende Dielen, verrottete Fenster und Tapeten, die bereits zum dritten Mal aus der Mode gekommen waren. Insgesamt ein ziemlich abstoßendes Gebäude, in das man eine Unmenge Geld stecken musste, aber wir verliebten uns auf Anhieb in es, als wir auf der Stelle standen, an der jetzt Linda und ihr Ehemann stehen.

Damals hatten wir alles noch vor uns, damals, als Conor noch der Conor war, den ich liebte, und ich mein altes Ich – ein perfektes Paar. Dann wurde Conor zu dem, der er heute ist, und aus mir wurde die Joyce, die er nicht mehr liebt. Während das Haus immer schöner wurde, entwickelte sich unsere Beziehung in die entgegengesetzte Richtung und wurde immer hässlicher. In unserer ersten Nacht in unserem neuen Heim wären wir auch auf einem völlig katzenhaarverseuchten Teppich glücklich gewesen, aber dann versuchten wir jedes Detail, das in unserer Ehe nicht stimmte, damit zu reparieren, dass wir eine neue Couch kauften, die Türen restaurierten oder die zugigen Fenster erneuerten. Wenn wir doch nur so viel Zeit und Mühe in uns selbst gesteckt hätten! Aber wir kamen beide nie auf die Idee, dass wir statt der zugigen Fenster lieber unsere zugige Beziehung in Ordnung bringen sollten. Und so fegte der Wind durch die immer größer werdenden Ritzen, und niemand kümmerte sich darum, bis wir eines Morgens mit eiskalten Füßen aufwachten.

»Ich führe Sie gern hier unten herum, aber … äh …« Ich blicke zur Kinderzimmertür hinauf, aber das Zimmer vibriert nicht mehr wie damals, als ich zum ersten Mal zurückgekommen bin. Jetzt ist da nur eine Tür, still und stumm. Eine Tür eben. »Oben können Sie sich dann selbst ein bisschen umsehen.«

»Wohnen die Eigentümer noch hier?«, fragt Linda.

Ich schaue mich um. »Nein. Sie sind schon lange weg.«

∗

Unterwegs zur Toilette inspiziert Justin alle Namensschildchen an den Türen des Korridors und hält Ausschau nach Sarahs Büro. Er hat keine Ahnung, wo er anfangen soll, aber wenn er die Akte finden kann, die sich mit der Blutspende im Frühherbst am Trinity College befasst, kommt er der Sache vielleicht näher.

Dann entdeckt er ihren Namen und klopft leise an die Tür. Als keine Reaktion erfolgt, geht er hinein, schließt die Tür schnell und leise hinter sich und blickt sich um. Auf den Regalen türmen sich die Akten. Er saust hin und fängt an, sie durchzusehen. Kurze Zeit später dreht sich der Türknauf. Er legt die Akte in Windeseile zurück, wendet sich zur Tür um und erstarrt. Schockiert blickt Sarah ihn an.

»Justin?«

»Sarah?«

»Was machst du denn in meinem Büro?«

Du bist ein gebildeter Mensch, also lass dir was Schlagfertiges einfallen.

»Ich hab wohl die falsche Tür erwischt.«

Wieder verschränkt Sarah die Arme vor der Brust. »Warum sagst du mir jetzt nicht endlich mal die Wahrheit?«

»Ich war auf dem Rückweg und hab deinen Namen an der Tür gesehen. Da dachte ich, ich seh mich mal ein bisschen um, wie es hier so ist. Weißt du, ich finde, ein Büro sagt sehr viel über einen Menschen aus, und ich dachte, wenn wir eine gemeinsame Zuk …«

»Wir haben aber keine gemeinsame Zukunft.«

»Oh. Verstehe. Aber wenn wir eine gemeinsame Zukunft *hätten* …«

»Nein.«

Sein Blick schweift über ihren Schreibtisch und fällt auf ein Foto von Sarah, auf dem sie die Arme um ein kleines blondes Mädchen und einen Mann gelegt hat. Eine glückliche Kleinfamilie am Strand.

Sarah folgt seinem Blick.

»Das ist Molly, meine Tochter.« Ihre Lippen werden schmal. Anscheinend ärgert sie sich, dass sie etwas gesagt hat.

»Du hast eine Tochter?« Er greift nach dem Rahmen, hält inne und sieht sie an, ob sie es ihm erlaubt.

Sie nickt, ihr Mund entspannt sich, und er nimmt das Bild.

»Sie ist wunderschön.«

»Ja.«

»Wie alt ist sie?«

»Sechs.«

»Ich wusste nicht, dass du eine Tochter hast.«

»Du weißt sowieso nicht sehr viel über mich. Bei unseren Verabredungen warst du nie lang genug anwesend, um über irgendwas außer über dich zu reden.«

Justin zuckt zusammen, sein Herz wird schwer. »Sarah, es tut mir so leid.«

»Das hast du schon gesagt, direkt bevor du in mein Büro gegangen bist und angefangen hast rumzuschnüffeln.«

»Ich hab nicht geschnüffelt …«

Ein Blick von ihr reicht, und er beißt sich auf die Lippen, ehe er eine weitere Lüge erzählt. Noch immer strahlt Sarah nichts Hartes oder Aggressives aus. Nur Enttäuschung. Anscheinend ist es nicht das erste Mal, dass ein Volltrottel wie Justin sie im Stich gelassen hat.

»Der Mann auf dem Foto?«

Traurig betrachtet sie das Bild und stellt es dann zurück auf den Tisch.

»Ich hätte dir gern schon früher von ihm erzählt«, sagt sie leise. »Genau genommen hab ich bei unseren beiden letzten Begegnungen zweimal dazu angesetzt.«

»Tut mir leid«, sagt er schon wieder und fühlt sich dabei so klein, dass er kaum über den Schreibtisch sehen kann. »Aber jetzt höre ich zu.«

»Hast du mir nicht gesagt, du müsstest zum Flughafen?«, gibt sie zu bedenken.

»Richtig«, nickt er und macht sich auf den Weg zur Tür. »Es tut mir aber ehrlich furchtbar, furchtbar leid. Die ganze Sache ist mir entsetzlich peinlich und ich bin zutiefst enttäuscht von mir selbst.« Ihm wird klar, dass er das absolut ernst meint, vom Grunde seines Herzens. »Ich mache grade eine ziemlich seltsame Phase durch.«

»Wer nicht. Wir müssen alle mit irgendwelchem Mist zurechtkommen, Justin. Aber bitte zieh mich nicht in deinen mit rein.«

»In Ordnung.« Wieder nickt er und lächelt sie entschuldigend und verlegen an, ehe er ihr Büro verlässt, die Treppe hinunter und ins Auto hetzt. Inzwischen kommt er sich vor wie ein Zwerg.

Fünfunddreißig

»Was ist das denn?«

»Keine Ahnung.«

»Wisch doch mal drüber.«

»Nein, mach du.«

»Hast du so was schon mal gesehen?«

»Ja, vielleicht.«

»Was soll das heißen, vielleicht? Entweder hast du so was schon gesehen oder nicht.«

»Fang jetzt bloß nicht an, den Klugscheißer zu spielen.«

»Tu ich doch gar nicht, ich versuche nur, schlau daraus zu werden. Meinst du, das geht ab?«

»Woher soll ich das denn wissen? Fragen wir Joyce.«

Ich höre Linda und Joe auf dem Korridor gedämpft miteinander reden. Ich habe sie sich selbst überlassen und mir in der Küche einen Kaffee gekocht. Jetzt stehe ich am Fenster, trinke ihn schwarz und starre hinaus auf den Rosenstrauch meiner Mutter ganz hinten im Garten, sehe, wie die Geister von Joyce und Conor sich an einem warmen Sommertag im Gras sonnen, und höre, wie das Radio plärrt.

»Joyce, dürfen wir Ihnen kurz was zeigen?«

»Aber sicher.«

Ich stelle die Kaffeetasse ab, passiere den Geist von Conor, der in der Küche Lasagne zubereitet – seine Spezialität! –, und den Geist von Joyce, der im Schlafanzug in ihrem Lieblingssessel fläzt und ein Mars isst. Langsam gehe ich in die Halle. Linda und Joe untersuchen auf allen vieren den Fleck vor der Treppe. Meiner Treppe.

»Könnte Wein sein«, sagt Joe und schaut zu mir empor. »Haben die Eigentümer etwas über den Fleck gesagt?«

»Äh …« Meine Knie werden ein bisschen wacklig, und einen Moment fürchte ich, meine Beine könnten unter mir nachgeben. Aber ich halte mich am Geländer fest und tue so, als würde ich mich zu dem Fleck hinabbeugen, um ihn genauer zu betrachten. Ich schließe die Augen. »Soweit ich weiß, ist er schon ein paar Mal gereinigt worden. Wären Sie denn überhaupt daran interessiert, den Teppichboden zu behalten?«

Linda verzieht nachdenklich das Gesicht, blickt die Treppe hinauf und hinunter, durchs Haus, studiert mein Dekor mit gerümpfter Nase. »Nein, ich glaube nicht. Ich hätte lieber Holzdielen. Du nicht auch?«, fragt sie Joe.

»Ja«, nickt er. »Schönes helles Eichenparkett.«

»Ja«, stimmt sie zu. »Ich glaube, den Teppich würden wir nicht behalten.« Erneut rümpft sie die Nase.

Es lag nicht in meiner Absicht, ihnen die Identität des Eigentümers vorzuenthalten – das wäre Blödsinn, denn auf dem Vertrag sehen sie sowieso alles. Aber ich bin davon ausgegangen, dass sie wissen, wem das Haus gehört, doch dem ist offenbar nicht so. Sie jetzt darauf hinzuweisen, wo sie nun schon die Ausstattung kritisiert haben, wäre für uns alle unangenehm.

»Ansonsten scheint es Ihnen zu gefallen«, lächle ich und sehe in ihre Gesichter, die strahlen vor Aufregung und Freude, endlich ein Haus gefunden zu haben, in dem sie sich wohlfühlen.

»O ja«, meint Linda ebenfalls lächelnd. »Bisher waren wir immer so pingelig, wie Sie ja wissen. Aber inzwischen hat die Situation sich verändert, wir müssen aus unserer Wohnung raus und so bald wie möglich etwas Größeres finden, weil wir sozusagen expandieren – na ja, weil *ich* expandiere«, scherzt sie nervös, und erst jetzt fällt mir die kleine Beule unter ihrem Shirt auf, wo sich der Bauchnabel hart und fest nach vorn stülpt.

354

»Oh, wow ...« Kloß im Hals, weiche Knie, Tränen in den Augen, alles bekannt, bitte lass den Augenblick schnell vorübergehen, bitte mach, dass sie grade nicht zu mir hinsehen. Taktvollerweise erfüllen sie mir den Wunsch. »Das ist ja fantastisch, herzlichen Glückwunsch«, sagt meine Stimme fröhlich, und selbst ich höre, wie hohl sie klingt, ohne auch nur eine Spur von Aufrichtigkeit, so leer, dass sie in sich selbst widerhallt.

»Deshalb wäre das Zimmer oben wirklich perfekt«, meint Joe und deutet mit dem Kopf zum Kinderzimmer hinauf.

»Oh, natürlich, das ist einfach toll.« Die Vorstadthausfrau aus den Sechzigern ist zurück, und ich laviere mich mit reichlich »ja so was!« und »wunderbar« durch den Rest der Unterhaltung.

»Ich kann gar nicht glauben, dass die ganzen Möbel hierbleiben«, sagt Linda und schaut sich um.

»Na ja, die beiden ziehen in eine kleinere Wohnung, und die Sachen passen dann nicht mehr rein.«

»Und sie wollen wirklich nichts davon mitnehmen?«

»Nein, bestimmt nicht«, lächle ich und schaue mich um. »Lediglich den Rosenstrauch im Garten.«

Und einen Koffer voller Erinnerungen.

Mit einem abgrundtiefen Seufzer lässt Justin sich auf den Rücksitz sinken.

»Was ist denn mit Ihnen los?«

»Nichts. Könnten Sie mich jetzt bitte direkt zum Flughafen fahren? Ich bin ein bisschen spät dran.« Justin stützt den Ellbogen aufs Fensterbrett, bedeckt das Gesicht mit der Hand und hasst sich, hasst den egoistischen jämmerlichen Mann, der aus ihm geworden ist. Sicher, Sarah und er passen nicht zusammen, aber was für ein Recht hatte er, sie so auszunutzen, sie mit sich in diesen Tümpel aus Verzweiflung und Selbstsucht zu ziehen.

»Ich hab etwas, was Sie bestimmt aufheitern wird«, sagt Thomas und greift ins Handschuhfach.

»Nein, ich bin jetzt wirklich nicht in der ...« Mitten im Satz bricht Justin ab, denn er sieht, dass Thomas einen ihm wohlbekannten Umschlag herausholt. Und ihm überreicht.

»Woher haben Sie den?«

»Mein Boss hat mich angerufen und mir gesagt, ich soll ihn Ihnen geben, bevor ich Sie zum Flughafen bringe.«

»Ihr Boss«, wiederholt Justin und kneift argwöhnisch die Augen zusammen. »Wie heißt er?«

Einen Moment zögert Thomas. »John«, antwortet er dann.

»John Smith?«, ergänzt Justin, in einem Ton, der vor Sarkasmus strotzt.

»Genau der.«

Da Justin weiß, dass er aus Thomas keine weiteren Informationen herauslocken wird, wendet er sich wieder dem Umschlag zu. Langsam dreht er ihn in der Hand und versucht zu entscheiden, ob er ihn aufmachen soll oder nicht. Er könnte ihn ungeöffnet lassen und die ganze Geschichte damit beenden, wieder Ordnung in sein Leben bringen, aufhören, Leute auszunutzen. Eine nette Frau kennenlernen und sie gut behandeln.

»Und? Wollen Sie ihn nicht aufmachen?«, fragt Thomas.

Justin dreht den Brief weiter.

»Vielleicht.«

Dad macht mir die Tür auf, mit den iPod-Stöpseln in den Ohren, das Gerät in der Hand. Mit anerkennendem Blick mustert er mich von oben bis unten.

»OOOOH, DU SIEHST HEUTE ABER SEHR HÜBSCH AUS, GRACIE!«, brüllt er aus voller Kehle, und ein Mann, der auf der anderen Straßenseite mit seinem Hund spazieren geht, dreht sich nach uns um. »HATTEST DU HEUTE WAS BESONDERES VOR?«

Ich lächle. Endlich ein bisschen Entspannung. Ich lege den Finger auf die Lippen und klaube die Stöpsel aus seinen Ohren.

»Ich hab einem Pärchen mein Haus gezeigt.«

»Hat es ihnen gefallen?«

»Sie kommen in ein paar Tagen zum Ausmessen. Das ist ein gutes Zeichen. Aber als ich dort war, ist mir klar geworden, dass für mich noch ziemlich viel ansteht.«

»Reicht es nicht allmählich? Du brauchst dich doch nicht wochenlang zu quälen, bis du dich wieder okay fühlen darfst.«

»Ich meine nur meine Sachen«, erwidere ich mit einem Lächeln. »Dinge, die noch im Haus rumstehen. Ich glaube nicht, dass die Leute viel von den Möbeln wollen. Wäre es okay, wenn ich sie in deiner Garage unterstelle?«

»In meiner Werkstatt, meinst du?«

»In der hast du dich doch seit zehn Jahren nicht mehr aufgehalten.«

»O doch«, erwidert er. »Aber na gut, du kannst deine Sachen da abstellen. Werde ich dich denn niemals wirklich los?«, setzt er mit einem winzigen Schelmengrinsen hinzu.

Dann sitze ich am Küchentisch, und Dad macht sich sofort am Wasserkocher zu schaffen, wie er das bei jedem Besucher tut.

»Wie war es denn gestern Abend im Monday Club? Ich wette, Donal McCarthy hat gestaunt. Was für ein Gesicht hat er gemacht?« Gespannt beuge ich mich zu ihm.

»Er war gar nicht da«, antwortet Dad und wendet mir den Rücken zu, während er eine Tasse mit Untertasse für sich und einen Becher für mich aus dem Schrank holt.

»Was? Warum war er nicht da? Und das ausgerechnet, wenn du so eine tolle Geschichte zu erzählen hast? Das ist doch wohl eine Frechheit. Na ja, dann eben nächste Woche, was?«

Langsam wendet er sich mir wieder zu. »Er ist am Wochenende gestorben. Morgen ist die Beerdigung. Wir haben den ganzen Abend von ihm geredet, über ihn und seine Geschichten, die er hundertmal erzählt hat.«

»O Dad, das tut mir so leid.«

»Ah, na ja. Wenn er nicht am Wochenende gestorben wäre, wäre er wahrscheinlich tot umgefallen, sobald er gehört hätte, dass ich Michael Aspel persönlich getroffen habe. Vielleicht war es ganz gut so«, meint er und lächelt traurig. »Er war kein schlechter Mensch. Wir haben gern zusammen gelacht, auch wenn wir oft gegeneinander gestichelt haben.«

Es tut mir leid für Dad. Natürlich ist unsere Reise trivial im Vergleich zum Tod eines Freundes, aber er hat sich so darauf gefreut, endlich mal seinen großen Rivalen ausstechen zu können.

Eine Weile sitzen wir schweigend am Tisch.

»Den Rosenstrauch behältst du aber, oder?«, fragt Dad schließlich.

Ich weiß sofort, wovon er spricht. »Natürlich behalte ich den. Ich dachte, er würde sich in deinem Garten gut machen.«

Nachdenklich blickt er aus dem Fenster und mustert seinen Garten. Wahrscheinlich überlegt er schon, wo der Strauch am besten aussehen würde.

»Aber du musst vorsichtig sein. Veränderungen können manchmal einen Schock hervorrufen und dadurch auch viel kaputtmachen.«

»Das klingt ein bisschen dramatisch«, entgegne ich mit einem traurigen Lächeln. »Ich denke, es wird alles werden, Dad. Aber danke, dass du dir Gedanken machst.«

Ohne mich anzusehen, erwidert er trocken: »Ich hab von den Rosen gesprochen.«

In diesem Moment fängt mein Handy an zu klingeln, rutscht vibrierend über den Küchentisch und fällt um ein Haar herunter. »Hallo?«

»Joyce, hier ist Thomas. Ich hab Ihren jungen Mann grade am Flughafen abgesetzt.«

»Oh, danke sehr. Hat er den Umschlag bekommen?«

»Äh, ja. Das heißt, ich hab ihn ihm gegeben, aber grade hab ich auf den Rücksitz geschaut, und da lag er immer noch.«

»Was?« Ich springe von meinem Küchenstuhl auf. »Fahren Sie zurück! Drehen Sie um! Sie müssen ihm den Brief geben. Er hat ihn bestimmt nur vergessen!«

»Na ja, wissen Sie, das Ding ist, er schien mir nicht sicher zu sein, ob er ihn überhaupt öffnen wollte.«

»Was? Warum?«

»Das weiß ich auch nicht. Ich hab ihm den Brief gegeben, als er wieder ins Auto gestiegen ist, um zum Flughafen zu fahren, genau wie Sie gesagt haben. Er hat einen total niedergeschlagenen Eindruck gemacht, deshalb dachte ich, der Brief heitert ihn bestimmt ein bisschen auf.«

»Niedergeschlagen? Warum? Was war denn los mit ihm?«

»Ich weiß es wirklich nicht, Joyce. Ich weiß nur, dass er ziemlich durcheinander war, als er eingestiegen ist, und ich ihm deshalb den Umschlag gegeben habe. Und dann saß er da und hat ihn angestarrt, und ich hab direkt nachgefragt, ob er ihn nicht aufmachen will, und da meinte er, vielleicht.«

»Vielleicht«, wiederhole ich. Habe ich etwas getan, was ihn aus der Fassung gebracht hat? Hat Kate womöglich irgendwas gesagt? »Er war durcheinander, als er aus der National Gallery gekommen ist?«

»Nein, nicht da. Unterwegs zum Flughafen haben wir noch bei dieser Blutspendepraxis in der D'Olier Street Station gemacht.«

»Wollte er Blut spenden?«

»Nein, er hat gesagt, er muss sich mit jemandem treffen.«

O mein Gott, vielleicht hat er rausgefunden, dass ich es bin, und jetzt hat er kein Interesse mehr.

»Thomas, wissen Sie, ob er den Brief geöffnet hat?«

»Hatten Sie ihn zugeklebt?«

»Nein.«

»Dann kann ich es leider nicht mit Sicherheit sagen. Ich hab nicht gesehen, dass er ihn aufgemacht hat. Tut mir leid. Soll ich den Brief auf dem Rückweg vom Flughafen bei Ihnen vorbeibringen?«

»Ja bitte, das wäre nett.«

Eine Stunde später öffne ich Thomas die Tür, und er gibt mir den Umschlag. Ich kann die Karten darin fühlen, und mein Herz wird schwer. Warum hat Justin den Umschlag nicht geöffnet und mitgenommen?

»Hier, Dad«, sage ich und schiebe den Umschlag über den Tisch. »Ein Geschenk für dich.«

»Was ist da drin?«

»Plätze in der ersten Reihe für die Oper nächstes Wochenende«, antworte ich traurig und stütze das Kinn in die Hand. »Eigentlich waren sie für jemand anderes gedacht, aber der will anscheinend nicht hin.«

»Die Oper.« Dad schneidet ein komisches Gesicht, und ich muss lachen. »Opern gehören nicht zu meiner Erziehung«, sagt er, öffnet den Umschlag aber trotzdem, während ich aufstehe, um mir noch einen Kaffee zu machen.

»Oh, ich glaube, bei der Oper muss ich passen, Liebes. Aber trotzdem vielen Dank.«

Ich fahre herum. »Warum denn, Dad? Das Ballett hat dir doch gefallen, und damit hast du auch nicht gerechnet.«

»Ja, aber da bin ich mit dir hingegangen. Und alleine mag ich nicht in der Oper sitzen.«

»Das brauchst du auch nicht. Es sind doch zwei Tickets.«

»Da drin ist aber nur eines.«

»Nein, es sind zwei.«

Dad schüttelt den Umschlag, die Öffnung nach unten, und ein loser Zettel flattert auf den Tisch.

Mein Herz setzt einen Schlag aus.

Dad setzt seine Brille auf die Nasenspitze und schielt auf das Papier. »Begleitest du mich?«, liest er langsam. »Ach, Liebes, das ist wirklich nett von dir …«

»Zeig her!«, rufe ich und reiße ihm den Zettel aus der Hand. Ungläubig lese ich, was da steht. Dann noch einmal. Und noch einmal und noch einmal.

Begleitest du mich? Justin

Sechsunddreißig

»Er will mich treffen«, erzähle ich Kate nervös und zwirble einen Faden vom Saum meines Tops um den Finger.

»Du schnürst dir noch die ganze Durchblutung ab, sei bloß vorsichtig«, warnt Kate mich, ganz mütterliche Fürsorge.

»Kate! Hast du mich nicht gehört? Ich hab gesagt, er will mich treffen!«

»Das ist auch gut so. Hast du etwa nicht damit gerechnet, dass das irgendwann passiert? Wirklich, Joyce, du lässt den armen Mann jetzt schon seit Wochen zappeln. Wenn er dir das Leben gerettet hat, wie du immer behauptest, ist es ja wohl naheliegend, dass er dich kennenlernen möchte. Um seinem männlichen Ego zu schmeicheln. Komm schon, das ist fast so gut wie ein weißes Pferd und eine glänzende Ritterrüstung.«

»Nein, überhaupt nicht.«

»In männlichen Augen schon. In wandernden männlichen Augen, genau genommen«, fügt sie hinzu.

Ich mustere sie. »Ist alles okay bei dir? Du hörst dich ja schon an wie Frankie.«

»Hör auf, auf deiner Lippe rumzukauen, sie fängt schon an zu bluten. Ja, alles bestens, geradezu wunderbar.«

»Hallo, hier bin ich!«, unterbricht uns Frankie, die gerade zur Tür hereingeschneit ist und sich nun neben uns auf einem Zuschauerplatz niederlässt.

Wir sitzen im terrassenförmigen Zuschauerbereich des Schwimmbads, das Kate mit ihren Sprösslingen regelmäßig frequentiert. Unter uns plantschen Eric und Jayda geräuschvoll mit den übrigen Teilnehmern des Schwimmkurses. Neben uns fläzt sich Sam in seinem Buggy und sieht sich interessiert um.

»Macht er eigentlich überhaupt irgendwann mal was?«, fragt Frankie und schaut den Kleinen argwöhnisch an.

Kate ignoriert ihre Bemerkung.

»Tagesordnungspunkt eins: Diskussion darüber, warum wir uns ständig an Orten treffen müssen, wo all diese *Dinger* rumwuseln.« Sie schaut auf das Kleinkindgewimmel. »Was ist mit den ganzen coolen Bars, den schicken neuen Restaurants, den Ladeneröffnungspartys passiert? Erinnert ihr euch vielleicht noch dunkel daran, dass wir früher manchmal Spaß hatten?«

»Ich hab jede Menge beschissenen Spaß«, erwidert Kate ein bisschen zu defensiv. »Ich bestehe praktisch nur noch aus beschissenem Spaß«, wiederholt sie, schaut dann aber schnell weg.

Anscheinend hört Frankie den seltsamen Unterton in Kates Stimme nicht, vielleicht hört sie ihn auch, beschließt aber, nicht darauf einzugehen. »Ja, bei Partys mit anderen Paaren, die auch seit einem Monat nicht mehr richtig ausgegangen sind. Für mich ist das nicht das, was ich mir unter Spaß vorstelle.«

»Du wirst es verstehen, wenn du erst mal Kinder hast.«

»Ich hab nicht vor, Kinder zu kriegen. Ist alles okay bei dir?«

»Ja, bei Kate ist alles bestens und wunderbar«, mische ich mich ein und deute mit den Fingern die Anführungszeichen an meinem Zitat an.

»Aha, verstehe«, sagt Frankie gedehnt und formt mit den Lippen lautlos den Namen »Christian« in meine Richtung.

Ich zucke die Achseln.

»Gibt es irgendwas, worüber du reden möchtest, Kate?«, fragt Frankie.

»Eigentlich ja«, antwortet sie und wendet sich ihr mit wütend glitzernden Augen zu. »Ich hab nämlich deine dauernden Sticheleien über mein Leben gründlich satt. Wenn du hier oder in meiner Gesellschaft nicht glücklich bist, dann verpiss dich doch einfach und geh woanders hin. Jedenfalls kannst du fest damit rechnen, dass ich nicht mitkomme.« Mit hochrotem Gesicht dreht sie sich wieder weg.

Einen Augenblick betrachtet Frankie ihre Freundin schweigend. »Okay«, sagt sie dann munter zu mir. »Mein Auto steht draußen, wir könnten mal die Kneipe ein Stück weiter die Straße runter ausprobieren.«

»Nein, wir bleiben hier«, protestiere ich.

»Seit du deinen Mann verlassen hast und dein Leben bloß noch ein Scherbenhaufen ist, kann man sich mit dir auch nicht mehr amüsieren«, schmollt Frankie. »Und was dich angeht, Kate – seit du diese schwedische Kinderfrau hast, die dein Mann dauernd anglubscht, bist du ständig mies drauf. Und ich hab die Nase voll davon, jeden Abend mutterseelenallein mein langweiliges Mikrowellenessen in mich reinzustopfen und jede Nacht mit 'nem anderen attraktiven Fremden bedeutungslosen Sex zu haben. So, jetzt ist es raus.«

Ich staune Bauklötze. Kate ebenfalls. Ich spüre, dass wir uns beide Mühe geben, wütend auf Frankie zu werden, aber das, was sie gesagt hat, trifft dermaßen genau ins Schwarze, dass es schon fast witzig ist. Jetzt schubst sie mich auch noch mit dem Ellbogen und kichert mir spitzbübisch ins Ohr. Auch Kates Mundwinkel fangen an zu zucken.

»Ich hätte einen Kinder*mann* engagieren sollen«, sagt Kate schließlich.

»Da würd ich Christian auch nicht trauen«, entgegnet Frankie. »Du bist paranoid, Kate«, versichert sie aber dann mit ernster Stimme. »Ich hab ihn beobachtet. Er liebt dich abgöttisch, und sie ist nicht mal besonders attraktiv.«

»Meinst du?«

»Mhm«, nickt sie, aber als Kate nicht hinsieht, formt sie in meine Richtung »aber sexy« mit den Lippen.

»Meinst du das ernst, was du grade gesagt hast?«, fragt Kate schon etwas fröhlicher.

»Nein«, lacht Frankie und wirft den Kopf in den Nacken. »Ich *liebe* bedeutungslosen Sex. Aber wegen dem Mikrowellenessen muss ich echt was unternehmen. Mein Arzt sagt, ich habe Eisenmangel. Okay«, fährt sie fort und klatscht in die Hände, so laut, dass Sam vor Schreck zusammenzuckt, »aus welchem Grund ist diese Sitzung eigentlich einberufen worden?«

»Justin möchte Joyce treffen«, erklärt Kate und schnalzt mit den Fingern zu mir. »Hör auf, an deiner Lippe zu kauen.«

Ich lasse es.

»Ooh, toll«, sagt Frankie aufgeregt. »Wo liegt das Problem?« Dann sieht sie mein verängstigtes Gesicht.

»Er wird merken, dass ich ich bin.«

»Wer solltest du sonst sein?«

»Jemand anderes«, antworte ich und beiße wieder auf meine arme Lippe.

»Das erinnert mich echt an alte Zeiten. Du bist dreiunddreißig, Joyce, warum benimmst du dich wie ein Teenager?«

»Weil sie verliebt ist«, antwortet Kate gelangweilt, wendet sich dem Schwimmbecken zu und applaudiert ihrer hustenden Tochter Jayda, deren Gesicht halb unter Wasser ist.

»Sie kann nicht verliebt sein«, meint Frankie und rümpft verächtlich die Nase.

»Meint ihr, das ist normal?«, fragt Kate plötzlich besorgt und versucht unsere Aufmerksamkeit auf Jayda zu lenken.

»Natürlich ist das nicht normal«, antwortet Frankie. »Sie kennt den Kerl ja kaum.«

»Mädels, hey, wartet mal 'nen Moment«, versucht Kate sich wieder Gehör zu verschaffen.

»Ich weiß mehr über ihn, als jeder andere Mensch jemals wissen wird«, verteidige ich mich unterdessen. »Abgesehen von ihm selbst natürlich.«

»Entschuldigung?« Da wir ihr nicht zuhören, nimmt Kate mit der Bademeisterin Kontakt auf, die direkt unter uns sitzt. »Können Sie mal nach der Kleinen da unten sehen, bitte?«

»Bist du verliebt?«, fragt Frankie und sieht mich an, als hätte ich soeben angekündigt, dass ich eine Geschlechtsumwandlung beabsichtige.

Ich lächle. Im gleichen Moment springt die Bademeisterin ins Wasser, um Jayda zu retten, und ein paar Kinder kreischen aus Leibeskräften.

»Du musst uns mit rüber nach Irland nehmen«, meint Doris aufgeregt, während sie eine Vase auf das Fenstersims stellt. Inzwischen ist die Wohnung fast fertig, und sie erledigt nur noch die letzten Feinarbeiten. »Vielleicht ist sie total durchgeknallt, das weiß man ja nie. Wir müssen in deiner Nähe sein, falls irgendwas passiert. Schließlich könnte es auch ein Mörder sein, ein Serienstalker, der sich mit Leuten trifft und sie dann umbringt. So was hab ich mal bei Oprah gesehen.«

Al fängt an, Nägel in die Wand zu schlagen, und Justin passt sich seinem Rhythmus an, indem er zur Antwort sanft, aber regelmäßig den Kopf auf den Küchentisch schlägt.

»Ich nehme euch beide ganz bestimmt nicht mit in die Oper«, sagt er schließlich.

»Du hast mich auch mitgenommen, als du mit Delilah Jackson ausgegangen bist«, wirft Al ein, der aufgehört hat zu hämmern. »Warum soll das jetzt was anderes sein?«

»Al, damals war ich zwölf.«

»Trotzdem«, beharrt er achselzuckend und macht sich wieder ans Hämmern.

»Was, wenn sie berühmt ist?«, fängt Doris wieder an. »O mein Gott, das könnte doch sein! Ich glaube, sie ist berühmt! Womöglich sitzt Jennifer Aniston in der ersten Reihe der Oper, und neben ihr ist ein Platz frei. O mein Gott, stellt euch das mal vor!« Mit großen Augen wendet sie sich an ihren Schwager: »Justin, du musst ihr unbedingt sagen, dass ich ihr größter Fan bin.«

»Stopp, stopp, erst mal langsam, du fängst ja schon an zu hyperventilieren. Wie in aller Welt kommst du denn darauf? Wir wissen ja noch nicht mal, ob es wirklich eine Frau ist. Du bist total besessen von Promis«, seufzt Justin.

»Ja, Doris«, unterstützt Al ihn. »Wahrscheinlich ist es ein ganz normaler Mensch.«

Justin verdreht die Augen. »Ja«, ahmt er den Ton seines Bruders nach. »Weil berühmte Leute nämlich nicht normal sind, sondern Unterweltwesen mit Hörnern und drei Beinen.«

Jetzt unterbrechen Al und Doris ihre Arbeit, hören auf zu hämmern und zu malern, und starren Justin an.

»Wir fliegen morgen nach Dublin«, verkündet Doris mit großer Entschiedenheit. »Dein Bruder hat Geburtstag, Justin, und ein Wochenende in Dublin in einem hübschen Hotel wie beispielsweise dem Shelbourne wäre doch das ideale Geburtstagsgeschenk von dir für ihn. Da wollte ich – ich meine, da wollte Al schon immer mal hin.«

»Ich kann mir das Shelbourne Hotel aber nicht leisten, Doris.«

»Na, dann nehmen wir eben irgendein anderes, am besten in der Nähe einer Klinik, falls er einen Herzanfall hat. Auf jeden Fall fliegen wir zusammen!« Aufgeregt klatscht sie in die Hände.

Siebenunddreißig

Ich bin auf dem Weg in die Stadt, denn ich bin mit Kate und Frankie verabredet, um mir ein passendes Kleid für die Oper zu kaufen. Da klingelt mein Handy.

»Hallo?«

»Joyce, hier ist Steven.«

Mein Chef.

»Ich hab gerade schon wieder einen Anruf bekommen.«

»Das ist toll, aber Sie müssen mir nicht jedes Mal Bescheid sagen, wenn Sie telefonieren.«

»Es war schon wieder eine Beschwerde, Joyce.«

»Von wem und weswegen?«

»Von dem Paar, dem Sie gestern das neue Cottage gezeigt haben.«

»Ja?«

»Die sind abgesprungen.«

»Oh, das ist aber schade«, sage ich, ohne ein Wort davon ehrlich zu meinen. »Haben sie auch gesagt, warum?«

»Ja, allerdings. Anscheinend hat eine bestimmte Person unserer Firma ihnen den dringenden Rat gegeben, sie sollten das historische Cottage ganz im Stil der damaligen Zeit restaurieren lassen und dafür ruhig Mehrarbeit verlangen. Und jetzt raten Sie mal, was passiert ist. Das Bauunternehmen war nicht im Geringsten an der Liste interessiert, auf der unter anderem stand …« – ich höre Papiergeraschel, und er zitiert: »›freigelegte Dachbalken, freigelegtes Mauerwerk, Holzofen, offener Kamin …‹ Die Liste geht noch eine ganze Weile weiter. Und deshalb sind die Interessenten jetzt abgesprungen.«

»Das klingt doch ganz vernünftig. Erscheint es Ihnen etwa sinnvoll, historische Cottages ohne die historischen Besonderheiten zu renovieren?«

»Wen kümmert das denn? Joyce, Sie sollten die Leute nur reinlassen, damit sie den Platz für ihre Couch ausmessen können. Douglas hatte ihnen das Haus schon verkauft, als Sie … als Sie nicht da waren.«

»Na, offensichtlich hat er das nicht getan.«

»Joyce, ich muss Sie dringend bitten, unsere Klienten nicht zu vergraulen. Muss ich Sie denn wirklich daran erinnern, dass Ihre Aufgabe nur darin besteht, Immobilien zu verkaufen? Wenn Sie das weiterhin nicht tun, dann …«

»Dann was?«, frage ich überheblich, und mein Kopf wird ganz heiß.

»Gar nichts«, wiegelt er ab und fährt etwas ruhiger fort: »Ich weiß, Sie haben eine schwere Zeit hinter sich«, setzt er hölzern hinzu.

»Diese schwere Zeit ist aber jetzt vorbei und hat rein gar nichts mit meinen Fähigkeiten als Immobilienmaklerin zu tun!«

»Dann machen Sie gefälligst Ihren Job!«

»Gut!« Ich klappe das Handy zusammen und starre aus dem Busfenster auf die Stadt. Grade mal eine Woche arbeite ich wieder und bin schon urlaubsreif.

»Doris, ist das denn wirklich nötig?«, stöhnt Justin aus dem Badezimmer.

»Ja, unbedingt!«, ruft sie. »Dafür sind wir hier. Wir müssen dafür sorgen, dass du heute Abend richtig gut aussiehst. Beeil dich, du brauchst zum Umziehen ja länger als eine Frau.«

Doris und Al sitzen am Fußende ihres Betts in einem Dubliner Hotel, zu Doris' Leidwesen leider nicht dem Shelbourne. Es ist eher eine Art Holiday Inn, aber zentral gelegen, man ist im Handumdrehen in den Einkaufsstraßen, und damit kann sie leben. Eigentlich war Justin ganz erpicht darauf, ihnen gleich nach der Landung heute Vormittag die Sehenswürdigkeiten vorzuführen, Museen, Kirchen und Schlösser, aber Doris und Al hatten andere Pläne. Shopping nämlich. Die Wikinger-Tour war das Höchste an kulturellem Genuss, zu dem sie sich bereit fanden, und Doris hatte laut gekreischt, als der Bus in die Liffey fuhr und das Wasser ihr ins Gesicht spritzte. Am Ende nahmen sie einfach das nächstbeste Zimmer, damit Al ihr die Wimperntusche aus dem Auge waschen konnte.

Nur noch ein paar Stunden bis zum Beginn der Oper, nur noch ein paar Stunden, bis er endlich die Identität der geheimnisvollen Person herausfinden wird, und wenn er nur daran denkt, steigert sich seine Spannung und Nervosität fast ins Unermessliche. Alles ist offen – der Abend kann in pure Folter ausarten oder richtig nett werden. Aber er will aufs Schlimmste vorbereitet sein, und dafür muss er sich unbedingt noch einen Fluchtplan ausdenken.

»Ach, jetzt mach endlich voran, Justin!«, ruft Doris erneut, und er schiebt die Krawatte zurecht und verlässt das Badezimmer.

»Zeig's uns, zeig's uns, zeig's uns«, feuert Doris ihn an, während er in seinem besten Anzug im Zimmer auf und ab defiliert. Schließlich bleibt er direkt vor seinem Bruder und seiner Frau stehen, hampelt verlegen herum und fühlt sich wie ein kleiner Junge im Kommunionsanzug.

Wortlos starren die beiden ihn an. Al, der sich eifrig Popcorn in den Mund geschaufelt hat, hört sogar auf zu kauen.

»Was ist?«, fragt Justin nervös. »Stimmt was nicht? Hab ich was im Gesicht? Ist irgendwo ein Fleck?« Prüfend schaut er an sich herunter.

Doris rollt mit den Augen und schüttelt den Kopf. »Ha, ha, sehr komisch. Nein, im Ernst, vertrödle nicht unsere Zeit, sondern zeig uns deinen richtigen Anzug.«

»Doris!«, ruft Justin entsetzt. »Das *ist* mein richtiger Anzug!«

»Das ist dein bester Anzug?«, wiederholt sie gedehnt und mustert ihn von oben bis unten.

»Ich glaube, den kenne ich noch von unserer Hochzeit«, bemerkt Al.

Doris steht auf und holt ihre Handtasche. »Ausziehen«, sagt sie ruhig.

»Was? Warum?«

Sie holt tief Luft. »Zieh ihn einfach aus. Auf der Stelle.«

»Das ist viel zu förmlich, Kate.« Ich bin nicht zufrieden mit den Kleidern, die sie für mich ausgesucht hat. »Es ist doch kein Ball, ich brauche nur etwas …«

»… das sexy ist«, meint Frankie und schwenkt ein knappes Fähnchen vor mir herum.

»Sie geht in die Oper, nicht Clubben«, protestiert Kate und nimmt ihr energisch das Kleid aus der Hand.

»Okay, aber schaut euch mal das hier an. Nicht zu förmlich, nicht zu nuttig«, ergreife ich zur Abwechslung selbst die Initiative.

»Ja, damit kannst du ohne weiteres als Nonne durchgehen«, meint Frankie sarkastisch.

Entschlossen wenden sich meine beiden Freundinnen ab und beginnen erneut, die Kleiderständer zu durchwühlen.

»Ta-da! Ich hab's!«, verkündet Frankie.

»Nein, das hier ist perfekt!«, ruft Kate.

Gleichzeitig wirbeln sie beide herum – und halten das gleiche Modell in der Hand. Kate in Rot, Frankie in Schwarz. Ich kaue auf der Unterlippe.

»Hör auf damit!«, weisen sie mich wie aus einem Munde zurecht.

»O mein Gott«, flüstert Justin.

»Was? Hast du noch nie rosa Nadelstreifen gesehen? Einfach göttlich. Mit dem lachsfarbenen Hemd hier und der Krawatte –

einfach perfekt! Ach Al, ich wollte, du würdest so was auch anziehen.«

»Mir gefällt's in Blau besser«, entgegnet Al. »Das Rosa ist ein bisschen schwul, finde ich. Vielleicht eine gute Idee, falls deine Verabredung sich als totale Katastrophe herausstellt. Dann kannst du behaupten, dass dein Freund auf dich wartet. Ich könnte einspringen«, bietet er großzügig an.

Ärgerlich mustert Doris ihn. »Siehst du, der ist doch viel besser als der andere, den du anhattest, Justin. Justin? Erde an Justin! Was guckst du denn da? Oh, die ist aber hübsch.«

»Das ist Joyce«, flüstert er. Er hat einmal gelesen, dass das Herz eines Kolibris bis zu zwölfhundertmal pro Minute schlägt, und sich gewundert, wie irgendein Lebewesen das aushält. Aber jetzt versteht er es. Mit jedem Schlag feuert sein Herz Blut durch den Körper. Er fühlt jede Zelle vibrieren, es pulsiert in seinem Hals, seinen Handgelenken, seinem Bauch.

»Das ist Joyce?«, fragt Doris schockiert. »Die Telefonfrau? Na ja, sie wirkt … ganz normal, Justin. Was meinst du, Al?«

Auch Al mustert sie und knufft seinen Bruder in die Seite. »Ja, sie sieht echt *normal* aus. Du solltest mal mit ihr ausgehen, unbedingt.«

»Warum überrascht es euch denn so, dass sie normal aussieht?« Bum-bum, bum-bum.

»Na ja, Süßer, allein die Tatsache, dass sie existiert, ist an sich schon eine Überraschung«, schnaubt Doris. »Die Tatsache, dass sie hübsch ist, geht schon fast als Wunder durch. Na los, frag sie, ob sie heute Abend mit dir essen geht.«

»Heute Abend kann ich nicht.«

»Warum?«

»Ich gehe in die Oper!«

»Ach, Oper, Schmoper. Wen kümmert die Oper?«

»Seit über einer Woche redet ihr von nichts anderem. Und jetzt heißt es auf einmal Oper, Schmoper?« Bum-bum, bum-bum.

»Na ja, ich wollte es dir nicht miesmachen, aber im Flugzeug auf dem Weg hierher habe ich nachgedacht und ...« Sie holt tief Luft und legt ihm vorsichtig die Hand auf den Arm. »Es kann nicht Jennifer Aniston sein. Garantiert sitzt neben dir bloß irgendeine ältere Frau in der ersten Reihe, mit einem Blumenstrauß, auf den du keinen Wert legst. Oder ein übergewichtiger Typ mit Mundgeruch. Sorry, Al, ich meine nicht dich.«

Justins Herz schlägt weiter mit Kolibri-Herzfrequenz, und seine Gedanken rasen mit Kolibri-Flügelschlaggeschwindigkeit. Er kann kaum denken, alles rauscht viel zu schnell an ihm vorüber. Joyce ist aus der Nähe noch viel schöner, als er sie in Erinnerung hat, mit den kurzen Haaren, die sanft ihr Gesicht umgeben. Aber jetzt macht sie Anstalten zu gehen! Er muss schnell etwas unternehmen. *Denk nach, denk, denk!*

»Dann frag sie eben, ob sie morgen Abend mit dir ausgeht«, schlägt Al vor.

»Ich kann nicht! Morgen wird meine Ausstellung eröffnet.«

»Lass es ausfallen. Sag, du bist krank.«

»Das geht doch nicht, Al! Seit Monaten bereite ich mich darauf vor, ich bin der verdammte Kurator, ich darf weder krank noch sonst was sein.« Bum-bum, bum-bum.

»Wenn du sie nicht fragst, mach ich es«, drängt Doris.

»Sie ist doch mit ihren Freundinnen beschäftigt.«

Joyce macht sich auf den Weg.

Tu etwas!

»Joyce!«, ruft Doris.

»Herr des Himmels.« Justin versucht sich umzudrehen und in die andere Richtung zu fliehen, aber Al und Doris versperren ihm den Weg.

»Justin Hitchcock«, sagt eine laute Stimme, und er gibt den Versuch auf, die Barriere zu durchbrechen. Langsam dreht er sich um. Die Frau neben Joyce kommt ihm bekannt vor. Sie hat ein Baby in einem Buggy neben sich.

»Justin Hitchcock, sagt die junge Frau noch einmal und streckt ihm die Hand hin. »Kate McDonald.« Ihr Händedruck ist ziemlich energisch. »Ich war letzte Woche bei Ihrem Vortrag in der National Gallery und fand ihn unglaublich interessant«, lächelt sie. »Und ich wusste gar nicht, dass Sie Joyce kennen«, fügt sie hinzu und stößt Joyce mit dem Ellbogen an. »Joyce, das hast du mir gar nicht gesagt! Ich war bei Justin Hitchcocks Vortrag letzte Woche, davon hab ich dir doch erzählt! Das Bild mit der Frau und dem Brief? Den die Frau gerade schreibt?«

Joyce macht große erschrockene Augen und schaut entsetzt zwischen Justin und ihrer Freundin hin und her.

»Wir kennen uns ja auch nicht richtig«, erklärt Justin schließlich ausweichend, kann aber nicht verhindern, dass seine Stimme zittert. So viel Adrenalin rast durch seine Adern, dass er befürchtet, wenn er nicht aufpasst, wird er gleich abheben und wie eine Rakete durchs Dach des Kaufhauses sausen. »Wir sind uns schon ein paar Mal begegnet, hatten aber nie die Gelegenheit, uns wirklich miteinander bekannt zu machen.« Er streckt ihr die Hand hin. »Joyce, ich bin Justin.«

Sie nimmt die Hand, und ein elektrischer Stromschlag durchfährt sie beide.

Schnell gehen sie auf Abstand. »Hoppla.« Joyce umfasst die eine Hand mit der anderen, als hätte sie sich verbrannt.

»Ooooh«, säuselt Doris.

»Das ist ein typisches Beispiel für statische Aufladung, Doris. So was passiert, wenn Luft und Materialien trocken sind. Die sollten hier einen Befeuchter aufstellen«, entgegnet Justin wie ein Roboter, ohne den Blick von Joyce abzuwenden.

Frankie legt den Kopf schief und verkneift sich das Lachen. »Wie charmant.«

»Das sage ich ihm auch dauernd«, grummelt Doris.

Kurz darauf streckt Joyce die Hand ein zweites Mal aus, um das Händeschütteln zu Ende zu bringen. »Sorry, ich habe nur …«

»Das ist schon okay, ich hab das auch«, lächelt er.

»Schön, dass wir uns endlich kennenlernen«, sagt sie.

Ohne die Hände wieder voneinander zu lösen, starren sie sich an. Doris, Justin und Al bilden eine Reihe, gegenüber haben sich Joyce und ihre beiden Freundinnen genauso ordentlich aufgestellt.

Doris räuspert sich laut. »Ich bin Doris, seine Schwägerin.«

Damit streckt sie den Arm diagonal über Justins und Joyce' Hände zu Frankie hin.

»Ich bin Frankie.«

Auch sie schütteln sich die Hände, während Al ebenfalls diagonal Kate die Hand entgegenhält. Daraus entwickelt sich ein regelrechter Händeschüttelmarathon, und als alle sich geziemend begrüßt haben, lassen Justin und Joyce sich tatsächlich los.

»Möchten Sie vielleicht heute Abend mit Justin essen gehen?«, platzt Doris vorlaut heraus.

»Heute Abend?« Joyce macht ein langes Gesicht.

»Das würde sie total gern«, antwortet Frankie an ihrer Stelle.

»Aber ausgerechnet heute Abend?«, entgegnet Justin und wendet sich zu Doris um.

»Oh, kein Problem, Al und ich würden sowieso viel lieber alleine essen«, ruft sie und knufft ihn in die Seite. »Kein Grund, das fünfte Rad am Wagen zu spielen«, fügt sie grinsend hinzu.

»Wollen Sie nicht lieber das machen, was Sie ursprünglich geplant hatten?«, fragt Joyce verwirrt.

»O nein«, wehrt Justin ab und schüttelt entschieden den Kopf. »Ich würde sehr gern mit Ihnen essen gehen. Es sei denn, Sie haben schon andere Pläne.«

Joyce wendet sich an Frankie. »Heute Abend? Aber da ist doch …«

»Ach, sei nicht albern. Das ist doch jetzt nicht so wichtig.« Sie reißt vielsagend die Augen auf. »Wir können genauso gut wann anders was trinken gehen«, meint sie und wedelt wegwerfend mit der Hand. »Wohin wollen Sie Joyce denn ausführen?«, fragt sie und lächelt Justin freundlich an.

»Ins Shelbourne Hotel vielleicht?«, schlägt Doris vor. »Um acht?«

374

»Oh, da wollte ich schon immer mal essen«, seufzt Kate. »Acht passt ihr gut«, antwortet sie.

Justin grinst und sieht Joyce an. »Wirklich?«

Joyce scheint nachzudenken, und ihre Gedanken ticken so schnell wie sein Herz klopft.

»Sind Sie *absolut* sicher, dass Sie Ihre anderen Pläne für heute Abend absagen wollen?«, erkundigt sie sich stirnrunzelnd.

Ihre Blicke begegnen sich, und Schuldgefühle überwältigen ihn, als er daran denkt, dass irgendjemand sich jetzt gerade darauf vorbereitet, mit ihm in die Oper zu gehen.

Aber er nickt, einmal, und ist danach ganz unsicher, ob es überzeugend gewirkt hat.

Doris merkt es sofort und zieht ihn weg. »Es war sehr nett, Sie alle kennenzulernen, aber wir haben noch jede Menge Einkäufe zu erledigen. War mir ein Vergnügen, alle zusammen!« Sie umarmt Joyce kurz. »Viel Spaß beim Essengehen. Acht Uhr. Shelbourne Hotel. Nicht vergessen.«

»Rot oder Schwarz?«, fragt Joyce und hält Justin noch schnell die beiden Kleider hin.

Er überlegt. »Rot.«

»Dann nehme ich Schwarz«, lacht sie, in Anspielung auf ihr erstes und einziges Gespräch beim Friseur, ihrer ersten Begegnung.

Er lacht ebenfalls und lässt sich von Doris wegzerren.

Achtunddreißig

»Was zum Henker hast du dir denn bloß dabei gedacht, Doris?«, fragt Justin auf dem Rückweg zum Hotel.

»Na ja, du schwafelst seit Wochen von dieser Frau, und jetzt hast du endlich ein Date mit ihr. Was ist daran auszusetzen?«

»Ich habe Pläne für heute Abend! Ich kann doch meine Verabredung nicht einfach versetzen!«

»Du weißt ja nicht mal, mit wem du verabredet bist!«

»Egal, unhöflich ist es trotzdem.«

»Justin, mal ganz im Ernst – hör auf mich. Dieses ganze Ding mit den Dankesbriefchen könnte sehr wohl ein übler Scherz sein.«

Argwöhnisch kneift er die Augen zusammen. »Meinst du?«

»Jedenfalls wär das eine plausible Erklärung.«

»Keine Ahnung«, setzt Al achselzuckend hinzu. Unvermittelt beginnt er zu keuchen.

Sofort gehen Doris und Justin langsamer, mit winzigen Schritten.

Justin seufzt.

»Möchtest du lieber riskieren, dass du dich mit jemandem triffst, von dem du keine Ahnung hast, statt mit einer hübschen Frau essen zu gehen, nach der du absolut verrückt bist und die dir seit Wochen nicht mehr aus dem Kopf geht?«

»Komm schon«, steuert Al bei, »Wann hattest du das letzte Mal einer Frau gegenüber solche Gefühle? Ich glaube, so ging es dir nicht mal bei Jennifer.«

Justin lächelt.

»Also, Bruderherz, wie entscheidest du dich?«

»Sie sollten wirklich was gegen Ihr Sodbrennen einnehmen, Mr Conway«, höre ich Frankie in der Küche zu Dad sagen.

»Was denn zum Beispiel?«, fragt Dad, der es von Herzen genießt, dass zwei junge Frauen bei ihm in der Küche sitzen.

»Christian hat das auch dauernd …«, berichtet Kate, während Sam fröhlich plappert und Dad ihm im gleichen Stil mit allerlei sinnlosen Silben antwortet.

»Es heißt, hmm …« Kate denkt offensichtlich angestrengt nach. »Verflixt, ich komm einfach nicht auf den Namen.«

»Genau wie ich!«, ruft Dad. »Sie haben auch K. M. A. N. E.«

»Was ist das denn?«

»Na ja, ›Kann Mich An Nix Erinnern‹.«

»Ich bin fertig!«, rufe ich die Treppe hinunter, um einen weiteren Niveauverlust der Konversation zu verhindern.

»Ta-da«, schreit Frankie.

»Okay, Kamera läuft!«, ruft Kate.

Dad macht Trompetengeräusche, während ich die Treppe hinunterschreite, und ich muss lachen. Im Gehen versuche ich, mit Mums Bild auf dem Dielentischchen Blickkontakt zu halten, und zwinkere ihr verschwörerisch zu.

Als ich unten ankomme und zur Küchentür abbiege, verstummen plötzlich alle.

Sofort werde ich unsicher und bleibe stocksteif stehen. »Was ist los?«

»O Joyce«, flüstert Frankie, als wäre sie entsetzt, »du siehst wunderschön aus.«

Ich kann einen Seufzer der Erleichterung nicht unterdrücken.

»Dreh dich mal!«, fordert Kate mich auf und hält die Videokamera auf mich.

Ich wirble in meinem neuen roten Kleid herum, und sogar Sam klatscht begeistert in seine kleinen feisten Händchen.

»Mr Conway, Sie sagen ja gar nichts!«, ruft Frankie plötzlich und schubst Dad ein bisschen. »Ist sie nicht wunderschön, Ihre Tochter?«

Wir wenden uns alle gleichzeitig zu Dad, der stumm dasteht, die Augen voller Tränen. Er nickt heftig, bringt aber kein Wort heraus.

»Ach Dad!«, rufe ich und nehme ihn in den Arm. »Es ist doch bloß ein Kleid.«

»Du siehst wunderschön aus, Liebes«, stößt er mühsam hervor. »Schnapp ihn dir, mein Mädchen.« Dann drückt er mir einen Kuss auf die Wange und verschwindet, so schnell er kann, ins Wohnzimmer, so peinlich ist ihm seine Rührung.

»Also«, lächelt Frankie, »hast du inzwischen beschlossen, ob du lieber essen gehen oder in die Oper willst?«

»Nein, ich weiß es immer noch nicht.«

»Er hat dich zum Essen eingeladen«, meint Kate. »Warum meinst du, dass er lieber in die Oper gehen würde?«

»Erstens, weil nicht *er* mich zum Essen eingeladen hat, sondern seine Schwägerin. Und ich war auch nicht diejenige, die zugesagt hat. Sondern du.« Ich mustere Kate mit finsterem Blick. »Ich glaube, es bringt ihn fast um den Verstand, dass er nicht weiß, wem er das Leben gerettet hat. Am Schluss, als er das Geschäft verlassen hat, kam er mir gar nicht so überzeugt vor. Oder?«

»Hör auf, so viel zu interpretieren«, sagt Frankie. »Er hat dich eingeladen, mit ihm essen zu gehen.«

»Aber er sah aus, als hätte er ein schlechtes Gewissen, wenn er seine Opernverabredung versetzt.«

»Ich weiß nicht«, widerspricht Kate. »Auf mich hat er den Eindruck gemacht, dass er unbedingt mit dir essen gehen wollte.«

»Schwere Entscheidung«, meint Frankie. »Ich bin froh, dass ich nicht an deiner Stelle bin.«

»Hey, warum legst du nicht einfach die Karten auf den Tisch und sagst ihm klipp und klar, dass du es bist?«, wirft Kate ein.

»Das war ja mein Plan. Ich wollte, dass er in der Oper die Wahrheit erfährt.«

»Aber du kannst doch genauso gut mit ihm essen gehen und ihm dort sagen, dass du die Rätselfrau bist.«

»Aber wenn er doch lieber in die Oper will?«

Wir argumentieren noch eine ganze Weile im Kreis herum, und als meine Freundinnen sich irgendwann verabschieden, diskutiere ich die Pros und Kontras meiner Situation alleine weiter, bis mir der Kopf so heftig schwirrt, dass ich überhaupt nicht mehr nachdenken kann. Als es Zeit wird für mein Taxi, bringt Dad mich zur Tür.

»Ich weiß nicht, worüber ihr Mädchen euch so intensiv unterhalten habt, aber mir ist klar, dass du heute irgendeine wichtige Entscheidung treffen musst. Hast du?«, fragt er leise.

»Ich weiß es nicht, Dad«, antworte ich, schlucke schwer und füge hinzu: »Ich weiß einfach nicht, was richtig ist.«

»Aber natürlich weißt du das. Du gehst immer deinen eigenen Weg, Liebes. Das war schon immer so.«

»Wie meinst du das?«

Nachdenklich blickt er in den Garten hinaus. »Siehst du den Weg da draußen?«

»Den Gartenweg?«

Er schüttelt den Kopf und deutet auf einen Trampelpfad in der Wiese, wo das Gras niedergetreten ist, sodass man darunter die Erde sieht. »Den Weg hast du gemacht.«

»Was?« Jetzt bin ich endgültig verwirrt.

»Als kleines Mädchen«, ergänzt er. »In der Gartensprache nennt man so etwas eine ›Wunschlinie‹. Das sind Pfade und Wege, die Leute ganz allein für sich selbst machen. Du hast schon immer die Wege vermieden, die andere gemacht haben, Liebes. Du bist deinem eigenen Weg gefolgt, selbst wenn du am Ende zum gleichen Ziel gekommen bist wie alle anderen. Vorgeschriebene Routen waren dir seit jeher suspekt«, meint er und lacht in sich hinein. »Ja, du bist eben die Tochter deiner Mutter, du gehst Abkürzungen und erschaffst spontan neue Wege, während ich auf den großen, viel benutzten Straßen bleibe und Umwege in Kauf nehme.« Wehmütig lächelnd gibt er sich seinen Erinnerungen hin.

Nachdenklich studieren wir beide den Trampelpfad, der die Wiese durchquert und schließlich zum Weg zurückführt.

»Wunschlinien«, wiederhole ich gedankenverloren und sehe mich als kleines Mädchen, als Teenager, als erwachsene Frau, wie ich jedes Mal diesem Trampelpfad folge und ihn weiter austrete. »Vermutlich sind Wünsche einfach nicht geradlinig. Es gibt keinen direkten Weg, auf dem man das bekommt, was man sich wünscht.«

»Weißt du jetzt, was du tun musst?«, fragt er, als das Taxi vor der Tür hält.

Ich lächle und küsse ihn auf die Stirn. »Ja.«

Neununddreißig

Am Stephen's Green steige ich aus und sehe sofort die Menge, die zum Gaiety Theatre strömt, alle im besten Sonntagsstaat für die heutige Vorstellung der National Irish Opera. Bisher habe ich nur mal eine Oper im Fernsehen gesehen, und mein Herz, das es satt hat, dass mein Körper nicht mit ihm Schritt halten kann, trommelt gegen meine Rippen, weil es am liebsten allein zum Theater laufen würde. Ich bin unendlich nervös und gespannt – und hoffnungsvoll wie noch nie im Leben, denn ich nähere mich unaufhaltsam der letzten Phase meines Plans. Natürlich habe ich schreckliche Angst, dass Justin sich ärgern wird, wenn er entdeckt, dass ich die geheimnisvolle Kartenschreiberin bin. Andererseits – warum sollte er? Hunderttausendmal habe ich mir diese beiden Alternativen durch den Kopf gehen lassen, aber so oft ich sie auch gegeneinander abwäge, ich kann trotzdem keinen vernünftigen Schluss daraus ziehen.

Jetzt stehe ich auf halbem Weg zwischen dem Shelbourne Hotel und dem Gaiety Theatre, die nur rund dreihundert Meter voneinander entfernt sind. Zögernd blicke ich vom einen Gebäude zum andern, schließe die Augen und versuche nicht daran zu denken, wie dämlich ich aussehe, wenn ich hier mitten auf der Straße stehen bleibe, während die Menschen an mir vorüberziehen. Ich warte, wohin es mich zieht. Nach rechts zum Shelbourne? Oder nach links zum Gaiety Theatre? Mein Herz pocht laut in meiner Brust.

Dann wende ich mich nach links und schreite zuversichtlich

zum Theater. Im Eingangsfoyer herrscht geschäftiges Treiben, ich kaufe mir ein Programm und mache mich auf den Weg zu meinem Platz in der ersten Reihe. Keine Zeit, vor Beginn der Vorstellung noch etwas zu trinken, denn ich würde es mir nie verzeihen, wenn Justin zeitig kommt und mich nicht hier vorfindet. Tickets für die erste Reihe – ich konnte mein Glück kaum fassen, dass ich genau im richtigen Moment angerufen habe, um uns diese kostbaren Plätze zu sichern.

Langsam lasse ich mich auf meinen roten Samtsessel sinken, mein rotes Kleid fällt weich über meine Beine, meine Handtasche liegt auf meinem Schoß, und Kates Schuhe glänzen auf dem Boden vor mir. Direkt vor mir ist der Orchestergraben, es wird noch gestimmt und geprobt, alle Musiker ganz in Schwarz in ihrer Unterwelt wundervoller Klänge.

Eine magische Atmosphäre, hier unten ebenso wie oben auf den Rängen. Tausende Menschen, alle aufgeregt und in freudiger Anspannung, die Musiker wild entschlossen, eine perfekte Leistung zu erbringen, alles ist in Bewegung, auch in den Waben der Balkone, die Luft vom Duft der Parfüms und Aftershaves geschwängert, süß wie Honig.

Ich sehe nach rechts zu dem leeren Stuhl neben mir und fröstle vor Aufregung.

Dann kommt die Ankündigung, dass die Vorstellung in fünf Minuten beginnt und Zuspätkommer erst wieder in der Pause eingelassen werden, aber alles auf den Bildschirmen im Gang mitverfolgen können, bis die Platzanweiser ihnen Bescheid geben.

Beeil dich, Justin, flehe ich stumm, und vor lauter Nervosität tanzen meine Knie auf und ab.

Mit Riesenschritten eilt Justin aus dem Hotel und die Kildare Street hinauf. Zwar hat er gerade erst geduscht, aber seine Haut fühlt sich schon wieder feucht an, sein Hemd klebt am Rücken, auf seiner Stirn glänzt der Schweiß. Oben an der Straße bleibt er stehen. Das Shelbourne Hotel ist direkt neben ihm, das Gaiety Theatre ein Stück weiter rechts. Er schließt die Augen und holt tief Luft. Atmet die frische Dubliner Oktoberluft ein.

Wohin soll ich gehen? Wohin soll ich gehen?

Die Vorstellung hat begonnen, aber ich kann den Blick nicht von der Tür zu meiner Rechten losreißen. Neben mir ist ein leerer Platz, und wenn ich hinschaue, bekomme ich einen dicken Kloß im Hals. Während die Frau auf der Bühne eine gefühlvolle Arie schmettert, drehe ich – sehr zum Ärger meiner Nachbarn – meinen Kopf immer wieder zur Tür. Trotz der Ankündigung, dass niemand eingelassen wird, tauchen immer wieder Nachzügler auf, die sich möglichst rasch und unauffällig zu ihren Plätzen begeben. Wenn Justin jetzt nicht kommt, kann er sich vielleicht erst nach der Pause hinsetzen. Ich habe ein bisschen Mitleid mit der Sängerin, weil sie sich solche Mühe gibt und mich die Tür und der Platzanweiser trotzdem mehr interessieren.

Noch einmal drehe ich mich um, und mein Herz setzt einen Schlag aus: Neben mir öffnet sich die Tür.

Justin macht die Tür auf, betritt den Raum, und sofort drehen sich alle Köpfe nach ihm um. Während er sich hektisch nach Joyce umschaut, klopft ihm das Herz bis zum Hals, seine Hände sind feucht und zittern.

Der Oberkellner tritt auf ihn zu. »Herzlich willkommen, Sir. Was kann ich für Sie tun?«

»Guten Abend, ich habe einen Tisch für zwei Personen reserviert, auf den Namen Hitchcock.« Nervös sieht er sich um, zieht ein Taschentuch aus der Tasche und tupft sich damit die Stirn ab. »Ist sie schon hier?«

»Nein, Sir, Sie sind der Erste. Soll ich Ihnen gleich Ihren Tisch zeigen oder möchten Sie vorher noch etwas trinken?«

»Den Tisch bitte.« Wenn sie kommt und ihn nicht am Tisch sitzen sieht – das könnte er sich nie verzeihen.

Er wird an einen Zweiertisch im Zentrum des Raums geführt.

Kaum hat er sich auf den dargebotenen Stuhl gesetzt, umschwirren auch schon mehrere Kellner den Tisch, gießen Wasser ein, legen ihm eine Serviette auf den Schoß, bringen einen Korb mit Brötchen.

»Sir, möchten Sie gleich die Speisekarte oder lieber auf Ihre Begleitung warten?«

»Ich warte lieber, danke.« Keine Sekunde lässt er die Tür aus dem Auge, nutzt das erzwungene Warten aber, um sich ein wenig zu beruhigen.

Inzwischen ist schon über eine Stunde vergangen. Ein paar Mal sind weitere Nachzügler hereingekommen und zu ihren Plätzen geführt worden. Aber kein Justin. Leer und kalt steht sein Sessel neben mir. Die Frau auf dem übernächsten Platz wirft gelegentlich einen Blick darauf, dann auf mich, wie ich mich zwanghaft und gierig zur Tür verdrehe, und lächelt mitfühlend. Mir kommen die Tränen, ich fühle mich schrecklich einsam. In einem Raum voller Menschen, voller Musik, voller Gesang bin ich ganz allein. Schließlich beginnt die Pause, der Vorhang senkt sich, die Lichter gehen an, alle recken und strecken sich, stehen auf und schlendern hinaus, zur Bar, nach draußen auf eine Zigarette oder um sich die Beine zu vertreten.

Aber ich bleibe sitzen und warte.

Je einsamer ich mich fühle, desto mehr Hoffnung produziert mein Herz. Er kann immer noch kommen! Bestimmt war ihm das Gleiche wichtig wie mir und er hat die gleiche Entscheidung getroffen. Nicht das Essen mit einer flüchtigen Bekanntschaft. Sondern das Rendezvous mit der Person, der er das Leben gerettet hat. Mit der Person, die so reagiert hat, wie er es sich angeblich wünscht. Die sich genau auf die Art und Weise bei ihm bedankt hat, wie er es wollte. Aber vielleicht war das nicht genug.

✳

»Möchten Sie jetzt die Speisekarte, Sir?«

»Hmm.« Er schaut auf seine Armbanduhr. Sie ist schon eine halbe Stunde zu spät, aber er lässt die Hoffnung nicht sinken. »Sie hat sich bloß ein wenig verspätet«, erklärt er.

»Selbstverständlich, Sir.«

»Aber ich würde gern einen Blick auf die Weinkarte werfen, bitte.«

»Selbstverständlich, Sir.«

Der Geliebte der Hauptperson wird ihren Armen entrissen, und sie fleht, singt, weint, jammert und klagt, bis die Frau neben mir heftig zu schniefen beginnt. Auch meine Augen sind voller Tränen, und mir fällt plötzlich wieder ein, wie stolz Dad war, als er mich in meinem Kleid gesehen hat.

»Schnapp ihn dir«, hat er gesagt.

Tja, das hab ich anscheinend nicht geschafft. Ich bin von einem Mann versetzt worden, der lieber mit mir essen gehen möchte. So unsinnig das klingt, genau das ist passiert. Ich wollte, dass er meiner Einladung in die Oper folgt, ich habe mir gewünscht, dass die Verbindung, die ich spüre und die er verursacht hat, uns zusammenbringt – nicht das zufällige Treffen im Kaufhaus vor ein paar Stunden. Mir kommt es so läppisch vor, dass er mich gewählt hat, wo das andere doch viel bedeutsamer ist.

Aber vielleicht liege ich ja völlig falsch. Vielleicht sollte ich mich freuen, dass er sich für das Essen mit mir entschieden hat. Ich werfe einen Blick auf meine Armbanduhr. Vielleicht wartet er im Restaurant auf mich. Aber was, wenn ich hier weggehe, er kommt doch noch, und wir verpassen uns?

So wogen meine Gedanken hin und her, ein Spiegel der dramatischen Ereignisse auf der Bühne.

Wenn Justin jetzt seit über einer Stunde allein im Restaurant auf mich wartet – warum lässt er die Verabredung mit mir dann nicht einfach sausen und eilt die paar hundert Meter hierher, zu der geheimnisvollen Person, der er das Leben gerettet hat? Womöglich ist er ja längst hier! Womöglich hat er einen Blick durch die Tür geworfen, hat mich gesehen und ist schnell wieder weggelaufen. Die Gedanken in meinem Kopf bedrängen, verwirren und überwältigen mich so, dass ich nichts mehr von dem mitkriege, was sich um mich herum abspielt.

Bevor ich recht weiß, wie mir geschieht, ist die Oper vorbei. Im Handumdrehen ist der Vorhang gefallen, das Licht ist wieder an, der Saal leert sich. Traurig trete ich in die kalte Nachtluft hinaus. In der Stadt ist immer noch viel los, die Menschen genießen den Samstagabend. Aber meine Tränen fühlen sich eiskalt an auf meiner Haut, als der Wind sie berührt.

Justin gießt den Rest seiner zweiten Flasche Wein in sein Glas und stellt sie unbeabsichtigt heftig auf den Tisch zurück. Inzwischen ist seine Koordinationsfähigkeit ziemlich beeinträchtigt, und er erkennt kaum noch die Uhrzeit auf seiner Armbanduhr. Aber er merkt, dass das, was man eine vernünftige Wartezeit nennen könnte, längst überschritten ist.

Er ist versetzt worden.

Von der einen einzigen Frau, für die er sich seit seiner Scheidung interessiert hat. Mal abgesehen von der armen Sarah. Aber die zählt nicht.

Ich bin ein schrecklicher Mensch.

»Entschuldigen Sie die Störung, Sir«, sagt der Oberkellner höflich, »aber wir haben einen Anruf von Ihrem Bruder Al erhalten.«

Justin nickt.

»Ich soll Ihnen sagen, dass er noch am Leben ist und hofft, Sie … äh … Sie haben einen schönen Abend.«

»Er lebt?«

»Ja, Sir. Er meinte, Sie würden das verstehen, weil jetzt Mitternacht ist. Hat er Geburtstag?«

»Mitternacht?«

»Ja, Sir. Leider muss ich Sie auch in Kenntnis setzen, dass wir für heute schließen. Möchten Sie die Rechnung?«

Justin blickt mit rot geränderten Augen zu ihm auf, versucht zu nicken, hat aber das unangenehme Gefühl, dass sein Kopf zur Seite rollt.

»Ich bin versetzt worden.«

»Das tut mir leid, Sir.«

»Ach, braucht es nicht. Ich hab es verdient. Ich hab eine Person versetzt, die ich nicht mal kenne.«

»Oh. Verstehe.«

»Dabei war diese Person so nett zu mir. Wirklich sehr, sehr nett. Hat mir Muffins und Kaffee gebracht, einen Wagen mit Chauffeur, aber ich war trotzdem total fies.« Plötzlich hält Justin inne.

Vielleicht ist die Oper noch nicht vorbei!

»Hier.« Er streckt dem Oberkellner seine Kreditkarte entgegen. »Vielleicht kann ich's noch schaffen.«

Ich schlendere durch die stillen Straßen und ziehe meine Jacke enger um mich. Dem Taxifahrer habe ich gesagt, er soll mich an der Ecke absetzen, damit ich noch ein bisschen Luft schnappen und einen klaren Kopf kriegen kann, ehe ich nach Hause komme. Außerdem möchte ich nicht, dass Dad meine Tränen sieht, und ich bin ganz sicher, dass er in seinem Sessel sitzt wie früher, hellwach und begierig zu erfahren, was ich erlebt habe. Obwohl er natürlich so tun wird, als schliefe er, wenn er meinen Schlüssel im Schloss hört.

Ich komme an meinem alten Haus vorbei, das ich erst vor ein paar Tagen erfolgreich an den Mann gebracht habe. Zwar haben es Linda und Joe am Ende doch nicht gekauft, denn als sie herausfanden, dass es mir gehört hat, haben sie Angst bekommen, es könnte ein schlechtes Omen für sie und ihr ungeborenes Kind sein. Oder konkreter, dass die Treppe, auf der ich gestürzt bin, für Linda in der Schwangerschaft zu gefährlich sein könnte. Mir fällt auf, dass niemand wirklich die Verantwortung für das übernimmt, was er tut. Es lag nicht an der Treppe, es lag an mir. Ich war in Hetze. Es war meine Schuld. So einfach ist das. Mir jemals zu verzeihen wird mir schwerfallen, denn ich werde es nie vergessen.

Vielleicht war ich mein Leben lang in Hetze, habe mich kopfüber in Dinge gestürzt, ohne richtig darüber nachzudenken. Vielleicht bin ich durch die Tage gerannt, ohne die Minuten wahrzunehmen. Nicht dass es unbedingt zu positiveren Resultaten geführt hat, wenn ich mal langsamer gemacht und geplant habe. Auch Mum und Dad haben ihr ganzes Leben alles geplant: Sommerurlaub, ein Kind, Erspartes, Ausgehabende. Alles war genau festgelegt. Mums vorzeitiger Abschied aus dem Leben war das Einzige, mit dem sie nicht gerechnet haben. Eine Abweichung vom Plan, die alles andere aus dem Lot gebracht hat.

Conor und ich haben ohne viel Nachdenken unsere Beziehung von A bis Z in den Sand gesetzt.

Jetzt kriegt jeder von uns die Hälfte dessen, was das Haus gebracht hat, und ich muss mich nach etwas Kleinerem, Billigerem umsehen. Keine Ahnung, was *er* vorhat – ein seltsames Gefühl.

Vor unserem gemeinsamen Haus bleibe ich stehen und starre zu den roten Backsteinen empor, zu der Tür, über deren Farbe wir sehr lange diskutiert haben, genau wie über die Blumen, die im Garten gepflanzt werden sollten. Nun gehört mir das alles nicht mehr, nur noch die Erinnerungen. Erinnerungen sind unverkäuflich. Das Haus, das einmal meine Träume beherbergt hat, ist jetzt für andere Menschen da, wie es auch vor uns der Fall war, und ich bin froh, es loszulassen. Froh, dass es eine andere Zeit war und dass ich neu anfangen kann, wenn auch mit den Narben, die ich davongetragen habe. Aber sie sind nur Erinnerungen an alte, verheilte Wunden.

Gegen Mitternacht bin ich wieder in Dads Haus, und alle Fenster sind dunkel. Kein Licht, nirgends, was sehr ungewöhnlich ist, denn normalerweise lässt Dad das Verandalicht brennen, vor allem, wenn ich später heimkomme.

Ich suche in meiner Tasche nach dem Schlüssel und stoße dabei zufällig auf mein Handy. Es leuchtet auf und zeigt mir, dass ich zehn Anrufe in Abwesenheit erhalten habe, acht davon hier aus dem Haus. In der Oper hatte ich das Telefon auf stumm gestellt, und da ich wusste, dass Justin meine Nummer nicht hat, habe ich gar nicht daran gedacht nachzusehen. Mit zitternden Händen fahnde ich weiter nach dem Schlüssel, finde ihn schließlich und versuche ihn ins Schloss zu manövrieren. Mit lautem Geklapper, das in der stillen Straße widerhallt, fällt er mir aus der Hand. Ohne auf mein neues Kleid zu achten, knie ich mich auf den Boden, rutsche auf dem Beton herum und taste in der Dunkelheit nach Metall. Endlich erfühlen es meine Fingerspitzen. Diesmal schaffe ich das Aufschließen und renne durch die Tür. Drinnen mache ich als Erstes das Licht an.

»Dad?«, rufe ich in den Flur. Mums Foto liegt auf dem Boden unter dem Tisch. Schnell hebe ich es auf und stelle es an seinen Platz zurück. Ich bemühe mich, ruhig zu bleiben, aber mein Herz hat ganz andere Pläne.

Niemand antwortet.

Ich eile in die Küche und drücke auf den Lichtschalter. Auf dem Küchentisch steht eine volle Teetasse. Daneben eine Scheibe Toast mit Marmelade, einmal angebissen.

»Dad?«, rufe ich lauter, renne ins Wohnzimmer und mache auch dort das Licht an.

Überall auf dem Boden verstreut liegen seine Pillen herum, alle Behälter offen und leer, alle Farben vermischt.

Jetzt überfällt mich endgültig die Panik, ich laufe zurück in die Küche, durch den Flur, renne nach oben, mache überall Licht und brülle aus vollem Hals.

»DAD! DAD! WO BIST DU? DAD, ICH BIN'S, JOYCE! DAD!« Tränen strömen mir über die Wangen, mein Hals ist wie zugeschnürt. Er ist nicht in seinem Schlafzimmer, nicht im Bad, nicht in meinem Zimmer und auch sonst nirgends. Auf dem Treppenabsatz halte ich inne, lausche in die Stille und spitze die

Ohren, ob ich ihn vielleicht rufen höre. Aber da ist nur das Pochen meines Herzens in meinen Ohren, in meinem Hals.

»DAD!«, schreie ich noch einmal. Mein Atem geht stoßweise, der Kloß in meinem Hals raubt mir fast den Atem. Wo soll ich noch suchen? Ich fange an, die Schränke aufzureißen, ich schaue unter seinem Bett nach. Ich packe ein Kissen und drücke es an mich, atme seinen Duft ein und durchnässe es mit meinen Tränen. Durch das Fenster spähe ich in den Garten hinaus – keine Spur von ihm.

Meine Knie wollen mich nicht mehr tragen, mein Kopf ist völlig umnebelt, ich kann keinen klaren Gedanken fassen. Schließlich lasse ich mich auf die oberste Stufe am Treppenabsatz sinken und versuche mir vorzustellen, wo er sein könnte.

Dann fallen mir die auf dem Boden verstreuten Pillen ein, und ich schreie so laut, wie ich noch nie in meinem ganzen Leben geschrien habe: »DAAAAAAD!«

Schweigen antwortet mir, und ich habe mich noch nie so allein gefühlt. Noch einsamer als in der Oper, einsamer als in meiner unglücklichen Ehe, einsamer als bei Mums Tod. Vollständig und absolut allein, denn der letzte Mensch, den ich in meinem Leben habe, ist mir genommen worden.

»Joyce?«, ruft eine Stimme von der Haustür, die ich offen gelassen habe. »Joyce, ich bin's, Fran.« Da steht sie in Bademantel und Hausschlappen, und hinter ihr leuchtet ihr ältester Sohn mit einer Taschenlampe herum.

»Dad ist weg«, erkläre ich mit zitternder Stimme.

»Er ist im Krankenhaus, ich habe versucht, dich anzuru…«

»Was? Warum?« Ich springe auf und renne die Treppe hinunter.

»Er dachte, er hätte wieder einen Herz …«

»Ich muss los! Ich muss zu ihm!« Verzweifelt suche ich meinen Autoschlüssel. »In welchem Krankenhaus ist er denn?«

»Ganz ruhig, Joyce, Liebes, entspann dich.« Fran schlingt die Arme um mich. »Ich fahre dich hin.«

Vierzig

Ich renne die Korridore entlang, inspiziere jede Tür auf der Suche nach dem richtigen Zimmer. Wieder ergreift mich die Panik, Tränen verschleiern mir den Blick. Eine Schwester hält mich an und hilft mir, versucht mich zu beruhigen. Zum Glück weiß sie sofort, wen ich suche. Eigentlich gibt es um diese Zeit keinen Besuch mehr, aber sie merkt, dass ich völlig am Ende bin, und möchte mich aufmuntern, indem sie mir zeigt, dass mit Dad alles so weit in Ordnung ist. Ein paar Minuten darf ich zu ihm.

Ich folge ihr durch eine Reihe von Korridoren, und schließlich führt sie mich in sein Zimmer. Ich sehe Dad im Bett liegen, Schläuche an Handgelenken und Nase, die Haut leichenblass, ein winziger Körper unter dem weißen Laken.

»Warst du das, die den ganzen Lärm da draußen veranstaltet hat?«, fragt er mit schwacher Stimme.

»Dad«, sage ich nur, und obwohl ich alles daransetze, ruhig zu wirken, kommt meine Stimme halb erstickt heraus.

»Schon in Ordnung, Liebes. Ich hab bloß einen Schock, weiter nichts. Ich dachte, mein Herz macht wieder Faxen, und wollte meine Pillen nehmen, aber da ist mir schwindlig geworden, und sie sind alle runtergefallen. Hat irgendwas mit dem Zucker zu tun, meinen die Leute hier.«

»Diabetes, Henry«, erklärt die Schwester mit einem Lächeln. »Der Arzt kommt morgen früh vorbei und erklärt Ihnen alles Weitere.«

Ich schniefe und reiße mich zusammen.

»Ach, komm schon, du alberne Pute«, schimpft er mich freundlich und streckt die Arme nach mir aus.

Ich laufe zu ihm und umarme ihn fest, und sein Körper fühlt sich zwar zerbrechlich an, ist aber trotzdem ein Schutz.

»Ich lass dich doch jetzt nicht allein. Ganz ruhig, alles wird gut.« Er streicht sanft über meine Haare und klopft mir beruhigend auf den Rücken. »Hoffentlich hab ich dir nicht den Abend verdorben. Ich hab Fran ausdrücklich gesagt, sie soll dich in Ruhe lassen.«

»Du hättest mich unbedingt anrufen sollen«, sage ich in seine Schulter. »Ich bin so erschrocken, als du nicht zu Hause warst.«

»Na ja, jetzt ist alles in Ordnung. Aber du musst mir helfen mit dem Zeug«, flüstert er. »Ich hab dem Arzt gesagt, dass ich alles verstanden habe, aber das stimmt nicht ganz«, meint er etwas besorgt. »Er ist ein ziemlich hochnäsiger Kerl«, fügt er naserümpfend hinzu.

»Natürlich helfe ich dir«, versichere ich ihm, wische mir die Augen und versuche mich zu fassen.

»Und wie ist es gelaufen?«, fragt er etwas munterer. »Erzähl mir alle guten Neuigkeiten.«

»Er ist … äh …«, ich breche ab und verziehe schmerzlich den Mund. »Er ist nicht gekommen.« Schon wieder melden sich die Tränen.

Dad schweigt, erst traurig, dann wütend, dann wieder traurig. Schließlich nimmt er mich erneut in den Arm, noch fester diesmal.

»Ach, Liebes«, sagt er leise. »Der Kerl ist ein Trottel.«

392

Einundvierzig

Justin erzählt Bea, die auf dem Sofa sitzt und mit offenem Mund zuhört, die Geschichte seines Katastrophenwochenendes.

»Unglaublich, dass ich das alles verpasst habe! Das ärgert mich total!«

»Na ja, wenn du mit mir geredet hättest, hättest du es nicht verpasst.« Justin kann sich die Bemerkung einfach nicht verkneifen.

»Danke, dass du dich bei Peter entschuldigt hast. Das weiß ich wirklich zu schätzen. Und er auch.«

»Ich hab mich wie ein Idiot benommen, weil ich einfach nicht zugeben wollte, dass mein kleines Mädchen erwachsen ist.«

»Das kannst du dir ruhig hinter die Ohren schreiben«, grinst sie. »Gott«, fährt sie dann fort und kommt auf seine Geschichte zurück, »ich kann immer noch nicht glauben, dass dir jemand tatsächlich die ganzen Sachen geschickt hat. Wer könnte das denn sein? Bestimmt hat die arme Person in der Oper auf dich gewartet und gewartet.«

Justin schlägt die Hände vors Gesicht und windet sich. »Bitte hör auf, es bringt mich um.«

»Aber du hast dich trotzdem für Joyce entschieden.«

Traurig nickt er.

»Du hast sie echt gemocht.«

»Und sie hat mich offensichtlich überhaupt nicht gemocht, denn sie ist nicht aufgetaucht. Nein, Bea, ich bin jetzt drüber weg. Es ist Zeit, dass ich alles hinter mir lasse. Bei dem Versuch, es herauszufinden, hab ich zu vielen Leuten wehgetan. Wenn du dich nicht daran erinnerst, wem du es sonst noch erzählt haben könntest, werden wir es nie erfahren.«

Angestrengt denkt Bea nach. »Ich hab es nur Peter, der Kostüminspizientin und ihrem Vater erzählt. Aber was macht dich eigentlich so sicher, dass es von denen keiner war?«

»Weil ich der Kostümbildnerin an dem Abend begegnet bin. Sie kannte mich ganz offensichtlich nicht, und sie ist Engländerin – warum hätte sie in Irland eine Transfusion kriegen sollen? Ich hab sie sogar angerufen und nach ihrem Vater gefragt. Genaueres möchte ich dazu lieber nicht sagen«, wehrt er ihren durchdringenden Blick ab. »Jedenfalls kommt ihr Vater aus Polen.«

»Warte mal, woher hast du das? Sie war keine Engländerin, sondern Irin«, widerspricht Bea und runzelt die Stirn. »Sie waren beide aus Irland.«

Bum-bum, bum-bum.

»Justin«, ruft Laurence, der mit zwei Tassen Kaffee für ihn und Bea hereinkommt. »Justin, ich wollte dich fragen, wann du mal eine Minute Zeit hast, um dich mit mir zu unterhalten.«

»Jetzt nicht, Laurence«, entgegnet Justin und rutscht auf die Stuhlkante. »Bea, wo ist dein Ballettprogramm? Da ist ihr Foto drin.«

»Also ehrlich, Justin«, meldet sich nun auch Jennifer zu Wort, die mit verschränkten Armen unter der Tür steht. »Könntest du nicht wenigstens mal einen Moment höflich sein? Laurence möchte dir etwas sagen, und du schuldest es ihm wirklich, zuzuhören.«

Aber Bea rennt schon in ihr Zimmer, drängt sich einfach zwischen den streitenden Erwachsenen durch und kehrt mit dem Programm in der Hand zurück, ohne den anderen die geringste Beachtung zu schenken. Genau wie Justin.

Der reißt seiner Tochter die Broschüre aus der Hand und fängt an, sie durchzublättern. »Da!«, ruft er und tippt mit dem Zeigefinger auf die Seite.

»Leute«, zetert Jennifer und tritt zwischen die beiden. »Wir müssen das jetzt endlich mal klären!«

»Nicht jetzt, Mum! Bitte!«, ruft Bea. »Es ist wichtig!«

»Und das, was ich will, etwa nicht?«

»Das ist sie nicht«, stellt Bea fest, ohne darauf einzugehen, und schüttelt heftig den Kopf. »Das ist nicht die Frau, mit der ich gesprochen habe.«

»Und wie hat sie ausgesehen?« Inzwischen ist Justin aufgesprungen. Bum-bum, bum-bum.

»Lass mich nachdenken, lass mich nachdenken«, ruft Bea panisch. »Ich weiß! Mum!«

»Was?« Verwirrt blickt Jennifer von Justin zu Bea.

»Wo sind die Fotos, die wir am Premierenabend gemacht haben?«

»Oh, hmm …«

»Schnell!«

»Die sind in der Küche, im Eckschrank«, antwortet Laurence stirnrunzelnd.

»Ja, Laurence, ja!«, brüllt Justin und stößt mit der Faust in die Luft. »In der Küche, im Eckschrank! Hol sie her, schnell!«

Verstört rennt Laurence in die Küche. Jennifer starrt ihm mit offenem Mund nach. Papier raschelt, während Justin in Höchstgeschwindigkeit im Zimmer auf und ab geht, von Jennifer und Bea scharf beobachtet.

»Da sind sie.« Laurence streckt die Hand mit dem Bilderstapel aus, und Bea greift sofort zu.

Zwar versucht Jennifer dazwischenzugehen, aber Bea und Justin sind beide auf Zeitraffertempo und lassen ihr keine Chance.

Wie der Wind geht Bea die Fotos durch. »Du warst nicht dabei, Dad, als das Gruppenfoto gemacht wurde. Hier ist es!« Sie eilt zu ihrem Vater, um es ihm unter die Nase zu halten. »Das hier sind sie. Die Frau und ihr Vater, ganz hinten.«

Schweigen.

»Dad?«

Schweigen.

»Dad, alles okay bei dir?«

»Justin?« Sogar Jennifers Stimme klingt besorgt. »Er ist ganz bleich geworden, hol ihm ein Glas Wasser, Laurence, schnell!«

Laurence rennt ein zweites Mal in die Küche.

»Dad!« Bea schnalzt mit den Fingern direkt vor seinen Augen. »Dad, bist du da?«

»Sie ist es«, flüstert er tonlos.

»Wer?«, will Jennifer wissen.

»Die Frau, deren Leben er gerettet hat«, ruft Bea und hüpft aufgeregt von einem Fuß auf den anderen.

»*Du* hast einer Frau das Leben gerettet?«, fragt Jennifer schockiert. »*Du?*«

»Es ist Joyce«, flüstert er.

Bea schnappt hörbar nach Luft. »Die Frau, die du versetzt hast?«

»Du hast einer Frau das Leben gerettet und sie dann versetzt?«, fragt Jennifer ungläubig und lacht.

»Bea, wo ist dein Telefon?«

»Warum?«

»Sie hat dich angerufen, erinnerst du dich? Ihre Nummer war in deinem Telefon.«

»Ach Dad, das ist eine Ewigkeit her. Bloß die letzten zehn Anrufe bleiben im Speicher. Seither sind Wochen vergangen!«

»Verdammt!«

»Aber ich hab Doris die Nummer gegeben, erinnerst du dich? Sie hat sie aufgeschrieben. Du hast die Nummer aus deiner Wohnung angerufen!«

Und den Zettel in den Müllcontainer geworfen, du Idiot! Der Container! Er ist noch da!

»Hier!« Keuchend steht Laurence mit einem Glas Wasser vor ihm.

»Laurence«, ruft Justin, nimmt sein Gesicht in beide Hände und küsst ihn auf die Stirn. »Ich gebe euch meinen Segen. Jennifer …« Er macht mit ihr dasselbe und küsst sie auf die Lippen. »Viel Glück.«

Unter Beas Anfeuerungsrufen rennt er aus der Wohnung, während Jennifer sich empört über die Lippen wischt und Laurence sich das verschüttete Wasser aus den Klamotten klopft.

Als Justin von der U-Bahn-Station zu seinem Haus spurtet, rauscht der Regen herab, als würde jemand die Wolken ausdrücken. Aber ihm ist das vollkommen gleichgültig, er blickt zum Himmel empor und lacht, genießt den Regen auf dem Gesicht und kann es immer noch nicht recht glauben, dass die ganze Zeit Joyce diejenige war, die er gesucht hat. Obwohl er es eigentlich hätte wissen müssen. Jetzt ergibt plötzlich alles einen Sinn – dass sie ihn gefragt hat, ob er ganz sicher ist und sich wirklich mit ihr zum Essen verabreden will, dass ihre Freundin bei seinem Vortrag war, einfach alles!

Als er in die Auffahrt einbiegt, sieht er, dass der Container inzwischen bis obenhin mit allem möglichen Kram gefüllt ist. Unbeirrt springt er hinein und fängt an zu wühlen.

Besorgt sehen Doris und Al ihm vom Fenster aus zu und machen eine Pause beim Kofferpacken.

»Verdammt, ich hab wirklich gedacht, er wäre wieder normal«, meint Al. »Sollen wir lieber noch ein paar Tage hierbleiben?«

»Ich weiß auch nicht«, erwidert sie. »Was macht er denn da, um Himmels willen? Es ist zehn Uhr abends – wahrscheinlich alarmieren die Nachbarn gleich die Polizei.«

Justins graues T-Shirt ist durchweicht, seine Haare klatschnass, Wasser tropft ihm aus der Nase, seine Hose klebt an den Beinen. Doris und Al sehen zu, wie er sich selbst anfeuert, während er den Inhalt des Containers auf dem Boden verstreut.

Zweiundvierzig

Ich liege im Bett, starre an die Decke und versuche, aus meinem Leben schlau zu werden. Dad ist noch zu verschiedenen Untersuchungen im Krankenhaus, soll aber morgen rauskommen. Das Alleinsein zwingt mich, über mein Leben nachzudenken, und ich habe mich durch Verzweiflung, Schuld, Traurigkeit, Wut, Einsamkeit, Depression und Zynismus gearbeitet und schließlich den Weg zur Hoffnung gefunden. Wie ein Süchtiger mit Entzugserscheinungen bin ich durchs Haus gerannt, während die Emotionen mir aus allen Poren quollen. Ich habe laut auf mich selbst eingeredet, ich habe geschrien, gebrüllt, geweint und getrauert.

Jetzt ist es elf Uhr, spätabends, dunkel, windig und kalt draußen, denn der Winter erkämpft sich allmählich die Oberhand. Da klingelt das Telefon. Wahrscheinlich Dad, denke ich und eile nach unten, schnappe mir den Telefonhörer und setze mich auf die unterste Treppenstufe.

»Hallo?«

»Du warst es, die ganze Zeit schon!«

Ich erstarre. Mein Herz hämmert. Ich halte den Hörer ein Stück von meinem Ohr weg und atme erst mal tief durch.

»Justin?«

»Du warst es, von Anfang an, richtig?«

Ich schweige.

»Ich hab das Foto gesehen, von dir und deinem Vater und Bea. Das war der Abend, als sie dir von meiner Blutspende erzählt hat. Davon, was ich mir als Dank dafür wünsche.« Er niest.

»Gesundheit.«

»Warum hast du mir nichts davon gesagt? Wir sind uns doch so oft begegnet! Bist du mir gefolgt oder … oder was ist los, Joyce?«

»Bist du wütend auf mich?«

»Nein! Ich meine, ich weiß nicht. Ich verstehe das alles nicht. Ich bin total verwirrt.«

»Dann lass es mich erklären.« Ich hole nochmal tief Luft und versuche, meine Stimme ruhig zu halten, aber das ist schwer, weil mein Herz mit aller Macht in meinem Hals klopft. »Ich bin dir nicht gefolgt, wir sind uns zufällig begegnet, also mach dir deswegen bitte keine Sorgen. Ich bin keine Stalkerin. Es ist etwas passiert, Justin. Es ist etwas passiert, als ich meine Transfusion bekommen habe, und was immer das war – als dein Blut durch meine Adern geflossen ist, habe ich mich plötzlich mit dir verbunden gefühlt. Immer wieder war ich unerwartet in deiner Nähe, beim Friseur, im Ballett. Das war alles Zufall.« Jetzt rede ich schon wieder viel zu schnell, aber ich kann mich nicht bremsen. »Und dann hat Bea mir erzählt, dass du um die gleiche Zeit Blut gespendet hast, als ich welches bekommen habe, und …«

»Was?«

Ich bin nicht sicher, was er wissen will.

»Du meinst, es ist nicht gesagt, ob es wirklich mein Blut war, das du bekommen hast? Weil ich das nämlich nicht in Erfahrung bringen konnte. Niemand war bereit, es mir zu verraten. Hast du es rausgekriegt?«

»Nein. Niemand hat es mir gesagt, aber das war auch nicht nötig. Ich …«

»Joyce!«, fällt er mir ins Wort, und sein Ton macht mir Sorgen.

»Ich bin keine Spinnerin, Justin. Das kannst du mir glauben. So etwas, wie ich die letzten Wochen erlebt habe, ist mir vorher nie passiert.« Dann erzähle ich ihm die ganze Geschichte. Wie ich plötzlich seine Fähigkeiten bei mir entdeckte, sein Wissen, seine Vorlieben.

Er schweigt.

»Sag was, Justin.«

»Ich weiß nicht, was ich sagen soll. Das klingt so … so seltsam.«

»Es ist auch seltsam, aber es ist die Wahrheit. Das hört sich jetzt wahrscheinlich noch schlimmer an, aber ich habe das Gefühl, dass ich auch noch ein paar Erinnerungen von dir gekriegt habe.«

»Wirklich?« Seine Stimmt klingt kalt, weit weg. Ich verliere ihn.

»Erinnerungen an den Park in Chicago, daran, wie Bea in ihrem Tutu auf der rot karierten Decke tanzt, der Picknickkorb, die Flasche Rotwein. Die Kirchenglocken, das Eiscafé, die Wippe mit Al, die Sprinkler auf der Wiese, der …«

»Halt, halt, langsam! Warte mal. Wer bist du?«

»Ich, Justin, ich bin es!«

»Wer hat dir das alles erzählt?«

»Niemand, ich weiß es einfach!« Müde reibe ich mir die Augen. »Ich weiß, das klingt grotesk, Justin, wirklich. Ich bin ein normaler anständiger Mensch, zwar mit genug Zynismus ausgestattet, aber das ist mein Leben, und das passiert mir zurzeit wirklich. Wenn du mir nicht glaubst, tut es mir leid, dann lege ich jetzt auf und belästige dich nicht mehr, aber bitte nimm zur Kenntnis, dass es kein Witz und auch keine Verarschung oder so was ist.«

Eine Weile schweigt er. »Ich möchte dir ja glauben«, entgegnet er dann.

»Du spürst also auch etwas zwischen uns?«

»Ich sage dir, was ich fühle.« Er spricht ganz langsam, als würde er sich jeden Buchstaben genau überlegen. »Die Erinnerungen, Vorlieben und Hobbys und was du sonst noch von mir erwähnt hast, das alles sind Dinge, die du bei mir gesehen oder von mir gehört haben könntest. Ich behaupte nicht, dass du das absichtlich machst, vielleicht weißt du es ja nicht einmal, aber ich glaube, du hast schlicht und einfach meine Bücher gelesen. In meinen Büchern erwähne ich viele persönliche Details. Du hast das Foto in Beas Medaillon gesehen, du warst bei meinen Vorträgen, du hast meine Artikel gelesen. Möglicherweise, nein ganz sicher habe ich da auch irgendwelches Zeug über mich erzählt. Was beweist mir, dass du diese Dinge ausgerechnet über eine Bluttransfusion erfahren hast? Bitte nimm mir das jetzt nicht übel – aber woher soll ich wissen, dass du nicht irgendeine Verrückte bist, die sich das eingeredet hat, weil sie irgendein irres Buch gelesen oder einen Film darüber gesehen hat? Woher soll ich das bitte wissen?«

Ich seufze. Wie kann ich ihn überzeugen? Mir fällt keine Methode ein. »Justin, ich glaube momentan an gar nichts, aber an das, was ich dir erzählt habe, glaube ich ganz fest.«

»Tut mir echt leid, Joyce«, sagt er, und ich höre, dass er das Gespräch beenden will.

»Nein, warte«, halte ich ihn auf. »Das war es dann?«

Schweigen.

»Wirst du nicht mal versuchen, mir zu glauben?«

Er seufzt abgrundtief. »Ich dachte, du wärst anders, Joyce. Ich weiß nicht, warum, weil ich dich ja nie getroffen habe, aber ich dachte, du wärst anders, ein anderer Mensch. Das … das verstehe ich nicht. Das finde ich … es ist irgendwie nicht richtig, Joyce.«

Jeder Satz ist wie ein Dolchstoß ins Herz, ein Schlag in den Magen. Von allen Menschen auf der Welt könnte ich das ertragen, aber nicht von ihm. Nein, nicht von Justin.

»Du hast in letzter Zeit anscheinend eine Menge durchgemacht, vielleicht solltest du … mit jemandem reden.«

»Warum glaubst du mir nicht? Bitte, Justin. Es muss doch etwas geben, womit ich dich überzeugen kann. Etwas, was ich weiß, was aber in keinem Artikel oder Buch oder Vortrag von dir je vorgekommen ist …« Ich breche ab, denn mir ist plötzlich etwas eingefallen. Aber nein, damit kann ich ihm jetzt nicht kommen.

»Leb wohl, Joyce. Ich wünsche dir das Allerbeste, wirklich.«

»Warte! Noch einen Moment. Etwas, was nur du wissen kannst.«

Er hält inne. »Was?«

Ich kneife die Augen fest zusammen und atme tief durch. Tu es oder lass es sein. Tu es oder lass es sein. Schließlich öffne ich die Augen wieder und platze heraus: »Dein Vater.«

Schweigen.

»Justin?«

»Was ist mit ihm?« Seine Stimme klingt eiskalt.

»Ich weiß, was du damals gesehen hast«, sage ich leise. »Was du nie jemandem erzählen konntest.«

»Wovon redest du, verdammt?«

»Ich weiß, dass du auf der Treppe gesessen und ihn durchs Geländer beobachtet hast. Ich kann ihn auch sehen. Ich sehe ihn, wie er die Tür zumacht, die Flasche und die Pillen in der Hand. Dann sehe ich die grünen Füße auf dem Boden …«

»HÖR SOFORT AUF DAMIT!«, brüllt er, und ich schweige erschrocken.

Aber ich muss es weiter versuchen, denn vielleicht bekomme ich keine zweite Chance, es zu sagen.

»Ich weiß, wie hart das für dich als Kind gewesen sein muss. Wie schlimm es war, es für dich zu behalten …«

»Du weißt überhaupt nichts«, unterbricht er mich kühl. »Nicht das Geringste. Bitte lass mich in Ruhe. Ich möchte nie wieder etwas von dir hören.«

»Okay.« Meine Stimme ist bloß noch ein Flüstern, aber ich rede sowieso nur noch mit mir selbst, er hat schon aufgelegt.

Dann sitze ich auf der Treppenstufe in dem dunklen leeren Haus und lausche dem kalten Oktoberwind, der ums Haus pfeift.

Das war es dann also.

Einen Monat später

Dreiundvierzig

»Das nächste Mal sollten wir aber wirklich das Auto nehmen, Gracie«, sagt Dad, als wir auf dem Heimweg vom Botanischen Garten die Straße hinunterwandern. Ich hake mich bei ihm unter und werde sofort im Rhythmus seiner schwankenden Schritte auf und ab geschaukelt. Auf und ab, rauf und runter. Ein beruhigendes Schaukeln.

»Nein, du brauchst Bewegung, Dad.«

»Sprich für dich«, brummt er. »Na, wie geht's denn, Patrick? Scheußlicher Tag heute, was?«, ruft er dem alten Mann mit der Gehhilfe auf der anderen Straßenseite zu.

»Ja, grausig«, antwortet Patrick.

»Und wie fandest du die Wohnung?« Zum dritten Mal in den letzten paar Minuten schneide ich das Thema an. »Diesmal kannst du dich nicht vor der Antwort drücken.«

»Ich drücke mich vor gar nichts, Liebes. Wie geht's, Patsy? Hallo, Suki!« Er bleibt stehen und bückt sich, um den Dackel zu tätscheln. »Bist du nicht ein süßes Ding?«, meint er, und wir gehen weiter. »Eigentlich hasse ich den Winzling. Bellt die ganze Nacht, wenn Patsy mal nicht da ist«, grummelt er und zieht sich die Kappe noch ein Stück weiter in die Stirn, weil uns ein mächtiger Windstoß erwischt. »Herr des Himmels, kommen wir überhaupt vorwärts? Ich hab das Gefühl, wir sind auf einem von diesen Großtrainern.«

»Crosstrainer«, lache ich. »Also, komm schon, hat dir die Wohnung gefallen oder nicht?«

»Ich weiß nicht recht. Sie kam mir schrecklich klein vor, und dann ist auch noch ein komischer Mann in die Wohnung gleich daneben gegangen. Hat mir überhaupt nicht gefallen, der Typ.«

»Mir kam er ganz nett vor.«

»Ach natürlich, das hab ich nicht anders erwartet.« Er verdreht die Augen und schüttelt den Kopf. »Dir kommt zurzeit doch jeder Mann nett vor.«

»Dad!«, lache ich.

»Hallo, Graham. Scheußlicher Tag heute, was?«, ruft er seinem Nachbarn zu, der gerade an uns vorübergeht.

»Ja, grässliches Wetter, Henry«, antwortet Graham und steckt die Hände tief in die Taschen.

»Jedenfalls finde ich, du solltest die Wohnung nicht nehmen, Gracie. Bleib noch ein bisschen hier, bis was Gescheiteres für dich auftaucht. Es gibt ja keinen Grund, gleich das Erstbeste zu nehmen.«

»Dad, wir haben uns zehn Wohnungen angeschaut, und dir hat keine davon gefallen.«

»Muss ich da drin leben oder du?«, fragt er. Rauf und runter. Auf und ab.

»Ich natürlich.«

»Tja, was kümmert es dich dann, was ich sage?«

»Mir ist deine Meinung wichtig.«

»Jedenfalls wenn du … Hallo, Kathleen!«

»Du kannst mich nicht für immer bei dir behalten, weißt du.«

»Für immer ist längst vorbei. Du rührst dich ja nicht vom Fleck. Bald gehst du in die Geschichte ein als das Stonehenge der erwachsenen Kinder, die immer noch zu Hause wohnen.«

»Kann ich heute mit zum Monday Club?«

»Schon wieder?«

»Ich muss die Schachpartie zu Ende spielen, die ich das letzte Mal mit Larry angefangen habe.«

»Larry stellt seine Bauern doch nur so hin, dass du dich vorbeugen musst und er dir in den Ausschnitt linsen kann. Die Partie wird nie zu Ende sein.« Dad rollt die Augen.

»Dad!«

»Was denn? Na ja, du brauchst wirklich andere Kontakte, du kannst nicht auf Dauer mit Typen wie Larry und mir rumhängen.«

»Ich hänge aber gern mit euch rum.«

Wir biegen zu Dads Haus ab und schwanken den Gartenweg entlang zur Tür.

Als ich sehe, was auf der Treppe liegt, bleibe ich stehen wie angewurzelt.

Ein kleiner Korb mit Muffins, sorgfältig in Folie verpackt, geschmückt mit einer rosa Schleife. Ich sehe Dad an, der ganz selbstverständlich über den Korb hinwegsteigt und die Haustür aufschließt. Einen Augenblick misstraue ich meiner Wahrnehmung. Habe ich mir den Korb vielleicht nur eingebildet?

»Dad?« Bestürzt schaue ich mich um, kann aber niemanden entdecken.

Dad zwinkert mir zu, sieht einen Moment traurig aus und grinst mich dann breit an, ehe er die Tür vor meiner Nase zuschlägt.

Ich greife nach dem Umschlag, der an der Folie befestigt ist, und hole mit zittrigen Fingern die Karte heraus.

Vielen Dank ...

»Es tut mir leid, Joyce!«, höre ich plötzlich eine Stimme hinter mir, und mir bleibt vor Schreck fast das Herz stehen.

Und da steht er am Gartentor, einen riesigen Blumenstrauß in den behandschuhten Händen, auf dem Gesicht den zerknirschtesten Ausdruck, den ich je an einem Menschen gesehen habe. Er ist warm eingemummelt in Wintermantel und Schal, Nasenspitze und Wangen sind rot vor Kälte, aber seine grünen Augen leuchten, trotz des grauen Tags. Er ist ein Traumbild; sein Anblick macht mich sprachlos, seine Gegenwart ist fast mehr, als ich ertragen kann.

»Justin ...«, stammle ich.

»Meinst du«, beginnt er und macht einen Schritt auf mich zu, »meinst du, du würdest es eventuell übers Herz bringen, einem Vollidioten wie mir zu verzeihen?«

Er steht vorne im Garten, neben dem Tor.

Ich weiß nicht, was ich sagen soll. Es ist einen Monat her. Warum kommt er jetzt?

»Neulich am Telefon hast du einen schrecklich wunden Punkt getroffen«, fährt er fort und räuspert sich. »Niemand weiß das mit meinem Dad. Oder wusste es. Keine Ahnung, woher du es weißt.«

»Das hab ich dir doch gesagt.«

»Aber ich verstehe es nicht.«

»Ich auch nicht.«

»Andererseits verstehe ich manchmal die normalsten Dinge nicht, Dinge, die jeden Tag passieren. Beispielsweise, was meine Tochter an ihrem Freund findet. Ich verstehe nicht, wie mein Bruder es geschafft hat, allen Naturgesetzen zu trotzen und sich nicht in einen Kartoffelchip zu verwandeln. Ich weiß auch nicht, wie Doris mit ihren langen Fingernägeln eine Milchtüte aufkriegt, ich verstehe nicht, warum ich nicht schon vor einem Monat deine Tür eingetreten und dir gestanden habe, was ich fühle ... Ich verstehe so viele einfache Sachen nicht, warum muss ich mich dann ausgerechnet in dem einen Fall so anstellen?«

Ich nehme den Anblick seines Gesichts in mich auf, seine Locken, die unter der Wollmütze hervorlugen, sein kleines nervöses Lächeln. Auch er mustert mich, und ich fröstle, aber nicht von der Kälte. Die spüre ich nicht mehr. Um mich herum ist die Welt viel wärmer geworden. Wie schön. Ich danke dem Himmel dort oben über den Wolken.

Auf einmal runzelt er die Stirn.

408

»Was ist?«

»Nichts. Gerade hast du mich nur so sehr an jemanden erinnert. Aber es ist nicht so wichtig.« Er räuspert sich, lächelt und
versucht, den Faden dort wieder aufzunehmen, wo er ihn fallen
lassen hat.

»Eloise Parker«, rate ich ins Blaue hinein, und sein Lächeln
verschwindet.

»Woher wusstest du das?«

»Sie hat im Haus neben euch gewohnt, und du warst jahrelang in sie verliebt. Als du fünf warst, hast du beschlossen, endlich etwas zu unternehmen. Du hast in eurem Garten Blumen
gepflückt und sie ihr gebracht. Aber sie kam in einem blauen
Mantel und einem schwarzen Schal aus der Tür, ehe du es bis
zur Haustür geschafft hattest«, antworte ich und ziehe meinen
blauen Mantel enger um mich.

»Und dann?«, fragt er schockiert.

»Gar nichts.« Ich zucke die Achseln. »Du hast die Blumen auf
den Boden fallen lassen und bist feige abgehauen.«

Ganz langsam beginnt er den Kopf zu schütteln. Aber er lächelt wieder. »Wie in aller Welt …«

Aber ich zucke nur wieder die Achseln.

»Was weißt du sonst noch über Eloise Parker?« Er kneift die
Augen zusammen.

Ich lächle und sehe weg. »Mit sechzehn hast du deine Jung-
fräulichkeit bei ihr verloren, in ihrem Zimmer, als ihre Eltern auf
einer Kreuzfahrt waren.«

Er rollt die Augen und senkt den Strauß, sodass die Blumen
jetzt kopfüber herunterhängen. »Also weißt du, das ist nicht fair.
Solche Sachen darfst du eigentlich nicht über mich wissen.«

Ich lache.

Aber dann rächt er sich: »Du bist als Joyce Bridget Conway
getauft, aber du erzählst jedem, dass dein zweiter Name Angeline
ist.«

Mir bleibt der Mund offen stehen.

»Du hattest einen Hund namens Bunny, als du klein warst.«
Er zieht frech eine Augenbraue hoch.

Ich sehe ihn scharf an.

»Du hast dich mit Whiskey besoffen, als du …« Er schließt
einen Moment die Augen und überlegt. »… als du fünfzehn
warst«, fährt er dann fort. »Mit deinen Freundinnen Kate und
Frankie.«

Bei jedem Stückchen Information macht er einen Schritt auf
mich zu, und der Duft, sein Duft, von dem ich geträumt habe,
kommt ebenfalls näher.

»Den ersten Zungenkuss hast du gekriegt, als du zehn warst,
von Jason Hardy, den alle nur Jason Steifi nannten.«

Ich muss lachen.

»Schließlich bist du nicht die Einzige, die über Insiderwissen
verfügt.« Er geht noch einen Schritt auf mich zu, und jetzt steht
er direkt vor mir. Seine Schuhe, der Stoff des dicken Mantels,
alles ist mit mir in Berührung.

Mein Herz holt das Trampolin hervor und beginnt einen Hüpf-
marathon. Hoffentlich hört Justin seine Freudenschreie nicht.

»Wer hat dir das alles erzählt?« Meine Worte berühren sein
Gesicht zusammen mit dem kalten Atemhauch, der sie begleitet.

»War nicht einfach, hierherzukommen«, grinst er. »Ein regelrechter Spießrutenlauf. Deine Freundinnen haben mich einer
ganzen Reihe von Tests unterzogen, um zu überprüfen, ob meine
Reue groß genug ist, dass ich herkommen darf.«

Ich lache. Unglaublich, dass Frankie und Kate mal bei etwas
derselben Meinung sind – ganz zu schweigen davon, dass sie
etwas so Wichtiges für sich behalten haben!

Schweigen. Wir sind einander so nahe, dass meine Nase, wenn
ich aufblicke, sein Kinn berühren würde. Aber ich sehe weiter
nach unten.

»Du hast immer noch Angst, im Dunkeln zu schlafen«, flüstert
er, nimmt mein Kinn in die Hand und hebt es an, sodass mir

jetzt nichts anderes mehr übrig bleibt, als ihn anzuschauen. »Es sei denn, jemand ist bei dir«, fügt er mit einem kleinen Lächeln hinzu.

»Du hast bei deiner ersten Klausur am College geschummelt«, flüstere ich.

»Du hast Kunst immer gehasst.« Er küsst mich auf die Stirn.

»Du lügst, wenn du behauptest, dass du ein Fan der *Mona Lisa* bist.« Ich schließe die Augen.

»Du hattest einen unsichtbaren Freund namens Horatio, bis du fünf Jahre alt warst.« Er küsst meine Nase, und ich setze gerade zu einer Retourkutsche an, als seine Lippen meine berühren, ganz sanft, und die Worte kapitulieren, werden ohnmächtig, noch ehe sie meinen Kehlkopf erreichen, und gleiten zurück in die Gedächtnisdatenbank, aus der sie gekommen sind.

Vage nehme ich wahr, wie Fran aus ihrem Haus kommt und etwas zu mir sagt, wie ein Auto hupend an uns vorbeifährt, aber alles verschwimmt in der Ferne, während ich mich in diesem Moment mit Justin verliere, eine neue Erinnerung für ihn erschaffe, für ihn und für mich.

»Verzeihst du mir?«, fragt er schließlich.

»Ich habe gar keine andere Wahl. Es liegt mir im Blut«, lächle ich, und auch er muss lachen. Ich sehe hinunter auf die Blumen in seinen Händen, die jetzt zwischen uns zerquetscht worden sind. »Schmeißt du die jetzt auf den Boden und haust feige ab?«

»Die sind gar nicht für dich.« Jetzt werden seine Wangen noch röter. »Die sind für jemanden in der Blutspendepraxis, für eine Frau, bei der ich mich auch entschuldigen muss. Ich habe gehofft, du kommst vielleicht mit und hilfst mir, ihr den Grund für mein verrücktes Benehmen zu erklären, und vielleicht kann sie uns im Gegenzug auch ein paar Sachen erläutern.«

Ich blicke zurück zum Haus und sehe Dad hinter dem Vorhang hervorspicken. Fragend schaue ich zu ihm. Er streckt den Daumen in die Höhe, und meine Augen füllen sich mit Tränen.

»Gehört er etwa auch zu der Verschwörung?«

411

»Er hat mich als nichtsnutzigen Blödmann und Volltrottel be-schimpft«, grinst er.

Ich lache laut, werfe Dad eine Kusshand zu und wende mich zum Gehen. Doch ich spüre, wie er mich beobachtet, und ich fühle auch Mums Augen auf mir ruhen, während ich den Garten-weg hinuntergehe, die Abkürzung auf der Wunschlinie, die ich als kleines Mädchen geschaffen habe, quer über die Wiese und schließlich hinaus auf die Straße, die wegführt von dem Haus, in dem ich groß geworden bin.

Aber diesmal bin ich nicht allein.

Dank

Danke an alle meine Liebsten für eure Liebe und Unterstützung: David, Mimmie, Dad, Georgina, Rocco, Jay, Breda und Neil.

Danke an Marianne für ihren magischen Touch und ihre ratternden Ideen.

Danke an Lynne Drew, Amanda Ridout, Claire Bord, Moira Reilly, Tony Purdue, Fiona MacIntosh und das ganze Harper-Collins-Team. Ein großer Dank wie immer an Vicki Satlow mit ihrem unglaublichen »HV« und an Pat Lynch.

Ich möchte all meinen Freunden danken, die dieses Abenteuer mit mir teilen und mich unterstützen.

Besonderen Dank an Sarah, du bist die Göttlichste der Göttlichen. Danke Mark Monahan vom Trinity College, Karen Breen vom Irish Blood Transfusion Service und Bernice von Viking Splash Tours.

Cecelia Ahern
Für immer vielleicht
Roman
Band 16134

»Wir haben zweimal nebeneinander vor dem Altar gestanden, Rosie, zweimal! Und jedes Mal auf der falschen Seite!«
Rosie und Alex kennen sich, seit sie fünf Jahre alt sind. Das
Schicksal hat sie zu mehr als besten Freunden bestimmt, das
scheint jedem klar – nur dem Schicksal nicht …

Mit »Für immer vielleicht« legt Cecelia Ahern ihren zweiten
großartigen Liebesroman vor: romantisch, witzig, spannend
und voller Gefühle.

»So viel Spaß beim Lesen.«
Brigitte

»Intensiv und einfühlsam.«
Hamburger Abendblatt

Fischer Taschenbuch Verlag

Cecelia Ahern
Vermiss mein nicht
Roman
Band 16735

Sandy Shortt hat ihr Leben lang nach vermissten Menschen
gesucht. Bis sie eines Tages selbst verschwindet – an einen geheimnisvollen Ort, den alle nur »Hier« nennen …

Fantasievoll, spannend und tief berührend macht sich
Cecelia Aherns großer Roman auf die Suche nach dem Leben
und der Liebe.

»Ein liebenswerter Roman, mit vielen heiteren,
aber auch melancholischen Passagen,
über eine Frau auf der Suche nach sich selbst.«
NDR

»Einfach bezaubernd!«
Für Sie

Fischer Taschenbuch Verlag

fi 16735 / 2

Cecelia Ahern
Zeit deines Lebens
Roman
Aus dem Englischen von Christine Strüh
Gebunden

Zauberhaft, geheimnisvoll und mit einer Botschaft, die jeden berührt – das ist der neue Roman von Cecelia Ahern. Denn manchmal muss man jemand ganz Besonderem begegnen, um zu erkennen, was wirklich wichtig ist im Leben …

Lou Suffern ist ein »BWM«, ein Beschäftigter Wichtiger Mann. So wichtig und beschäftigt, dass er den 70. Geburtstag seines Vaters vergisst, seine Frau leichthin betrügt und seinem kleinen Sohn noch nicht ein einziges Mal die Windeln gewechselt hat. Eines Tages verwickelt ihn ein Obdachloser namens Gabriel in ein Gespräch. Lou fühlt sich dem Unbekannten seltsam verbunden und verschafft ihm kurzerhand einen Job – was nun wirklich nicht seine Art ist. Doch auch Gabriel hat ein Geschenk für Lou: ein rätselhaftes Mittel, durch das Lou ein anderer wird …

>»Wenn wir genau hinhören, was dieser Roman uns
>zu sagen hat, dann können wir uns retten.«
>*Marian Keyes, Irish Times*

Krüger Verlag